rowohlt
POLARIS

Derek B. Miller

Sigrid Ødegårds Reise nach Amerika

Roman Aus dem Englischen von Jan Schönherr

ROWOHLT POLARIS

Die Originalausgabe erschien 2018 unter dem Titel «American by Day» bei Transworld / Penguin Random House, London.

Deutsche Erstausgabe Veröffentlicht im Rowohlt Taschenbuch Verlag, Reinbek bei Hamburg, September 2018 Redaktion Werner Irro Umschlaggestaltung any.way, Barbara Hanke / Cordula Schmidt Umschlagabbildung rubo illustration Foto des Autors: Camilla Waszink, 2012 Satz aus der Foundry Wilson bei Dörlemann Satz, Lemförde Druck und Bindung CPI books GmbH, Leck, Germany ISBN 978 3 499 27428 2

Für Sheldon

AUGUST 2008

DIE RICHTIGE FRAGE

SIGRID Ødegård blickt unverwandt aus dem Fenster ihres Büros, die Hände auf der ungeöffneten blauen Mappe. Auf dem Umschlag ist in Gold, Rot und Schwarz das Siegel der *Politi* aufgeprägt – offenbar war die Angelegenheit jemandem das gute Briefpapier wert. Titel oder Autor stehen nicht darauf, doch sie weiß auch so, worum es geht, und hat keine Eile, es zu lesen. Vor nur zwei kurzen Monaten, im Juni, war Oslo noch über und über mit Flieder bestickt. Sigrids Vater hat ihr einmal erzählt, Flieder sei die Lieblingsblume ihrer Mutter gewesen. Wenn er im Frühsommer in Hedmark blühte, war ihr Bauernhaus stets voll davon; ein Strauß in jedem Badezimmer, eine Vase auf dem Küchentisch. Verirrte Blüten flatterten der Familie durch die Flure hinterher, wenn sie sie im Vorübergehen aufwehte. Diese gemeinsame Bewegung – diese gemeinsame Erinnerung – war jedoch schon fünfunddreißig Jahre alt. Sigrid war erst fünf, als Astrid starb. Auf den sommerlichen Park mit seinen in der Sonne liegenden Menschen und herumtobenden Kindern blickend, fragt sie sich, ob diese Erinnerungen überhaupt die ihren sind. Vielleicht hat nur ihr Vater sie ihr eingegeben. Und wenn sie nicht ihre eigenen sind, schmälert das dann ihren Wert? Oder steigert es ihn vielleicht sogar?

Sie wendet ihre Aufmerksamkeit wieder der blauen Mappe zu.

Die enthält, so hat man ihr gesagt, Abschlussbericht und Urteil über die Ereignisse des vergangenen Monats, als in einer Sommerhüte nahe des Dörfchens Glåmlia, unweit der schwedischen Grenze, vier Geiselnehmer erschossen wurden. Sigrid hatte das Kommando gehabt und entschieden, das Sonderkommando, die *Beredskapstroppen*, einzusetzen. Es stürmte die Hütte und tötete drei der Verbrecher. Den vierten hat Sigrid selbst erschossen.

Die neugierigen Blicke ihrer Abteilung spürend, schlägt Sigrid die Mappe auf, liest jedoch noch immer nicht. Sie hätte gleich die Jalousien schließen sollen, nachdem der junge Kollege angeklopft und ihr die Mappe übergeben hatte. Blond war er, und für die Jahreszeit besorgniserregend blass. Sein jungenhaftes Gesicht ging ihr sofort auf die Nerven.

«Danke», sagte sie und wollte die Tür wieder schließen.

«Gern», hat er geantwortet und ihr dann merkwürdigerweise die Hand gereicht.

Ohne einen Schimmer, was ihn dazu veranlasste, schüttelte sie die Hand, damit er sie wieder wegnahm.

Er schien damit zufrieden und verschwand.

Im Laufe des vergangenen Monats hat die Dienstaufsicht die Geschehnisse untersucht, die den tödlichen Schüssen vorausgegangen waren. Reine Routine, wenn auch nur insofern, als es den Vorschriften entsprach; häufig kam so etwas nicht vor. Das letzte Mal, dass ein norwegischer Polizist jemanden erschossen hatte, war 2006 gewesen, vor zwei Jahren, und davor ... eine halbe Ewigkeit. Zehn Jahre? So etwas passierte in Norwegen einfach nicht. Die Gewaltverbrechensrate war niedrig, Morde eine echte Seltenheit, und wenn es doch mal dazu kam, ging es gewöhnlich um Leute, die einander kannten. Meistens Paare. Schuld war immer der Mann.

Die Ausbildung an der Akademie hatte sich darauf konzentriert, wie man eine Lage entschärft und unter Kontrolle bringt, statt einfach nur draufloszustürmen. In diesem Fall lief das anders ab.

Trotzdem war es die richtige Entscheidung gewesen, denkt sie; diese Typen hatten einen Mann, eine Frau und ein Kind in ihrer Gewalt. Doch nun liegt unter ihren Fingern der offizielle Ratschluss ihrer Abteilung zu dieser Frage. Vielleicht ist die zum selben Ergebnis gekommen, vielleicht aber auch nicht.

Man hatte beschlossen, ihr die Akte ausgerechnet heute auszuhändigen, am Freitag. Ob das grausam oder gnädig war, wird sich wohl erst beim Lesen zeigen.

Das Sommerhaus, wo die Männer erschossen wurden, lag tief im Wald hinter einer kleinen Wiese. Es war ein wenig größer als die übliche *hytte*, ein Ort der Ruhe und Idylle. Eine Jagdhütte. Ein Liebesnest. Kaum war sie mit ihrem Kollegen Petter aus dem Polizeiauto gesprungen, kam ein junger Mann, den sie noch nie gesehen hatte, aus der Tür und rannte in ihre Richtung.

Zu ihr? Auf sie zu? Auf sie los? Jedenfalls rannte er, mehr wusste Sigrid nicht. Sein Motiv war unklar. Ihre Angst und seine Wegrichtung waren es nicht.

Halb rechnete Sigrid damit, dass er stehen blieb. Beim Anblick von Polizisten ändern die Leute meist schlagartig ihr Verhalten. Sie fahren langsamer. Achten stärker darauf, was sie tun. Lassen Waffen fallen. Nehmen die Hände hoch.

Er aber rannte einfach weiter. Sie rief, er solle stehen bleiben. Er rannte weiter.

Das Tranchiermesser in seiner Hand sah sie sofort. Es

wirkte eher fehl am Platz als gefährlich. Hier waren sie, in dieser herrlichen Jahreszeit, in der die Natur ihren größten Reichtum entfaltet, der Zeit, der Norweger das ganze dunkle Jahr über entgegenfiebern, sodass ihr Kommen zugleich wohltuend und wehmutsvoll ist, weil sie so schnell wieder vorübergeht. Und da war er und rannte stumm auf sie zu, in der Hand ein Messer, gemacht, um Fleisch zu schneiden.

Wenn sie gezögert hätte, hätte er sie überwältigt. Also hat sie geschossen. Und dann noch ein zweites Mal.

«Hilft ja nix», brummt sie und fängt an zu lesen.

Er hieß Burim, kam offenbar aus dem Kosovo. Seine Familie ist in den Neunzigern vor dem Krieg nach Norwegen geflohen. Sein Vater starb kurz nach der Befreiung aus einem serbischen Internierungslager. Aufgrund von Unterernährung und inneren Verletzungen, heißt es im Bericht, vermutlich durch Prügel im Lager. Der junge, vaterlose Burim scheiterte beim Versuch, sich in Norwegen zu integrieren, und geriet in Oslo in schlechte Gesellschaft. Sein Migrationshintergrund sowie sein Verhalten in Norwegen, so formuliert es ein Polizeipsychologe, sprechen eher für Unreife als für Bosheit oder kriminelle Energie. Das ist der Mensch, den sie getötet hat.

Der rechtliche Befund über ihr Verhalten, so heißt es weiter, beruht auf einer Untersuchung des Tathergangs und den Umständen der Konfrontation zwischen dem Angreifer (ihm) und der beteiligten Beamtin (ihr). Es folgt eine Darstellung der Geschehnisse, teils auf Grundlage der Aussage von Petter, der von der anderen Seite des Streifenwagens aus alles mitangesehen hat.

Sigrid kommt diese Nacherzählung wie ein historischer Roman vor: Eine Geschichte über eine Frau, die genauso heißt wie sie, aber eindeutig nicht sie sein kann, zumal der Autor gar nicht bei der Hütte war, als all das geschah. Es gibt kein Video und außer Petter keine Zeugen. Wie soll da irgendjemand wissen, was sie wirklich getan hat, geschweige denn gedacht?

Sie blättert um, liest weiter.

Woher nimmt diese bürokratische Schilderung ihre Behauptungen über Ursache und Wirkung? Wer ist dieser Autor, der darüber schlussfolgert, was los war, als Sigrid abdrückte? Und wer ist diese vierzigjährige Polizistin namens «Sigrid Ødegård», die diesen Mann erschoss und dann, statt ihm Erste Hilfe zu leisten, zu dem zweiundachtzigjährigen Amerikaner lief, der mit einer klaffenden Schnittwunde am Hals aus der Hütte taumelte?

Kein Wort steht im Bericht über die weiche, sanfte Hand des alten Mannes, mit der er ihr Gesicht berührt und blutige Fingerabdrücke auf ihrer Wange hinterlassen hat. Nichts darüber, wie sie diese Fingerabdrücke erst bemerkte, als sie abends allein in ihrer Wohnung in Grønland vor dem Spiegel stand. Wieso kommt all das in diesem Text nicht vor, wenn der Verfasser sie doch so gut kennt?

Spätestens auf Seite zwölf ist offensichtlich, dass sowohl Sigrid als auch ihre literarische Doppelgängerin entlastet wurden.

Sigrid blickt sich um, ob einer ihrer Untergebenen sie mit der Akte beobachtet.

Niemand schaut in ihre Richtung. Was beweist, dass sie es kurz zuvor noch alle getan haben.

Sie wendet sich wieder dem Bericht zu, bemerkt immer mehr wilde Spekulationen und falsche Voraussetzungen.

Und je tiefer sie hinter die bürokratische Fassade und deren ungerechtfertigte Gewissheit blickt, desto deutlicher zeichnet sich dort eine andere Konstellation der Wahrheit ab. Irgendwo jenseits dessen, was sie da vor Augen hat, hört sie eine andere Geschichte; die noch nicht erzählte Geschichte eines verwirrten Flüchtlings aus dem Kosovo, der vorher nie gewalttätig war und eher vor einer Dummheit wegläuft als auf eine andere zu. Sein fataler Fehler war nicht etwa der Entschluss, ihr etwas anzutun, sondern auf sie zuzulaufen und zu schlecht Norwegisch zu sprechen, um zu verstehen, was sie zweimal gerufen hat: «Stehen bleiben oder ich schieße.»

In dieser Geschichte läuft alles genauso ab wie in der anderen, aber alles bedeutet etwas anderes.

Noch einmal führt sie sich die Situation vor Augen. Das grüne Gras. Die rote Hütte. Den blauen Himmel. Den rennenden Mann und sein kastanienbraunes Haar. Die großen braunen Augen.

Sigrid liest weiter, immer irritierter vom beiläufigen Ton des Verfassers. Ab Seite zwölf, nachdem das Urteil gefällt ist, wirkt alles Weitere wie nachträglich darauf zurechtgestrickt. Der Verfasser liest in die Ereignisse hinein, was immer nötig ist, um seinen Befund zu unterfüttern, statt ihn noch mal zu hinterfragen. Soweit Sigrid sagen kann, geschieht das nicht mit Absicht, ja nicht einmal bewusst. Ist die abschließende Erklärung erst gefunden, fügt sich eben alles kinderleicht von selbst zusammen. Am Ende des Berichts kommt es selbst Sigrid so vor, als hätte ihr fiktives Pendant gar nicht anders gekonnt, als abzudrücken. Als wäre das nicht nur gerechtfertigt gewesen, sondern unausweichlich.

Nicht nur spricht der Bericht sie von jeder Schuld im juristischen Sinne frei, in gewisser Hinsicht hält er sie für ihr Handeln nicht einmal für verantwortlich. Und genau das stört sie. Denn während des gesamten letzten Monats quälte sie sich mit den Folgen ihrer ganz und gar bewussten und kein bisschen vorherbestimmten Entscheidung.

Sie quälte sich, weil daran überhaupt nichts unausweichlich war. Es war eine Entscheidung. Eine, die Sigrid verstehen muss, was vielleicht am besten möglich wird, wenn sie alles, was ihr daran am sichersten erscheint, durch etwas anderes ersetzt – durch etwas Unerwartetes.

Sie schließt die Augen und versucht es mit einer Methode, die sie häufig bei Ermittlungen anwendet. Aus Sommer macht sie Winter. Das grüne Gras zwischen Hütte und Streifenwagen ersetzt sie durch eine Schneedecke. Aus dem roten Sommerhäuschen macht sie eine braune Berghütte. Sie bleicht den blauen Himmel aus und bedeckt ihn mit stählernem Grau, das aus der Arktis herabdrängt.

Über den Schnee, mit einem Messer und im selben Tempo kommt der Mann auf sie zu. Aber nicht derselbe Mann.

Dieses Mal ist er ein blonder Norweger.

In dieser Version heißt er nicht Burim, sondern Bjørn, und stürmt durch den puderigen Neuschnee wie ein halsstarriger Wikinger. Eine kontrafaktische Welt. Ein neues Modell. Ein neues Beziehungsgeflecht. In diesem Szenario ist alles wie gehabt, aber verfremdet. Und in den blauen Augen dieses auf sie zustürmenden Mannes findet Sigrid endlich die Frage, die zu stellen dem Autor des Berichts nicht einfiel. Die Frage, die zu stellen sich vielleicht niemand getraut hat.

Doch es ist genau die, nach der sie sucht. Die Frage, die all die offiziellen Annahmen über Ursache, Wirkung und

Unausweichlichkeit auseinandernimmt. Die alles in Zweifel zieht und Platz für neue Erkenntnisse schafft, aus denen man Konsequenzen ziehen kann:

Hätte sie dem Mann auch zweimal in die Brust geschossen, wenn er wie ein typischer Norweger ausgesehen hätte?

EIN SELTSAMER ORT

DEN Samstag verbringt Sigrid damit, amerikanische Serien auf einem kürzlich in Norwegen eingeführten Streamingportal zu schauen. Ihre Freundin Eli hat sie gedrängt, sich anzumelden.

«Ist besser als eine Katze», stellte Eli fest.

«Wer sagt was von einer Katze?», erwiderte Sigrid.

«Du hast keinen Freund.»

«Und deshalb brauch ich einen Streamingaccount?»

«Genau», sagte Eli.

Statt sich die Mühe zu machen, diesen Knoten aufzudröseln, zahlte Sigrid lieber die siebzig Kronen im Monat.

Bald bemerkte sie, dass der Streamingdienst fünfzehn Sekunden nach dem Ende einer Serienfolge automatisch die nächste startet, was der Kundin die Kalorien spart, die sonst beim Drücken der entsprechenden Taste verbrannt würden. Die völlig neue Form der Nervosität, die das erzeugte, verlangte eigentlich nach einem eigenen Namen.

Das stumpfe Geflacker des Fernsehers und die halbgaren Storys sind anfangs zwar recht hilfreich, aber nach sechs Stunden Dauerglotzen achtet Sigrid kaum noch auf die Plots und verliert sich stattdessen in Spintisiererei.

Warum, so rätselt sie zum Beispiel, ist es in Sitcoms gut, wenn Darsteller dick auftragen, in Stücken mit Tiefgang aber nicht?

Warum führt dramatischeres Spiel nicht automatisch zu mehr Drama?

Und warum wirken amerikanische Fernsehschauspieler immer dermaßen ... poliert?

Britische Darsteller glänzen nie so. Wie kann es sein, dass es die zahllosen in Amerika vorkommenden Hauttöne nur in Metallic gibt und nie in Matt?

Kommt das vielleicht von dem, was die dort essen? Oder ... nicht essen? Wirken Amerikaner von Natur aus wie poliert, oder ist das unnatürlich?

Und was wäre eigentlich gruseliger?

Wie grauenhaft unrealistisch all diese Serien sind, stört Sigrid nicht weiter. Genau in dieser Kluft zwischen der göttlichen Wahrheit und den linkischen Bemühungen der Menschheit, aus ihr schlau zu werden, findet sie die tröstliche Gewissheit, nicht allein zu sein.

Gegen halb acht Uhr abends ist sie zu einem umfassenden Urteil über Amerika gelangt. Kein sonderlich raffiniertes Urteil zwar und wahrscheinlich auch kein sehr originelles, aber es ist doch befriedigend, so lange intensiv über etwas nachzudenken und schließlich zu einem soliden Ergebnis zu kommen. Es lautet: «Was für ein seltsamer Ort.»

Als Sigrid am Sonntag aufwacht, brennt die skandinavische Sommersonne mit solcher Kraft, dass sie fürchtet, zu Staub zu zerfallen. Es ist sieben Uhr morgens, aber die Sonne steht bereits so hoch, als wäre es Mittag. Sigrid setzt sich im Bett auf. Die Tüte Sour-Cream-and-Onion-Chips, die sie gestern Abend verschlungen hat, liegt ihr schwer im Magen. Doch weder Bauchschmerzen noch Reue sind so schlimm wie der Geschmack im Mund, gegen den die Zahnpasta nicht ankam.

Eine Dusche und einen Kaffee später versucht sie erneut, sich im Fernsehen zu verkriechen, doch es hat seinen Zauber verloren. Da weit und breit kein Regen in Sicht ist, der zu weiterem Einigeln ermuntern könnte, gibt sie schließlich ihrer norwegischen Natur nach und findet sich damit ab, dass sie vor die Tür muss.

Ihr großer Bruder Marcus und sie wurden früher regelmäßig und bei jedem Wetter an die frische Luft geschickt, da in Norwegen der tiefe unausgesprochene Glaube herrschte, ein Kind könnte sterben, wenn es nicht täglich mindestens drei Stunden im Freien verbringt.

In Ermangelung elterlichen Drucks oder eines Kinds, das sie vor die Tür scheuchen könnte, quält Sigrid sich selbst hinaus. Den wärmsten Teil des Sonntags verbringt sie allein an einem kleinen Strand namens *Bygdøy sjøbad*. Sie trägt ein extraweites T-Shirt über einem grünen Bikinihöschen, das seit letztem Sommer irgendwie geschrumpft sein muss. Die dünnen Riemen schneiden ihr in die Hüfte.

Sie hat ein Buch eines amerikanischen Humoristen bei sich. Es heißt *When You Are Engulfed in Flames*, und nur wegen dieses Titels hat sie es gekauft. Statt zu lesen, beobachtet sie nun jedoch, gegen eine Steinmauer am Strand gelehnt, die kleinen Kinder, die in der Bucht umherrennen, Seesterne und kleine Krebse aufsammeln und sie in einer Mischung aus Freude und Entsetzen ihren Eltern vor die Nase halten. Sigrids Vater fragt oft, ob sie irgendwann Kinder möchte. In den Mienen der Eltern am Strand sucht sie nach einer Antwort.

Am Abend, als Sigrid es sich gerade mit ihrem Sonnenbrand auf dem kühlen Sofa vor dem Fernseher bequem macht, ruft ihr Vater an. Der Anruf kommt unerwartet, aber nicht überraschend.

Sigrid stellt den Fernseher stumm. Auf dem Bildschirm jagt ein amerikanischer Streifenwagen mit abenteuerlicher Fahrweise ein anderes Auto mit identischer Fahrweise durch eine Stadt und gefährdet Hunderte Menschenleben.

«Hi, Pappa.»

«Du hast gar nicht wegen dem Bericht angerufen.»

«Entschuldige.»

«Ich nehme an, es war alles in Ordnung?»

Sigrid nimmt das Telefon ans andere Ohr. «Wieso?»

«Weil ich dich kenne. Du hättest niemanden erschossen, wenn du nicht geglaubt hättest, es wäre notwendig.»

«Vielleicht hätte ich nicht glauben sollen, es wäre notwendig. Auf die Idee kommen die in der Abteilung nicht.»

«Du hast eine Entscheidung getroffen, in einer Situation, in der jeder vernünftige Mensch sich bedroht gefühlt hätte. Du kannst also weiterarbeiten?»

«Ja.»

«Komm stattdessen her. Wir freuen uns.»

«Wir?»

«Ferdinand und ich.»

«Wer ist Ferdinand?»

«Die Ente. Ich dachte, ihr kennt euch schon.»

Am Montagmorgen, auf dem Weg ins Büro, ist Sigrid überzeugt, dass ihr Haar noch immer nach Schweinesteaks vom Grill und der tropischen Sonnenmilch riecht, die so weit nördlich kein Mensch braucht. Vor der Tür nickt sie den Rauchern zu, die ihre Gesichter in die Sonne drehen wie Sonnenblumen kurz vorm Welken.

Drinnen ist es dunkler und kühler. Sigrid geht durch Flure, die dafür ausgelegt sind, dass die Tage verschwimmen.

In Uniform nimmt sie vor der Tür ihres Vorgesetzten Platz. Exakt zu ihrem Termin um 9.15 Uhr öffnet er die Tür und bittet sie hinein.

Sigrid steht auf und rückt ihre Krawatte zurecht, betritt aber nicht das Büro. Es soll nicht der Eindruck entstehen, das hier würde ein längeres Gespräch. «Ich nehme Urlaub», verkündet sie.

«Brauchst du nicht», erwidert ihr Chef, die Hand auf der Klinke. «Dir wirft keiner was vor. Das Ergebnis der Untersuchung ist eindeutig. Du hast die Geiseln befreit und der Bande das Handwerk gelegt. Vielleicht kriegst du sogar einen Orden.»

«Ich nehme Urlaub.»

Er nickt, als werde ihm irgendetwas klar, auch wenn Sigrid keinen Schimmer hat, was das sein könnte. «Es gibt auch die Möglichkeit zu psychologischer Beratung.»

«Ich fahr nach Hause.»

«Du willst doch hoffentlich nicht in deiner Wohnung rumsitzen und Trübsal blasen.»

«Mein Vater hat einen Bauernhof.»

«Wie lange bleibst du?»

«Bis ich wiederkomme.»

MIT einem einzigen Koffer fährt sie auf der E6 in Richtung Norden nach Hedmark. Am Stadtrand ist viel los, doch dann dünnt der Verkehr sich aus, und Sigrid entspannt sich. Sie folgt den Schildern nach Trondheim.

Je weiter man von Oslo aus ins nach Sigrids Ansicht echte Norwegen kommt, desto weniger Radarfallen gibt es. Ihr kommt es dann immer so vor, als verschwänden mit den Kameras auch der Staat und seine zentrale Kontrolle. Sie atmet freier, die Luft wird süßer, die verkrampften Schultern lockern sich. Wenn sie amerikanische Western schaut, fragt sie sich jedes Mal, ob die Leute sich damals mit ihren Pferden, Revolvern und dem Horizont vor Augen wohl genauso gefühlt haben.

Sigrids Vater behauptet immer, die Kameras seien in Wahrheit gar nicht zur Geschwindigkeitskontrolle da, sondern gehörten zu einem komplexen Ortungssystem für Trolle rings um die dicht besiedelten Regionen Norwegens. Von der Bar im Dachgeschoss des Radissons in Oslo aus, wo Sigrid ab und zu was trinken geht, mag einem das absurd erscheinen. Hier draußen aber lässt sich nicht mehr leugnen, dass sie mit zunehmender Entfernung von der Stadt immer intensiver das Wesen des Waldes spürt, die schweren Schatten darin und die Million sprudelnder kleiner Wasserfälle, die sich durch Felsspalten in die steilen Fjorde ergießen.

Wenn Sigrid in den Süden fährt, ins Europa des alten Roms, spürt sie die Antike. Doch auf der Reise nach Norden in die Wälder, da spürt sie die Urzeit.

Vielleicht gibt es Trolle ja wirklich.

Im Wald hinter dem Haus – damals, 1973, als sie fünf war und Marcus elf – gab es jedenfalls keine. Allerdings gab es einen Friedhof, bei der kleinen Kirche neben ihrem Grundstück. Dort wurde in jenem Jahr Astrid Ødegård begraben, Sigrids Mutter. In Sigrids Erinnerungen sind die vier nie etwas anderes als eine perfekte Familie. Die frühesten dieser Erinnerungen drehen sich um zwei riesige Pferde auf dem Hof, um drei Stofftiere, mit denen sie gern spielte – ein blauer und ein rosafarbener Drache sowie ein Pandabär –, und um ihre Eltern, die abends vorm Kamin im Wohnzimmer sitzen und lesen. Sigrid kann die *kanelboller* förmlich riechen.

Die Erinnerungen passen nicht zusammen, sind zeitlich getrennt und unzuverlässig. Sigrid hat nie versucht, sie zu einer kohärenten Geschichte zu verbinden oder zu hinterfragen, was sich in ihnen am wahrhaftigsten anfühlt. Was zählt – das hat sie immer schon geglaubt –, ist, was sie in ihr auslösen. Und sie machen sie glücklich. Das Herz ist einer der wenigen Orte, wo Tatsachen und Wahrheit nicht unbedingt dasselbe sind.

Als ihre Mutter starb, war es mit dem Familienglück jedoch vorbei. Marcus war wegen Astrids Tod wütend auf seinen Vater und gab immer zwanghafter zunächst Morten die Schuld daran und dann, später, sich selbst. Sigrid fand beides unsinnig. Marcus' Zorn machte den Alltag – den Schulweg, die Hausaufgaben, gemeinsame Aktivitäten, die langen Wochenenden – schließlich zur Tortur.

Und doch erinnert sie sich anders an ihren Bruder. Übrig blieb, wie lieb sie ihn hatte. Wie viel Spaß sie miteinander hatten. Wie unzertrennlich sie waren. Wie sie ihn getriezt hat, bis er heulte, und er es einfach über sich ergehen ließ, weil er keinen Funken Bosheit in sich trug, keine Rachegelüste, keine Grausamkeit.

Viel später erklärte Morten Sigrid, das Jahr nach Astrids Tod habe ihm gezeigt, dass Marcus nicht wieder froh würde, wenn man nicht etwas anderes versuchte. Morten war verzweifelt, er konnte nicht gleichzeitig Marcus helfen, seine Frau betrauern und für die kleine Sigrid da sein. Am Ende fügte er sich dem Rat von Ärzten und Verwandten, es sei für alle das Beste, wenn Marcus zu Astrids Schwester Ingeborg zöge, die mit ihrem Mann Jakob in einem Dorf am Hardangerfjord eine Apfelplantage bewirtschaftete. Die beiden waren kinderlos, hatten Marcus sehr lieb und wollten unbedingt helfen.

Astrid war an Krebs gestorben. Als Sigrid bei der Polizei anfing, überprüfte sie die Sterbeurkunde und ließ sich sogar die Krankenhausakte kommen. Einen Verdacht hegte sie nicht, aber wo sie schon mal Zugang zu den Akten hatte, konnte sie nicht widerstehen. Alles war, wie ihr Vater gesagt hatte. Was nicht in den Akten stand, aber trotzdem stimmte, war, dass ihre Eltern einander geliebt hatten. Das wusste sie aus den Erzählungen von Nachbarn und den tröstenden Worten von Freunden und Verwandten, deren Erinnerungen sich an keinem Punkt widersprachen. Was Sigrid fühlte, war keine Lüge. Ihre Erinnerungen waren kindlich und lückenhaft, aber nicht falsch. Wieso Marcus sich und Morten die Schuld an Astrids Tod gab, hat sie daher nie verstanden, und auch ihre Versuche, ihn zur Rede zu stellen, blieben fruchtlos.

In den Ferien und an Feiertagen kam die Familie zusammen, doch Marcus söhnte sich nie mit Morten aus. Nicht ganz. Sigrid dagegen vergötterte ihren Vater. Aus diesem Unterschied erwuchs zwischen den Geschwistern ein emotionaler Damm, wodurch ihre intensivsten Gefühle, die guten wie die schlechten, den anderen nicht mehr erreichten. Zwar versuchte Sigrid wiederzubeleben, was die beiden gehabt hatten, doch die Gefühle, die sie jeweils mit ihrer Kindheit verbanden, waren unvereinbar. Eine schwierige Basis für ein gutes Verhältnis als Erwachsene.

Nach Marcus' Auszug hatte Sigrid ihren Vater größtenteils für sich allein, bis sie mit achtzehn an die Uni ging. Bis vor kurzem galt das auch für ihr Erwachsenenleben, da Morten nicht wieder und sie überhaupt nie geheiratet hat. So leisten die beiden einander Gesellschaft. Nicht, dass er einsam wäre. Er hat ja seine Bibliothek. Nach Astrids Tod hat er das Loch aus ungesagten Worten mit dem Schweigen ungelesener Bücher aufgefüllt.

Als Marcus weg war, hat er dazu das Esszimmer umgebaut. Hippe Städter würden sagen, er habe es «umfunktioniert», doch Morten hätte darüber bloß die Nase gerümpft, zumal das Zimmer zuvor nachweislich überhaupt keine Funktion erfüllt hatte.

Durch einen glücklichen Zufall hatte Morten erfahren, dass die kleine Stadtbücherei von Elverum gerade renoviert wurde und ihre herrlichen Eichenregale zum Schnäppchenpreis verschleuderte. Er bezahlte ein paar junge Männer aus der Stadt dafür, sie abzuholen und bei ihm so aufzustellen, dass sie alle Wände außer den Fenstern bedeckten. Danach war noch genügend Platz, um zwei der langen Regale in der Mitte zu platzieren, was so etwas wie ein «Magazin» zu beiden

Seiten eines langen Tischs ergab, an dem Sigrid und er sich ihren Studien widmeten. Dort verbrachten sie ebenso viel Zeit miteinander wie nebenan in der Küche.

Auf den Tisch hatte Morten eine grüne Bankierslampe mit bronzenem Sockel gestellt; etwas affektiert vielleicht, doch zusammen mit dem dunklen Holz sorgte sie für eine warme Stimmung und vertrieb das direkte Sonnenlicht mitsamt den kopflosen Ideen, die es mit sich bringt. Als Sigrid zum Studium in die Großstadt zog, stellte Morten außerdem noch einen Polstersessel in die Ecke, der genauso gut zum Lesen wie für ein Nickerchen taugte. Das Zimmer wurde sein Refugium.

Sigrid hatte ihn oft gedrängt, er solle «sozialer» sein, doch er spottete nur, sie wisse ja gar nicht, was das Wort bedeute. Zeit, die man allein verbringt, müsse weder einsam noch vergeudet sein, erklärte er. Sicher, es komme schon vor, dass Männer sich abschotten, wenn ihre Frauen sterben und die Kinder wegziehen. Und ja, Depressionen und Alkoholismus seien keine Seltenheit; aber das gelte nicht bloß für Norwegen, obwohl man es hier am besten beherrsche.

Er sei dafür jedenfalls kein Kandidat, beteuerte er. Sie solle sich keine Sorgen machen.

«In einem zweieinhalbtausend Kilometer langen Land bist du nur drei Autostunden von mir entfernt», hat er gesagt. «Zu Marcus sind es fünf. Ein Klacks. Und obwohl du ausgezogen bist, bist du nicht wirklich weg. Wir sprechen doch fast täglich. Ich bin nicht einsam. Und wenn ich's doch mal sein sollte, besorg ich mir ein Haustier.»

Die nächsten zwanzig Jahre bewahrte Sigrid sich die Überzeugung, ihr Vater sei einigermaßen glücklich. Jetzt, wo sie selbst unglücklich ist, hat ihre Optik sich verschoben.

Sie kann nicht sagen, ob sie ihn jetzt schärfer sieht, weil sie ihn versteht, oder ob sie nur ihre eigenen Gefühle auf ihn projiziert. So oder so, im Polizeidienst hat sie derzeit nichts verloren.

Am späten Nachmittag rollt Sigrids Wagen über die harte Erde der Hofzufahrt. Bei ihrem letzten Besuch erstreckte sich eine Schneedecke von den Hügeln hinterm Garten bis hinauf in die Arktis. Jetzt ist alles grün. Die Sonne steht hoch. Richtig dunkel wird es heute nicht werden. Zu dieser Jahreszeit geht bloß die Dämmerung irgendwann in Morgengrauen über.

Sigrid wuchtet den Koffer aus dem Auto, schleift ihn über die Einfahrt in die Diele und stellt ihn neben dem leeren Schirmständer ab, dessen Öffnung aufragt wie ein Karpfenmaul.

Ihr Vater ist in der Küche beschäftigt und unterbricht seine Arbeit auch nicht, um sie zu begrüßen. Er justiert ein Scharnier an der Tür, die hinten auf den Hof hinausführt, zum Traktor und den wenigen verbliebenen Tieren. In einem Flanellhemd und einer alten Jeans mit exakt der Patina, auf die junge Leute heutzutage so versessen sind, kniet er auf einem fein säuberlich gefalteten Handtuch. Durch die Drogerielesebrille auf seiner Nasenspitze studiert er das Scharnier wie eine alte Schriftrolle.

Morten ist neunundsechzig. Seine Arme kommen Sigrid dünn vor. Sie sieht ihm bei der Arbeit zu.

«Willst wohl länger bleiben», sagt er, ohne aufzublicken.

«Wie kommst du darauf?»

«Dein Koffer. Der klang, als hättest du eine Leiche über den Kies geschleift.»

«Tut uns vielleicht beiden ganz gut.»

Morten lehnt sich einen Augenblick zurück, um sein Werk zu begutachten.

«Ich gebe immer Öl aufs Scharnier, weil es quietscht, aber ich hab zu viel draufgetan, und eins der wesentlichen Merkmale von Schmieröl ist, dass es Schmutz anzieht, der wiederum Reibung verursacht, die dann exakt das Problem verursacht, das ich lösen will, was die ganze Prozedur unerträglich absurd macht. Genau deshalb, nur in größerem Maßstab, kollabiert eines Tages das ganze Universum.»

«Serviette?» Sigrid reicht ihm eine vom Tisch.

Er wischt über das Scharnier, die Welt ist gerettet.

«Grade noch mal gut gegangen», sagt sie.

Sie holt eine Flasche Farris-Mineralwasser aus der Tasche und nimmt einen kräftigen Schluck. Ihr Vater zieht ein böses Gesicht. «Hier kommt das beste Wasser der Welt aus dem Wasserhahn. Wieso zahlst du für das da?»

«Ist eben praktisch.»

«Dann heb die Flasche auf. Tu richtiges Wasser rein.»

«Da war schon welches drin. Ich wollte das jetzt nicht nur aus Prinzip wegschütten.»

«Was hast du mir mitgebracht?», fragt er und setzt sich zu ihr an den Tisch. Eine Hand legt er lässig aufs Knie, wodurch er einen Augenblick lang jünger und stärker wirkt.

«Ist noch im Auto. Vorräte aus der Zivilisation.»

«So nennen wir Oslo also heutzutage?»

«Am Telefon sprachst du von einer Ente. Wo ist die?»

«Macht Entensachen. Ich halt mich da raus.»

«Ist sie ein Haustier?»

«Ein Haustier?»

«Du hast mal gesagt ...»

«Ja?»

«Vergiss es.»

Sigrid holt zwei Dosen Pale Ale aus dem Kühlschrank und schenkt sie in Gläser, während ihr Vater Schwarzbrot, Käse und Wurst auf den Tisch stellt.

Ihr Blick schweift über die Hügel jenseits der Felder, die Kuppen verwittert von der Zeit wie alles Alte. Sie hatte ganz vergessen, wie schön Stille klingen kann, wenn man nicht allein ist.

«Schön, zu Hause zu sein.» Sie setzt sich gegenüber ihrem Vater hin. «Am liebsten würde ich für immer bleiben.»

«Das ist aber jetzt blöd», erwidert ihr Vater nach einem großen Schluck Bier. «Das geht nämlich nicht.»

«Wieso nicht?»

«Weil du morgen nach Amerika musst. Am späten Nachmittag.»

Sigrid versteht den Witz nicht, lacht aber trotzdem. «Wieso das denn?»

«Weil dein Bruder verschwunden ist. Und du wirst ihn finden.»

DAS Bier reicht ihnen nicht, weshalb Morten eine Flasche Aquavit auf den Tisch stellt, zwischen die zwei hübschen Gläschen, die seit hundert Jahren nur diesem einen Zweck dienen.

«Aquavit trinkt man an Weihnachten», gibt Sigrid zu bedenken.

«*Auch* an Weihnachten», erwidert er und schenkt ihnen je ein Glas ein.

«Skål», sagt Sigrid.

«Skål.»

Beide leeren ihre Gläser in einem Zug.

Eine kurze Pause, dann wird Sigrid ungeduldig. «Gut. Raus damit.»

«Wie gesagt, Marcus ist verschwunden.»

«Er ist in Amerika, dachte ich. An einer Uni, als außerordentlicher Professor für Umweltschutz oder so was. Ihr schreibt euch doch.»

«Stimmt», bestätigt Morten.

Briefe, erklärt er, seien zwar eine altmodische Kommunikationsform, aber Marcus und ihm trotzdem die liebste, weil Briefe bewusst verfasst und am Stück gelesen werden. Obendrein liege ein zeitloses Vergnügen darin, voll Vorfreude zum Briefkasten zu gehen. Schon die Römer hätten das gemacht, sagt er.

«Und?», fragt Sigrid.

«Bedächtige Kommunikation war gut für uns.»

«Das meinte ich nicht.»

«Irgendwas am Ton des letzten Briefs gefiel mir nicht», sagt Morten. «Dann kamen überhaupt keine mehr.»

«So viel zum Thema altmodische Kommunikationsform», entgegnet Sigrid und schenkt ihnen nach. «Ich nehme mal an, du hast angerufen?»

«Sein letzter Brief wurde vor zwei Wochen aufgegeben», erklärt Morten. «Drei Tage später kam er schon an. Ich habe sofort angerufen. Zu Hause ging niemand ran, das Handy ist ausgeschaltet. Dann hab ich's an der Uni versucht, aber im Sommer hat er frei, also wussten die nichts. Auch bei den Krankenhäusern hab ich's versucht. Nichts.»

«Und hast du die Polizei angerufen?»

«Ja, dich.»

«Und wieder: Nicht, was ich meinte.»

«Sprich du mit der Polizei. Du weißt, was man da sagen muss.»

«Du bist ein Vater, der sich Sorgen um seinen Sohn macht. Du gibst denen seinen Namen, seine Adresse und die letzte bekannte Telefonnummer. Dann erklärst du ihnen, wohin er gegangen sein könnte und ...»

Morten rutscht auf seinem Stuhl herum.

«Was?», fragt sie.

«Ich will, dass ihr euch seht.»

«Warum?»

Sigrid und ihr Vater stehen sich zwar nahe, doch lange Vorträge und Diskussionen sind eher selten. Die bloße Wohltat ihrer Gesellschaft hat ihnen Worte immer gut ersetzt. Manchmal sind sie allerdings doch hilfreich.

«Pappa ... warum?»

«Eine Zeitlang dachte ich, Marcus würde vielleicht nach Hause kommen.»

«Das ist Wunschdenken, Pappa. Das sagst du schon, seit er zu Tante Ingeborg gezogen ist.»

Morten steht auf, geht aus dem Zimmer und kehrt kurz darauf mit einem Bündel Briefe zurück. Er entnimmt sie einem Schuhkarton mit dem Logo einer Firma, die es längst nicht mehr gibt.

Er legt den Stapel Umschläge mit fremden Briefmarken mitten auf den Tisch. Die Marken zeigen Landschaften, Nationalparks, berühmte Bürger und Enten.

«Enten», sagt sie.

«Enten gibt es überall», brummt Morten und schnürt das Bündel auf. Den untersten und den obersten Brief legt er vor Sigrid auf den Tisch. Die beiden sind identisch, bis auf die Marken und die Stempeldaten des U.S. Postal Services. Adresse und Absender sind gleich. Die Handschrift auch.

Morten tippt mit dem Finger auf den älteren der beiden Briefe, öffnet ihn jedoch nicht.

«Vor sieben Monaten lag der im Briefkasten. Ich war überrascht. Besorgt. Ich dachte – fürchtete –, es stünden irgendwelche schlimmen Nachrichten drin.»

«Was denn für schlimme Nachrichten?»

«Worüber Eltern sich eben Sorgen machen. Eine Verletzung. Geldprobleme. Ein ungewolltes Kind. Ein gewolltes, dem etwas zugestoßen ist. Als ich den Brief dann las, war ich tatsächlich geschockt, aber nur, weil er so anders war, als erwartet. Marcus wirkte glücklich. Er hatte die Stelle an der Uni angenommen – diese ‹außerplanmäßige›, die du meintest –, und auch wenn die nicht viel Prestige, Geld oder Karrierechancen beinhaltete, machte er doch was aus seinem alten Master und aus dreißig Jahren Berufserfahrung in der Landwirtschaft. Viel Persönliches stand nicht drin, nichts über Gefühle, keine großen Beichten, aber es öffnete die Tür zu zwanglosem Austausch. Und da stand etwas von einer Frau in seinem Leben. Eine Lydia. Viel hat er nicht gesagt, nur ein paar Wochenendausflüge erwähnt. Er hat recht lebhaft vom Wandern und Klettern berichtet. Aber nichts Persönlicheres. Nichts weiter über sie. Trotzdem. Es war ein Brief, von einem leibhaftigen Menschen. Ich war ... froh.»

Morten legt die rechte Hand, die mit dem Ehering, auf die Briefe.

«Dass ihr euch schreibt, wusste ich ja schon, aber sonst nicht viel.»

«Ich wollte wohl», erklärt er, «dass das ein Weilchen unter uns bleibt. Nicht, um es vor dir geheim zu halten. Ich dachte nur ...» – er hält einen Moment inne und denkt nach – «du und ich, wir hatten so viel Zeit miteinander, für uns, dass ich es Marcus vielleicht schuldig war, etwas zu zweit zu haben. Nur wir beide.»

«Schon in Ordnung.»

«Er ist sechsundvierzig.»

«Ich weiß.»

«Ich kann nicht fassen, wie viel Zeit vergangen ist.»

Morten trinkt noch einen Aquavit. Sigrid füllt beide Gläser nach.

So nah Sigrid und ihr Vater sich auch standen, Freude herrschte wenig im Haus. Nähe und Liebe, so hat sie gelernt, hängen nicht notwendig mit Fröhlichkeit oder Vergnügen zusammen. Das Fehlen ihrer Mutter machte ihr die Welt so fremd, als hätte die Farbpalette des Himmels sich auf unerklärliche Weise verschoben, und der Verstand hätte diesen neuen Zustand nie ganz akzeptiert. Ihr Vater war kein guter Ratgeber, und gemeinsam behandelten sie, was sie verloren hatten, als hätten sie es nur verlegt – so, als könnte Astrid mit etwas Glück noch mal zurückkehren. Die kleine Sigrid war weniger bestürzt darüber, dass ihre Mutter starb, als jeden Tag erneut verblüfft, dass sie immer noch tot war und einfach nicht mehr wiederkam.

«Ich muss die lesen», sagt Sigrid und tätschelt die Briefe.

Endlich ist die Sonne hinter die Hügel im Westen gesunken. Zwar ist der Himmel noch blau, doch die Küche wird dunkler und kühler. Morten steht auf und schließt das Fenster über der Spüle. Dann entzündet er vier Kerzen auf dem Küchentisch.

Sigrid aber braucht dringend eine Antwort.

«Also. Das mit Amerika war ein Witz, oder? Wir rufen morgen ein paar Leute an.»

«Ich hab dir einen Flug gebucht. In deinem Zimmer liegt ein Reiseführer. Lies die Briefe unterwegs.»

«Ich fliege auf keinen Fall einfach so mir nichts dir nichts auf einen anderen Kontinent. Wir haben nicht mal ansatzweise alles ausgeschöpft, was wir von hier aus tun können.»

«Zwei Möglichkeiten», antwortet Morten. «Es geht ihm gut. So wie in diesem Brief. Dann siehst du nach Jahren deinen Bruder wieder und ihr habt eine schöne Zeit zusammen. Und du, meine Liebe, nutzt die Gelegenheit, um mit jemandem darüber zu reden, dass du kürzlich einen Mann getötet hast und wenige Augenblicke später ein anderer in deinen Armen gestorben ist.»

Sie will protestieren, doch er hebt die Hand.

«Ein Wiedersehen ist lange überfällig. Allein schon wegen deiner Situation. Falls er aber», fährt Morten fort, indem er den zweiten Brief auf Sigrid zuschiebt und den ersten wegzieht, «deine Hilfe braucht, kannst du für ihn da sein. Zu verlieren gibt es nichts. Es ist das einzig Richtige. Und es ist allemal besser, als hier auf dem Hof Trübsal zu blasen.»

«Ich wollte mich zu Hause entspannen.»

«Mach stattdessen das.»

«Amerika ist seltsam», erklärt sie im Brustton der Überzeugung.

«Und wunderbar. Es ist beides. Hab ich gehört. Selbst war ich nie dort. In drei Monaten wählen die vielleicht zum ersten Mal einen Schwarzen ins Weiße Haus. Du kannst dabei sein, wenn Geschichte geschrieben wird. Dein Flug geht morgen. Icelandair bis Montreal. Von dort nimmst du einen Flieger in eine Stadt mit dem einfallslosen Namen Watertown. Für die letzte Etappe kannst du bestimmt ein Auto mieten oder den Bus nehmen. Ohne Visum darfst du drei Monate bleiben. Ein kleines Abenteuer.»

«In Upstate New York?»

«Bei Abenteuern geht es vor allem um Menschen», sagt er. «Du musst wissen, dass Marcus' Briefe vor etwa zwei Monaten düsterer geworden sind. Irgendwas ist passiert. Was das war, hat er nicht erwähnt. Ich habe versucht nachzuhaken, aber er war nicht sehr mitteilsam. Ich vermute, seine Liebesgeschichte nahm ein böses Ende, oder die Frau hat Schluss gemacht. Ich weiß auch nicht, womit ich das verdient habe, dass meine beiden Kinder mit über vierzig weder verheiratet sind noch Kinder haben.»

«Bitte, nicht das wieder», stöhnt Sigrid.

«Die Frauen heutzutage glauben, sie könnten ewig warten. Aber da täuschen sie sich. Du weißt ja, wie oft es zu Fehlgeburten kommt, wenn man erst mal ...»

«Ich warte auf gar nichts, Pappa. Ich lebe mein Leben, und das wird eben, wie es wird.»

«Aha ... Lebensplanung à la Doris Day.»

«Ich weiß nicht, wer das ist.»

«Nein. Warum sollte das auch noch jemand wissen.»

Morten trinkt seinen Aquavit, und Sigrid will schon nachfüllen, doch er legt die Hand auf sein Glas.

«Wie geht's deinem Kopf?», fragt er.

«Gut. Deinem?»

«Vor fünf Wochen ist ein Verbrecher aus dem Schrank gesprungen und hat dir eins übergebraten. Wie geht's deinem Kopf?»

«Wie geht's deiner Ente?»

«Was hast du bloß immer mit dieser Ente?»

«Du hast ihr einen Namen gegeben.»

«Ferdinand. Er hat Charakter.»

«Er hat Nährwert. Den er dank des Namens wahrscheinlich verliert.»

«Neulich hab ich einen Film über einen Bauern gesehen, der ein Schwein zum Schäferhund ausgebildet hat. In dem Film gab's eine Ente. Die war lustig.»

«Wir werden diese Ente essen, Pappa.»

«Das wird schwierig, jetzt, wo sie einen Namen hat.»

Kurz darauf lässt Sigrid ihren Vater allein am Tisch zurück. Sie küsst ihn auf die Stirn und wünscht ihm eine gute Nacht, er stopft eine dänische Pfeife und verschwindet in einer Wolke aus duftendem Rauch. Sigrid zieht sich auf ihr Zimmer zurück, mit Marcus' Briefen und dem festen Vorsatz, die Aussicht ernst zu nehmen, dass sie morgen schon in die Vereinigten Staaten von Amerika fliegen und ihrem Vater zuliebe das Abenteuer erleben soll, ihren Bruder wiederzusehen.

Der Koffer aus Oslo enthält nur ein einziges Nachthemd. Sie schlüpft hinein und dann unter die weiche, weiße Decke, die sie vor der kratzigen, aber warmen Wolldecke darüber schützt. Bedeckt von der flauschigen Last knipst sie die Leselampe an und öffnet Marcus' letzten Brief.

Er ist mit der Maschine geschrieben – nicht von Hand. Es sieht tatsächlich aus, als wäre er an einer mechanischen Schreibmaschine verfasst worden. Auf der Rückseite spürt Sigrid die Druckstellen des Schreibkopfs.

Das Papier hat amerikanische Größe, achteinhalb auf elf Zoll, statt des beinahe universellen, schmaleren A4-Formats. In der *Aftenposten* hat sie einen Artikel darüber gelesen, dass Amerika eins der drei letzten Länder der Welt ist, die noch das alte britische Maßsystem verwenden statt des metrischen. Die anderen beiden sind Liberia und Myanmar.

«Seltsamer Ort.»

Der Brief lautet so:

Lieber Pappa,
es ist wieder passiert. Beim ersten Mal meintest Du, ich würde es nicht begreifen. Würde alles falsch verstehen. Jetzt bin ich erwachsen, und es ist ein zweites Mal passiert, und diesmal verstehe ich es nur zu gut. Mehr noch. Es zwingt mich, alles zu sehen. Aber nicht mit den Augen eines Erwachsenen, der über die Klarheit von Zeit und Alter verfügt, sondern mit denen eines Jungen, dessen Blick nicht von den Jahren, Ereignissen und

Entscheidungen dazwischen verstellt ist. Was ich jetzt verstehe, ist, dass es meine Schuld war. Und Deine. Aber Dir verzeihe ich.
Dein Sohn
Marcus

IN einer Boeing 757 der Icelandair fliegt Sigrid vom Flughafen Oslo-Gardermoen ab. Ihr Vater hat sie in die «Saga Class» gebucht – entweder aus Großzügigkeit, oder weil er dem Namen nicht widerstehen konnte.

Auslandsreisen sind immer noch neu für sie, und sie konnte eine gewisse Aufregung nicht verleugnen, als sie an Bord des Flugzeugs ging, sich die Kopfhörer geben ließ und nach links in die Business Class abbog. Der – sehr attraktive – Steward schenkte ihr ein Lächeln dafür, dass sie das Glück und den Stil hatte, für einen breiteren Sitz bezahlt zu haben.

In der Vergangenheit hat sie an ein paar europäischen Konferenzen teilgenommen, die darauf abzielten, Akademiker und politische Entscheidungsträger in Sachen organisiertes Verbrechen, grenzüberschreitende Zusammenarbeit, zwischenbehördliche Arbeitsrichtlinien, neue Erkenntnisse über Schmuggelrouten und komplizierte Überschneidungen zwischen kriminellen und terroristischen Aktivitäten zu vernetzen. Drei Reisen nach Brüssel, eine nach Genf. Statt Gedanken tauschten die Akademiker und Entscheidungsträger jedoch eher Körperflüssigkeiten aus. Bei derartigen Veranstaltungen kam selten mehr heraus als uneheliche Kinder, Missverständnisse und gebrochene Herzen, also stieg sie lieber aus, solange sie noch konnte.

Interessanter für ihre Arbeit ist Norwegens 1600 Kilometer lange Grenze zu Schweden, an der Schmuggel und illegale Einwanderung zu einem größeren Problem wurden, seit Norwegen 2001 dem Schengener Abkommen beigetreten ist. Die Grenzöffnung ermöglichte freieren Verkehr für Waren und Menschen und schuf obendrein neue Möglichkeiten zur verdeckten Ermittlung in Schweden, in Zusammenarbeit mit Göteborg und Stockholm. Sigrid mochte ihre schwedischen Kollegen, auch wenn die manchmal etwas steif sein konnten, und die Undercoverarbeit beschleunigte ihre Karriere. Flugzeuge spielten dabei allerdings nie eine Rolle.

Der erste Flug dauert nur ein paar Stunden. Lang genug für einen Film, aber Sigrid entscheidet sich für Musik und Träumerei. Sie wählt den Klassikkanal, das Festival Orchester Budapest spielt irgendetwas von Vivaldi. Ein gutes Hintergrundgeräusch, um die Triebwerke zu übertönen.

Unter ihr verschwindet Norwegen, was beweist, dass es jenseits davon tatsächlich noch eine Welt gibt. Die Luft sieht klar aus, wird jedoch durch schichtenweise Plastik ausgesperrt.

Der milchkaffeefarbene Sitz neben Sigrid ist frei, was sie ausnutzt, um sich breitzumachen. Sie packt die Briefe ihres Bruders darauf, eine Flasche Wasser, das Bordmagazin und das Buch von David Sedaris, das sie am Strand nicht einmal angefangen hat. Es ist eines von zwei Büchern, die sie dabei hat. Während draußen die Sonne durch die Wolken bricht, fühlt sie sich plötzlich hip und *up to date.* Sie schlägt das Impressum auf. Die Vorlage für das Cover, so liest sie dort, heißt *Schädel mit brennender Zigarette* und ist eigentlich ein Ölgemälde von van Gogh, das in Amsterdam hängt. Sigrid ist zwar keine Kunstexpertin, aber sie erinnert dieser Stil eher an das Elvis-Gemälde *On Black Velvet* als an die *Sternennacht.*

In dem Buchladen war sie überhaupt nur, weil Eli darauf bestanden hatte, dass sie wieder liest. Das war nach dem Triumph mit dem Streamingportal.

«Soll ich etwa lesen, weil ich keine Katze habe?», hatte Sigrid gescherzt.

«Was haben Katzen damit zu tun?»

Rasch packt sie das Buch wieder weg: Der fidele Ton stört nur ihre Beklemmung angesichts des Wiedersehens mit Marcus.

Das zweite Buch, ebenfalls ein Sieg von Eli, handelt mal wieder von einem Cop mit Alkoholproblem und dunkler Vergangenheit, der sich nicht unterordnen kann. Ohne ersichtlichen Grund führt er trotzdem die Jagd auf einen Serienmörder an, in einem skandinavischen Land mit einer der weltweit niedrigsten Kriminalitätsraten aller Zeiten. Die Morde sind so grausig, dass sie weltweit Schlagzeilen gemacht hätten, stören im Buch aber lediglich die Beschaulichkeit einer Kleinstadt, aus der nie einer wegzieht und wo sich keiner je über irgendetwas Sorgen macht.

Nach einer Stunde ist Sigrid gelangweilt. Als professionelle Ermittlerin hätte sie in einem Buch, das angeblich von ihrem Leben handelt, gern wenigstens ein einziges Mal ihre eigenen Erfahrungen wiedererkannt, und sei es auch nur als obskure Anspielung. Stattdessen funktioniert die fiktive Ermittlung über Instinkt, Charakter, Talent und Zufall. Eine Welt ohne Vorschriften, Regeln, Schablonen, Ermittlungsstrategien, analytische Strategien, Budgets, Terminpläne oder Stechuhren. Von echter Polizeiarbeit ist nichts darin zu finden, und Frauen spielen nur als Sexobjekte oder zerstückelte Mordopfer eine Rolle.

Sie winkt eine Stewardess herbei, die seit dem Start dasselbe Lächeln im Gesicht hat, und bestellt eine Bloody Mary mit einer Scheibe Zitrone.

Die Briefe warten, doch Sigrid ist noch nicht bereit. Sie öffnet ihr iPad, erstellt eine simple Tabelle und trägt fachkundig die Daten sämtlicher Poststempel ein. Chronologisch geordnet ergibt das Zeitreihendaten darüber, wann die Briefe abgeschickt wurden, wodurch sich erste Muster abzeichnen. Noch hat Sigrid keine Fragen oder Hypothesen. Sie erstellt nur den Rahmen, innerhalb dessen sich Muster ergeben können. Davon ausgehend wird sie Beobachtungen anstellen, die dann hoffentlich zu fundierten Fragen führen, abgeleitet aus den Fakten, statt nur zusammenphantasiert und aufgestülpt. Das ist *terra firma*. Erst beobachten, dann fragen. Und erst anschließend interpretieren.

Wird irgendwas davon ihr Einsichten über Marcus, sein Leben und – falls nötig – seinen Aufenthaltsort verschaffen? Wer weiß. So sieht nun mal echte Polizeiarbeit aus. Kein Wunder, dass darüber keiner schreibt.

Sie macht eine Pause, schaltet von Musik auf Filme. In einem geht es um einander verprügelnde Roboter. Vielversprechend. Leider ist nicht mehr genug Zeit, und den Schluss würde sie nicht verpassen wollen.

«Ma'am?», fragt eine Männerstimme.

Sigrid blickt auf. Ein attraktiver Mann lächelt sie an, und ihr ist völlig schleierhaft, wieso.

«Ja?»

«Sie sind ja ganz schön fleißig», sagt er auf Englisch.

«Ist das ein Problem?»

«Nein. Ich, ähm, wollte nur fragen, ob Sie noch was trinken wollen.»

Der Mann trägt eine Uniform der Fluglinie, sie befinden

sich nicht in einer Bar, und er beugt sich so dicht und dennoch völlig harmlos über sie, wie das nur schwule Männer können. Doch für einen kurzen, peinlichen, debilen Moment kommt davon rein gar nichts bei Sigrid an, und sie sonnt sich bloß im Glanze seiner Großzügigkeit.

«Ja, gern», sagt sie.

«Dasselbe noch mal?»

«Ja, gern», sagt sie.

«An was sitzen Sie denn da?»

«An einer Bloody Mary.»

«Das Dokument, meinte ich.»

«Oh», sagt sie und blickt auf ihr Tablet. «Ich bilde Zeitreihen, um eventuelle Muster in den Daten zu finden und empirisch fundiert in einem Vermisstenfall voranzukommen.»

«Wow.»

Seine Überraschung als Interesse missverstehend, fährt sie fort: «Eigentlich geht es darum, zu Beginn der Ermittlung meine Gedanken zu ordnen. Mich ins Material einzufuchsen. Nichts weiter. Jeder Wissenschaftler – und jeder Ermittler – weiß, dass die meisten spontanen Erkenntnisse kommen, wenn man richtig in die Daten eingetaucht ist. Ich stell mir das immer so vor, dass Geistesblitze die Funken sind, die entstehen, wenn man Kreativität und Analyse aneinanderreibt.»

Sie lächelt ihn an, und ein frostiger Schauer durchläuft sie, gefolgt von Adrenalin und Klarheit. Der junge Mann erwidert ihr Lächeln mit einem Ausdruck abgrundtiefen Mitleids. Er serviert ihr die zweite Bloody Mary auf einer quadratischen Serviette wie einem Idioten in der Klapse seinen Brei. Angesichts dieser Geste dämmert Sigrid, dass sie womöglich nie, nie wieder Sex haben wird.

Der Gedanke ist gleichzeitig erschreckend und merkwürdig erleichternd.

«Wenn Sie noch was brauchen», sagt er, «geben Sie einfach Bescheid.» Sigrid lächelt freundlich. In diesem Augenblick ist dieser Mann ihre wichtigste Bezugsperson.

Beim Zwischenstopp in Reykjavik erlebt Sigrid nichts Besonderes. Sie geht einfach nur an Bord des zweiten Flugzeugs und versucht, auf dem Weg nach Kanada etwas zu schlafen. Auf dem Flug nach Westen jagen sie der Sonne hinterher, sodass es, wie zu Hause, niemals Nacht wird.

Ihre Freundin Eli kennt stets die Lösung für anderer Leute Probleme. Als Sigrid sie per Mail kurz über die unerwartete Reise informierte, riet sie ihr sofort zu einem Anti-Jetlag-Mittel namens Ambien. Sie schwor darauf und drängte Sigrid, es sich vor der Abreise unbedingt zu besorgen. Ihr Mann, der Arzt, könne das Rezept an die nächste Apotheke schicken.

Eli ist im Filmbusiness und reist daher oft nach Los Angeles – sie macht irgendwas namens «Development», was Sigrid nie kapiert hat und auch nicht unbedingt kapieren will. Jedenfalls hat Elis Zeit in L.A. sie offensichtlich in der Ansicht bestärkt, jedes natürlich auftretende Problem ließe sich durch Medikamente lösen.

Morgens beim Packen hat Sigrid sich im Internet über das Mittel schlau gemacht. Ambien ist der amerikanische Handelsname für Zolpidem, also stieß sie auf eine Seite der amerikanischen Arzneimittelzulassungsbehörde FDA, auf der es hieß: «Beim Gebrauch von AMBIEN können erhebliche Nebenwirkungen auftreten: Nach der Einnahme kann es vorkommen, dass Sie» – ab jetzt war alles in fetten Buchstaben – «im Halbschlaf aufstehen und Dinge tun, von denen Sie nichts mitbekommen. Am nächsten Tag haben Sie womöglich keinerlei Erinnerung daran.» Um Missverständnisse auszuschließen, lieferte die FDA auch gleich eine Liste der Dinge mit, die man nachts womöglich tun könnte, ohne sich daran zu erinnern, zum Beispiel

- Autofahren («Schlaffahren»)
- Zubereitung und Konsum von Mahlzeiten
- Telefongespräche
- Geschlechtsverkehr
- Schlafwandeln

Das war keine theoretische, nur der Veranschaulichung dienende Liste. All das war «Berichten zufolge passiert».

Sigrid riskierte lieber den Jetlag.

Bei der Ankunft in Montreal hat sie fast drei Stunden geschlafen. Sie nimmt ihren Rollkoffer an sich und geht durch den Zoll. Ein kleiner, schlappohriger Grenzschutz-Beagle mit braunen Augen hält sie auf, beschnüffelt ihre Taschen und ihren Schritt nach Drogen, Sprengstoff oder Käse.

In Montreal ist es früher Abend, daheim in Norwegen weit nach Mitternacht. Sigrid geht zum dritten Gate und dritten Flugzeug, diesmal nach Watertown, New York, USA. Den Flug verbringt sie hauptsächlich damit, sich an die Armlehnen des winzigen Sessels zu klammern und zu hoffen, die mutmaßlich aus einem Indiana-Jones-Film geborgte Propellermaschine bleibt in der Luft.

Blass, müde und mit Verstopfung kommt sie an. Der Sommerabend ist kühler als erwartet, ihr Taxi ein monströser amerikanischer Viertürer, wie man ihn in Norwegen nirgendwo bekommt. Klein und tief eingesunken sitzt sie auf der Rückbank, während der Fahrer sie schweigend zu einem Holiday Inn nahe am Flughafen kutschiert. Als sie eincheckt, ist es draußen bereits richtig dunkel. In dem mit Teppich ausgelegten Flur riecht es nach Mottenkugeln und Zitrone. Sigrid öffnet die Zimmertür mit einer weißen Plastikkarte. Das kleine Licht wird grün, die Zukunft tut sich auf.

Sigrid schlüpft aus den Schuhen und parkt den Koffer neben der Kommode, sie weiß, dass sie ihn nicht auspacken wird. Nach dem ersten Schreck über das unvorteilhafte Licht der Leuchtstofflampen im Bad wäscht sie sich Gesicht und Hände.

In einem schwarzen Kühlschrank findet sie ein paar winzige Fläschchen Johnny Walker Red. Für hiesige Verhältnisse mögen sie teuer sein, doch in einer Osloer Bar würde sie viel mehr dafür bezahlen. Näher ist der Kühlschrank sowieso. Sie nimmt zwei Fläschchen heraus.

Barfuß tapst sie über den Flur zu einem blauen Raum mit Automaten voller Chips und Schokolade sowie mit einer Eismaschine. Sie stellt den Eiskübel auf ein Plastikgitter und drückt den Knopf. Wie ein wütendes Tier in der Falle spuckt die Maschine Eiswürfel aus. Sigrid verfrachtet den kleinen Berg aus Eis in ihr Zimmer.

Auf dem schmalen Flur stolziert ihr ein dunkelhäutiges Mädchen entgegen, das eigentlich zu jung für einen BH ist und für ihr Alter viel zu enge Jeans trägt.

«Hallo», sagt Sigrid.

Das Mädchen beäugt sie kritisch und stiefelt vorüber, als hätte Sigrid eine anzügliche Bemerkung gemacht.

Zurück im Zimmer versucht sie, mit ihrem Tablet ins Internet zu kommen. Der Zugang kostet 12,95 Dollar für vier Stunden. Das würde Sigrid schon bezahlen, doch die Anmeldeseite lässt nur amerikanische Adressen zu.

Als sie ihr Nachthemd aus dem Koffer nehmen will, stellt sie fest, dass sie es in Norwegen vergessen hat. Dafür findet sie ein Buch mit ausgebleichtem Stoffeinband, so abgenutzt, dass die goldenen Buchstaben bereits abgeblättert sind. Vorn im Buch liegt ein handgeschriebener Brief ihres Vaters.

«Sigrid: Dieses Buch ist 1835 auf Französisch erschienen. 1838 kam es bei Adlard & Saunders in New York auf Englisch heraus. Meine Ausgabe ist natürlich ein späterer Nachdruck. Es heißt *Über die Demokratie in Amerika* und ist von Alexis de Tocqueville. Tocqueville wurde mit sechsundzwanzig Jahren von der französischen Regierung in die USA geschickt, um die Gefängnisse zu studieren, die damals als die humansten und fortschrittlichsten der Welt galten. Du kannst es während des Flugs lesen. Es gibt auch eine neue Ausgabe mit einer Einführung des wunderbaren Daniel J. Boorstin, aber die habe ich nicht. Jedenfalls wird es Dich angemessen einstimmen.»

«Ach, Pappa», brummt sie und wirft das Buch wieder in den Koffer.

Ohne Hose auf dem Bett liegend, trinkt sie ihren Whiskey *on the rocks*, wobei sie nicht an Eis spart. Der Fernseher steht auf einem Sideboard gegenüber vom Fußende des Betts. Wie sie so an sich hinabblickt, sieht es aus, als stünde sie mitten auf dem grau gewölbten Bildschirm. Sie wackelt mit den Zehen, erst nach links, dann nach rechts, dann wie es ihr gerade gefällt, tanzt auf dem kleinen Mond aus Glas. Sie hat die volle Kontrolle über ihren Körper, auch wenn sie sich das nicht erklären kann. Mit ihrer Phantasie dagegen sieht es womöglich anders aus.

Sigrid spreizt die Beine ein wenig mehr und versucht – ganz kurz nur – sich vorzustellen, wie ein Stelldichein an einem solchen Ort sich anfühlen würde. Sie malt sich den Typ Mann aus, der wahrscheinlich mit ihr hier wäre. Nicht der beste Einstieg in eine Phantasie. Sie hätte sich auch einfach den schönen Steward aus dem Flugzeug vorstellen können, doch ihr Hyperrealismus funkt dazwischen und beschwört einen passenderen Liebhaber herauf: Ein Mann, die Augen geschlossen, auf die Ellbogen gestützt, alt genug, sich auf seinen Orgasmus zu konzentrieren statt auf ihren, im Gesicht einen Ausdruck, als wuchtete er einen Kühlschrank die Treppe hinauf. Da sie auf dem Rücken liegt, zieht die Schwerkraft ihre Wangen straff, lässt sie jünger und schlanker wirken. Blöderweise lässt *ihm* dieselbe Schwerkraft die alte, dünne Haut schlabbrig von den Wangen hängen. Die Lippen haben sich von den Zähnen zurückgezogen, wodurch sein Mund sich über ihr auftut wie ein schwarzes Loch. Von all dem Gestoße und Geziehe wird er immer roter, und unter alledem liegt Sigrid und sieht ihren Liebhaber aus derselben Perspektive wie eine Toilette den Betrunkenen.

Sie schlägt die Beine übereinander und widmet sich produktiveren Gedanken, zum Beispiel der Frage, wer Marcus' Freundin gewesen und was aus der Beziehung geworden sein mochte. In einem der Briefe stieß sie auf den Namen: Lydia. Kein Nachname allerdings. Keine Details.

Zu welcher Art Frau würde Marcus sich hingezogen fühlen? Und welche Art Frau würde sich zu ihm hingezogen fühlen? Ist das eine wie das andere überhaupt passiert?

Sigrid stellt sich Lydia mit dunklen Haaren und braunen

Augen vor. Attraktiv, aber kein Model. Die beiden verbringen Wochenenden in rustikalen Waldhütten, zwei Stunden von der Uni entfernt, an der kanadischen Grenze. Nicht am See. Das könnten sie sich nicht leisten. Die Hütte ist einfach, ein Refugium. Die Wände sind voller Bücher und Brettspiele, auf dem Sofa liegen Wolldecken, das Feuerholz ist so trocken, dass man es mit dem Streichholz anzünden kann. Lydias Lächeln ist eher mütterlich als neckisch. Klug, wie die beiden sind, wäre ihnen klar, dass Marcus an Lydia sowohl attraktiv findet, wer sie ist, als auch, wen er in ihr braucht: die verlorene Mutter. Die ersehnte Liebhaberin. Das Gefühl von Zuhause, das ihn umgibt wie eine Duftwolke, das alles umfasst, doch ungreifbar und flüchtig bleibt.

Warum hat es nicht gehalten? Die naheliegende Antwort wäre, dass Lydia mehr sein wollte als eine Projektionsfläche für Marcus' Bedürfnisse. Gerne hätte sie auch diese Leerstelle für ihn gefüllt, aber eben nicht nur. Sie war zu reif, zu erwachsen, um die Rolle der Erlöserin oder Mutter anzunehmen. Sie hätte gewusst, vielleicht sogar gesagt, dass sie keinen sechsundvierzig Jahre alten Sohn braucht. In ihrem Alter – demselben wie Sigrids – wäre Zeit kostbar. Und selbst wenn sie die Aussicht aufgegeben hätte, noch Kinder zu bekommen, hätte sie nicht die Chance zu langfristigem Glück in einer ausgewogenen Beziehung in den Wind geschlagen. Vermutlich hatte sie das Thema angesprochen. Vorsichtig vielleicht, aber bestimmt. Nur für eine kluge Frau würde Marcus sich ernsthaft interessieren. Und wenn sie klug war, hat sie die Hindernisse sicher ernst genommen, anstatt zu versuchen, sie mit romantischen Idealen und aufflackernder Leidenschaft zu überwinden.

Und jetzt ist sie weg. Vielleicht arbeitet sie ebenfalls an der

Uni. Wenn ja, geht sie auf dem Campus jeden Tag an seinem Fenster vorbei. Womöglich sieht er sie aus der Ferne – mit Absicht, um sich wehzutun – im Café gleich nebenan, wo sie oft Arbeiten korrigiert, an einem runden Ecktisch, den sonst keiner will, weil man nicht mehr rauskommt, wenn man erst mal sitzt. Lydia allerdings fühlt sich dort wohl.

Sigrid stellt das leere Whiskeyglas neben die hässliche Lampe auf den Beistelltisch. Jetzt mal ernsthaft: Was weiß sie schon? Sie hat keinerlei Anhaltspunkte. Soweit sie weiß, könnte Lydia ebenso gut eine blonde Fernfahrerin mit der Figur einer Steckrübe sein.

Ohne sich die Zähne zu putzen, schläft sie auf der Decke ein.

NICHT ZU HAUSE

KOPERNIKUS wusste, dass die Welt rund ist, Galileo ebenfalls. Magellan ist sogar einmal ringsherum gefahren. Jetlag hatte keiner von ihnen, nicht einer. Den hätten sie sich nicht mal vorstellen können.

Brüssel und Genf liegen in derselben Zeitzone wie Oslo: Jetlag ist da kein Problem. Zweimal ist Sigrid auch nach Großbritannien gereist, wo man die Uhr nur eine Stunde zurückstellen muss. Aber sechs Stunden Zeitunterschied nach einem Tag Flugreise und einer beinahe schlaflosen Nacht voller Whiskey? Das ist was Neues.

Um vier Uhr morgens wacht sie auf, und statt müde oder verkatert ist sie hellwach. Ihr Verstand läuft hochtourig wie ein Motorrad.

Es ist heiß im Zimmer. Die breite, elfenbeinfarbene Klimaanlage unter der Decke macht zwar Lärm, aber die Luft kühlt sie nicht. Die Vorhänge hängen schlaff herab, das erste Morgenlicht blitzt durch den Stoff.

Zwanzig Minuten lang tut Sigrid so, als könnte sie noch einmal einschlafen, dann gibt sie endlich auf.

Die Dusche hat Druck und ist heiß, aber das Wasser ist zu weich, es macht ihr Haar kraftlos. Dampfend rosa schlüpft sie in Zivilkleidung; keine Marke, keine Krawatte, keine Identität, keine Autorität. Praktisch nackt.

Frühstück gibt es erst ab sieben, so lang will sie nicht warten. Der Mann an der Rezeption – genau der richtige Typ für Nachtschichten – erkundigt sich nicht, wie ihr Aufenthalt war. Er wickelt den Check-out ab, ohne sie anzusehen.

Kurz vor fünf durchstreift sie die grauen, rechtwinklig angelegten Straßen. Das hier ist weder eine klassische amerikanische Kleinstadt noch eine richtige City. Es ist der Stadtrand. An jeder Ecke leuchtet die Filiale irgendeiner Kette in ihren Konzernfarben, architektonisch blind gegenüber ihren Nachbarinnen, fast wie die Spielzeugeisenbahnmodelle, die Marcus mit zehn gern gebaut hat. Jedes davon war ein Mikrokosmos glücklicher, arbeitender Menschen: eine Tankstelle, eine Polizei- oder Feuerwache, eine Spedition oder ein Krankenhaus.

Hier steht all das ungeschminkt und in Lebensgröße. Während Sigrid ihren Koffer durch die Straßen zieht, gehen überall, wo man Kaffee bekommt, die Lichter an. Arby's, Roy Rogers, Dunkin Donuts. Nichts davon gibt es in Norwegen.

Dunkin Donuts kommt ihr bekannt vor, in London ist sie mal an einem vorbeigegangen. Was Donuts sind, weiß sie sowieso, die gibt es auch im Coop-Supermarkt in Gamle Oslo, unweit ihrer Wohnung. Wer immer Roy Rogers sein mag, über den Ozean hat sein Ruhm es nicht geschafft, und dieser nachnamenlose Arby klingt viel zu lässig in seinem Umgang mit Essen.

Über die autofreie Straße geht sie zu einem Parkplatz, auf dem sich ein Pick-up lang und leer neben einen übertrieben verchromten Sattelzug duckt.

Im Donutladen, einem einzigen Traum aus Weiß, Orange und Rosa, sitzt ein fetter Mann in Nylonjacke schweigend futternd an einem festgeschraubten Tisch, während eine junge Schwarze aus einem Plastikkanister, der viel zu schwer für sie aussieht, Speiseöl in eine Wanne gießt.

«Gleich bei Ihnen», ruft sie, ohne herzusehen.

«Nur die Ruhe», antwortet Sigrid.

Das Mädchen stellt den Kanister unter die Fritteuse und legt ein paar Schalter über der Donutauslage um, was eine disneyhafte Farbenpracht aus Zuckerguss in hellem Licht erstrahlen lässt.

Sie sieht nicht müder aus, als Sigrid sich fühlt. Bestimmt ist sie an diese Arbeitszeit gewöhnt.

«Milchkaffee mit Zucker», bestellt Sigrid. «Und das Gleiche, was er da isst.» Irgendwas mit Eiern und einer Art Brot. Es sieht heiß aus.

«Dauert fünf Minuten.»

«Haben Sie eine Zeitung?»

Das Mädchen nimmt Sigrids Geld. «Die Straße runter rechts. Sonst hat einer gestern, glaub ich, eine auf dem Tisch da hinten liegen lassen. Ich ruf Sie, wenn das Essen fertig ist.»

Sigrid nimmt Platz an dem Tisch, auf dem die Zeitung liegt – die Sonntagszeitung, vom 10. August, was bedeutet, dass weder Montag, Dienstag noch heute jemand den Tisch geputzt hat. Sie liest alte Nachrichten über Kampfhandlungen zwischen Russland und Georgien sowie über hundertvierzig totgetrampelte Menschen bei einer Massenpanik in einem nordindischen Hindutempel; mindestens vierzig davon Kinder. Die größten Schlagzeilen gelten aber der amerikanischen Präsidentschaftswahl. Viele sagen, Barack Obama wird gewinnen. Den Kommentatoren erscheint das ungeheuer bedeutsam.

Wieder draußen, satt und voller Koffein, schleift Sigrid ihren Rollkoffer weiter über die löchrige Straße, während sich hinter dem Neonlicht der Pfandleihhäuser und Scheckbüros die ersten Sonnenstrahlen zeigen. Auf der Straße Richtung Westen donnern Laster mit kanadischen Nummernschildern vorbei. Kanada ist für sie ein noch größeres Mysterium als die USA. Mit Kanada verbindet sie nur Katarina Witts Sieg beim Eiskunstlauf bei den Olympischen Spielen '88 in Calgary. Damals dachte Sigrid, sie würde nie einen solchen Körper haben, nie so anmutig sein, niemals so geliebt werden. Was ein Teenager eben so denkt. Sie behielt allerdings recht.

Im Busbahnhof riecht es nach Urin. Der Fahrkartenschalter ist geschlossen, also wartet Sigrid allein auf einer Bank neben Gate 4. Entweder das Essen oder die Milch hat einen hartnäckigen Nachgeschmack. Von irgendwas, das sie seit ihrer Ankunft zu sich genommen hat, fühlt sie sich aufgebläht.

Zwei Männer setzen sich zu ihr auf die Bank. Der eine trägt eine beigefarbene Hose und ein Hemd, das unmöglich irgendwann weiß gewesen sein kann. Der andere ist über mittelalt hinaus, er trägt kurze Hosen, Sportschuhe und ein Fitness-T-Shirt über schmalen Schultern und einem Kugelbauch. Die beiden wenden sich weder Sigrid noch einander zu. Sie haben weder die Nummer des Gates noch ihre Tickets überprüft. Ihre Bewegungen sind Routine, eingeübt, kommen aus den Muskeln. Als sie sitzen, wirken sie wie hingemalt.

Der Bus fährt vor. Zischend hält er an und geht so gründlich aus, dass er wie ein Wrack wirkt; der Motor tickt nicht mal von der Hitze.

Die Fahrerin sieht aus wie ein vertrocknetes Stück Obst. Dieser Job wird wohl ihr letzter sein. Sie trottet zu ihrer Pause.

Weitere Leute trudeln ein. Zehn Minuten später kommt die Fahrerin zurück und wirkt zwanzig Minuten älter. Wie ein furzender alter Mann erwacht der Bus zum Leben, und die pneumatischen Türen saugen die Passagiere ein; wie ein riesiger Staubsauger reinigt der Bus das Gate von allen menschlichen Spuren außer dem hartnäckigen Geruch.

Sigrid sitzt wie ein Häftling zwischen den übrigen Passagieren und blickt hinaus auf Orte, von deren Existenz sie bislang keine Ahnung hatte, ja an die sie selbst jetzt, wo sie sie vor sich hat, irgendwie nicht glaubt.

Die Fahrt dauert fünfunddreißig Minuten. Bei der Ankunft flutet die Sonne durch ihr Fenster und blitzt auf der Trittleiste, als Sigrid aussteigt. Der Morgen ist da, der Tag ist angebrochen. Sigrid wird geblendet von der Reflexion auf der Karte, die sie zu Marcus' Haus führen soll, was auch immer sie dort erwartet.

Soweit sie weiß, hat Marcus nie wirklich Geld gehabt. Er war nicht damit aufgewachsen, respektierte es nie und hat ihm niemals nachgejagt. Er verfügt über keinerlei Geschäftssinn, und die Börse ist in seinen Augen nur ein verführerischer Spielplatz für legales Zocken. Wohnungen oder Häuser hat er immer nur gemietet, und jedes finanzielle Polster, das er sich mit ein paar Jahren fester Arbeit aufgebaut hatte, verschwendete er immer wieder für lange Zeiten der Arbeitslosigkeit oder idealistische Projekte. Materiellen Dingen war er zwar nicht abgeneigt, er hatte nur keinen Platz dafür im Leben. Alles kam und ging. Warum sollte man sich da an eine Tasse, eine Vase oder ein Gemälde klammern? Sigrid hat immer vermutet, eine feste Beziehung mit einer vernünftigen Frau könnte das alles ändern – weil sie den Haushalt mitgestalten, aber ebenso auch von ihm verlangen würde, sich wie ein Erwachsener zu benehmen.

Zumindest aus der Ferne hat Sigrid versucht, diese Frau zu sein. Nur zu gern würde sie den Job einer anderen überlassen.

Nicht, dass sie ihm nicht helfen wollte. Sie schrieben einander etwa einmal pro Monat und telefonierten ein paar Mal im Jahr. Diese Frequenz blieb jedoch immer gleich, und die Leichtigkeit der Gespräche ihrer Jugend kehrte nie zurück. Dennoch behielt Sigrid das alles bei – weil sie ihn lieb hatte und weil das gespannte Verhältnis zwischen Marcus und ihrem Vater bedeutete, dass nur sie die Familie zusammenhalten konnte.

Sollte er einmal heiraten, würde sich das vielleicht ändern. Sigrid könnte sich mit seiner Frau anfreunden und ein Bündnis erwachsener Frauen schmieden, die ihre kindischen Männer an der Hand nehmen. Ein beliebtes Modell.

Doch daraus wird nun wohl nichts mehr.

Dieser Tage lebt Marcus vom mageren Lohn einer staatlichen Universität, subventioniert mit seinen eigenen Ersparnissen. Eher eine Todesspirale als eine solide Finanzstrategie also, und es gibt keine Anzeichen dafür, wie er das ändern will. Eine stabile akademische Karriere kann sich Sigrid für Marcus – mittelalt, keine Promotion, keine Veröffentlichungen – nicht vorstellen. Und wenn die Arbeit als außerplanmäßiger Professor darauf nicht abzielt – was hat er dort dann verloren?

Vor etwa zwei Jahren, nachdem er wegen der Stelle hierhergezogen war, hat er ihr Fotos von seinem Haus gemailt. Sie rief ihn an.

«Wieso kommst du nicht heim?», fragte sie sofort.

«Gefällt dir das neue Haus nicht?», fragte er zurück.

«Was treibst du da drüben? Du bist da jetzt schon ... wie lang noch mal?»

«Seit achtzehn Jahren.»

«Du wolltest doch nur drei bleiben.»

«Bin hängen geblieben.»

Der Weg von der Bushaltestelle zum Haus führt durch triste Straßen voller Schotter, Zigaretten und Bierdosen. Die Häuser wirken abbruchreif. Viele haben vernagelte Fenster und sind mit Graffiti besprüht, so unentzifferbar wie Hieroglyphen. Die Kinder in der Gegend sind überwiegend Schwarze oder Latinos, was Sigrid hier in Upstate New York nicht erwartet hat. Andererseits hatte sie vorher auch nicht die geringste Ahnung, wie es hier wirklich ist. Das ärmliche Viertel liegt neben einem besseren, das wiederum an die Uni grenzt, zumindest laut Karte. Sigrid und ihr Koffer ziehen merkwürdige Blicke auf sich. Nicht bedrohlich, bloß neugierig – als sei ihre Anwesenheit ein Vorzeichen für irgendetwas.

Sigrid erreicht die Ecke, an der Marcus' Haus liegt. Es ist so schlimm wie befürchtet. Das ist kein Ort, an dem man bleiben sollte, mehr noch, ein Ort wie dieser sollte gar nicht existieren. An einem solchen Ort huscht man vorbei wie eine Maus und hofft, dass keiner es bemerkt.

Soweit sie sagen kann, war das Haus früher mal weiß, aber jeder Beweis dafür ist längst überwuchert oder abgeblättert. Es ist von ausgesuchter Hässlichkeit, sei es aus Vorsatz oder aus Gleichgültigkeit. Die Front ist zu schmal, die Seiten zu lang. Das Dach ist zu schräg, die Fenster sind klein und asymmetrisch. Das gesamte Gebäude hockt unbeholfen auf dem Grundstück – nicht einmal nach vorn gerichtet, denn dort ist nichts mehr, auf das es sich richten könnte.

Unmittelbare Nachbarn gibt es nicht. Vermutlich haben die anderen Besitzer ihre Grundstücke an Bauträger oder die Stadt verkauft, und nur dieser eine Eigentümer hat sich an seinen amerikanischen Traum geklammert, der immer bloß einen guten Deal entfernt ist.

Ist all das bezeichnend für Marcus' Geisteszustand und seine Lebensumstände? Haust er in jemand anderes geplatztem Traum? Oder ist das nur ein Zwischenstopp – ein Ort zum Luftholen, ehe er sich woanders dauerhafter einrichtet? Jedenfalls hat Marcus sein Lager in einem Haus aufgeschlagen, das die umliegenden Straßen und Gebäude ganz eindeutig nicht mehr wollen. Zu welchem Viertel es einst auch gehört haben mag, es ist verschwunden. Eine betongraue Welt ist rings um das Haus errichtet worden, bedrängt es, fast als wäre die Stadt ein Tier, das langsam seine Beute umkreist, bereit zum tödlichen Sprung.

«Man kann aus allem was machen», hat Marcus beharrt, als sie ihn wegen des Hauses löcherte.

«Ja, was anderes, klar», hat sie geantwortet, «aber nicht unbedingt was Besseres.»

Jetzt, wo sie schon mal da ist, bleibt Sigrid aber keine Wahl. Als sie ihren Koffer zur Tür ziehen will, bleibt ein Stein zwischen einer Rolle und der Aufhängung stecken.

«Oh no, you don't», sagt sie auf Englisch, denn schließlich ist es ein amerikanischer Stein.

Halb gerollt und halb geschleift schleppt sie den Koffer zum Bordstein und stellt ihn auf den Kopf, in der Hoffnung, der Stein möge herausfallen. Als das nicht funktioniert, beschließt sie, ein Machtwort zu sprechen und das ganze blöde Ding hochzuwuchten und auf den Boden zu knallen. Das klappt. Allerdings ist es auch mehr, als das Ungetüm abkann, und mit dem Stein fällt auch die Rolle ab.

Den irreparabel beschädigten Koffer hinter sich her schleifend, geht Sigrid zum Haus, getaucht in den Schatten der nahen Straßenüberführung, die alles Sonnenlicht aussperrt.

Sigrid wuchtet den Koffer die drei Stufen zur Haustür hoch, klopft kräftig an und wartet.

Das Haus ist wirklich grauenhaft, denkt sie. Und groß. Zu groß für eine Person. Aber wie sollte man so was auch teilen? Und mit wem? Mit einer Motorradgang vielleicht? Die würden sicher auf dem Rasen parken.

Sigrid bollert noch einmal mit aller Kraft gegen die Tür und brüllt auf Norwegisch: «Marcus, wach auf! Ich bin's, Sigrid.»

Sie tritt zurück und wartet, dass die Tür aufgeht.

Tut sie aber nicht.

Ohne Koffer springt sie die Stufen hinab und schleicht durch welkes Gestrüpp um die Ecke, um durch ein Fenster zu spähen.

Vor der Scheibe ist eine Art Gitternetz, so etwas hat sie noch nie gesehen. Man kann kaum etwas erkennen. Fast rechnet sie damit, durch Rost und Spinnweben hindurch einen Haufen Gangster, Kakerlaken und Drogenschmuggler zu entdecken, die Karten spielen und Budweiser süffeln.

Ab und zu hat Sigrid solche Buden schon gestürmt. Hinter der Tür war nie etwas Gutes.

Marcus ist nicht da drin. Und auch sonst keiner. Zwecklos, sich noch länger in den Büschen herumzudrücken.

Sigrid dreht sich um und will zurückgehen, da bleibt ihre Handtasche an einem Zweig hängen. In verträglicherer Laune hätte sie womöglich einfach einen Schritt nach vorn gemacht, den Riemen vom Zweig gezogen und die winzige Klippe eleganter umschifft. Doch ihre Stimmung erlaubt das nicht. Die ist geprägt durch das Haus und seine Umgebung, durch Marcus und seine Entscheidungen, durch das miese Frühstück, von dem sie sich noch immer fett und fettig fühlt, vom Jetlag, von der chinesischen Trial-and-Error-Methode bei der Herstellung von Konsumgütern. Und aus dieser Stimmung heraus reißt sie kräftig an der Tasche, um dem Zweig zu zeigen, wer die Hosen anhat.

Doch der Zweig ist stärker als gedacht, und die Handtasche ist rutschiger. Das macht aus dem Zweig ein Katapult und aus der Tasche ein Geschoss. Geschmeidig, elegant und italienisch segelt sie durch die Luft. Bei der Landung ist es mit der Eleganz allerdings vorbei: Die Tasche platzt auf und verteilt ihren Inhalt auf die Straße.

Sigrid mustert das Ergebnis ihrer Aktion und flucht im erlesensten Jargon einer alten Seefahrernation.

Während sie sich so richtig in ihre monologische Schimpftirade hineinsteigert, tritt eine Frau aus dem Schatten der Freewayausfahrt. Bei ihrem Anblick beißt Sigrid sich auf die Lippen.

«Der is nich da», sagt die Frau in einem Akzent, der eher nach Süden als nach Norden klingt, aber Sigrid kennt sich damit eigentlich überhaupt nicht aus.

«Wer?», fragt sie.

«Na, Marcus. Sie ham doch zwanzig Mal nach ihm gerufen. Und ich sag Ihnen: Der. Is. Nich. Da.»

Eine Hure. Eindeutig. Egal, in welchem Land, Huren ziehen sich immer gleich an. Logisch erklären kann Sigrid sich das nur dadurch, dass sie eben den Erwartungen der Männer entsprechen wollen, wie Huren auszusehen haben. Allerdings haben die Männer diese Erwartungen wiederum von den Huren. Wäre es möglich, dass eigentlich niemand das will, aber keiner es abstellen kann?

Die Frau trägt einen Minirock aus lila Pailletten. Ihr Bauch ist entblößt, was sie nicht attraktiver macht. Ihr Tanktop schnürt die enorme Oberweite derart ab, dass die BH-Drähte sich unter den Möpsen abzeichnen wie Grinsemünder unter zwei starren Augen – so, als drängten sich zwei durchgeknallte Zyklopenzwillinge aneinander.

«Wer sind Sie, und woher wissen Sie, dass Marcus nicht da ist?», will Sigrid wissen.

«Ich sag's ja bloß», sagt die Frau.

Sigrid schweigt, und die Frau – als gute Amerikanerin – füllt die Lücke: «Der war nich mehr hier, seit er ausgezogen is. Kommt bestimmt nich wieder.»

«Woher wollen Sie das wissen?»

Trotzig verschränkt die Frau die Arme. «Wer sind'n Sie überhaupt, hä?»

«Seine Schwester.»

«Ach ja? Und woher?»

«Vom Planet Erde», antwortet Sigrids miese Laune. Sie bereut die Worte, sobald sie ihre Lippen verlassen, aber sie konnte es sich einfach nicht verkneifen.

«Der is nich von hier. Wenn Sie seine Schwester wärn, wüssten Sie das.»

Stimmt, das ist ein guter Punkt.

«Norwegen», sagt Sigrid, als Belohnung für erfolgreichen Verstandesgebrauch.

Hinter dem Industriekitt aus Schminke wird die Miene der Prostituierten sanfter.

«Schaun Sie», sagt sie. «Er hat mir seinen Schlüssel dagelassen. Meinte, ich könnt hier wohnen, während er weg is. Ich hab gefragt, wann er wiederkommt, und er so: Vielleicht gar nicht, und ich so: Und dein Zeug?, und er so: Alles Plunder, außer die Gitarre und die Bücher. Die Bücher kann ich behalten, hat er gesagt, und ich hab geschaut, als ob er mich verarschen will – weil, also, als ob ich die lese, oder? Da hat er gemeint, ich könnt sie im Winter ja auch verbrennen, aber ich verbrenn keine Bücher, egal ob ich sie les oder nicht, und dann hab ich gefragt, ob er ficken will, und er hat gesagt Nein, und da hab ich gefragt, ob das wegen der Frau ist, die gestorben is. Er hat gesagt Ja, was schon irgendwie traurig war. Wenn Sie mich fragen, ist Ficken die sechste Trauerphase, aber mich fragt ja keiner, obwohl ich mich auskenn. Jetzt wohn ich hier, was total astrein legal ist, und ich will nix hören, okay? Aber wenn Sie sein Zeug haben wollen, nur zu. Bin ja kein Dieb.»

«Gestorben? Wer ist gestorben?»

«Diese schicke Trulla, mit der er was am Laufen hatte. Hat dauernd von ihr erzählt. Hat sie übelst geliebt.»

«Die Frau, die er geliebt hat, ist gestorben?»

«Ham Sie vielleicht Echolalie oder wie das heißt? Ich hab so eine wie Sie bei *Oprah* gesehn. Hat immer alles wiederholt, was man zuletzt gesagt hat. Echolalie heißt das.»

«Echolalie?»

«Genau. Bei Ihnen ist's echt schlimm. Sind Sie zurückgeblieben oder so? 'ne Autistin?»

«Ich bin nicht von hier», antwortet Sigrid und packt alles erneut in ihre Handtasche.

Für die Frau scheint das auf dasselbe rauszulaufen. «Also ja. Marcus' Kleine. Einfach so weggestorben.»

«Weggestorben?»

«Ja, weggestorben.» Sie lacht. «Fuck, wie kommen Sie bloß klar im Leben? Sagen Sie mal: ‹Dude, wo is mein Auto?›»

«Wie ist sie gestorben?», fragt Sigrid.

«Ach ... keine Ahnung. Hat er nicht gesagt. Aber das Herz gebrochen hat's ihm, und da ist er weg. Und jetzt ...», sagt sie und breitet theatralisch die Arme aus, «ta-da.»

«Ich muss rein und mich umsehen.»

Die Frau wirft einen Blick auf ihre Armbanduhr. Herrenformat aus goldfarbenem Plastik. «Ich hab nich viel Zeit», erklärt sie.

Die Handtasche wieder gepackt, geht Sigrid um die Ecke zur Haustür. Die Frau folgt ihr. Nach jeder der drei Stufen zieht sie ihren Rock zurecht, damit er nicht als Kummerbund endet.

An der Tür fischt sie einen Schlüsselring an einer Hasenpfote aus ihrer rosa Handtasche und schließt auf. Der abgestandene Geruch von Flauschteppich schießt Sigrid in die Nase und lässt sie vorm Eintreten kurz innehalten.

«Wo ist mein Koffer?», stutzt sie.

«Welcher Koffer?»

«Schwarz. Billig. Eine Rolle fehlt.»

«Woher soll ich das wissen?»

«War hier noch jemand anderes?», fragt Sigrid.

«Moment mal ... Sie haben den hier auf der Treppe gelassen? Hier??»

«Verdammt.»

«Planet Erde, hm?»

DIE WESENTLICHEN MERKMALE VON KAUGUMMI

TROTZ ihres vollen Terminplans sucht die Frau, die morgens schon Pailletten trägt, das Gespräch mit Sigrid. «Was wollen Sie'n hier eigentlich?»

«Wissen Sie, wo Marcus sein könnte?»

«Hab ich doch gesagt. Weg.»

«Schon klar, aber wissen Sie auch wohin?»

«Heim, schätz ich mal.»

Sigrid schweigt.

«Also zu Ihnen», stellt die Frau klar. «Norwegen.»

«Da habe ich schon nachgesehen.»

Um nicht gleich die nächste Runde interkultureller Konversation einzuläuten, widersteht Sigrid dem Impuls, die Schuhe auszuziehen, gibt jedoch acht, wo sie hintritt. Sie nimmt das Smartphone aus der ramponierten Handtasche und macht Fotos.

«Sind Sie 'n Cop oder so was?»

«Ich hab Ferien», antwortet Sigrid und knipst weiter.

«Sie benehmen sich wie 'n Cop.»

«Ich will Marcus finden. Ich weiß aber noch nicht, welche Fragen ich dafür stellen muss. Also sammle ich möglichst viele Informationen, damit ich später, wenn ich eine Ermittlungsstrategie entwickle, über genügend Material verfüge, das ich kontextualisieren kann.»

«Das klingt aber nich wie das, was die im Fernsehn machen», stellt die Frau fest.

«Ist es auch nicht.»

Im Laufe ihrer Karriere als Streifenpolizistin und Ermittlerin ist Sigrid schon in vielen Wohnungen gewesen. Die meisten Erwachsenen werden von Freunden, Nachbarn und Verwandten nach Hause eingeladen, doch solche Orte umfassen nur ein begrenztes sozioökonomisches Spektrum, und je älter man wird, desto seltener lernt man, statistisch gesehen, neue kennen. Fakt ist: Die wenigsten Erwachsenen betreten regelmäßig unbekannte Räume. Polizisten dagegen tun das ständig. Häuslicher Unfrieden, Missbrauch, Mord, vermisste Kinder ... alles Einladungen in die große weite Welt.

Das Haus sieht nicht aus wie die typischen norwegischen Junggesellenbuden, die sie als Streifenpolizistin kennengelernt hat, wenn sie bei Betrunkenen nach dem Rechten sah oder sie nach Hause brachte. Dort standen ausnahmslos IKEA-Möbel, aus der «Fundgrube» neben den Kassen; das verfügbare Einkommen floss in einen Fernseher, der wie ein Gott im Zentrum eines viel zu kleinen Zimmers stand; Kabel von Spielkonsolen schlangen sich darunter ineinander; Tiefkühlpizzen stapelten sich ordentlich im Froster; Weinkartons lagerten in der Speisekammer wie Munition.

Marcus' Wohnzimmer sieht anders aus. Wie für ein Gipfeltreffen hat er zu beiden Seiten eines großen, hölzernen Kaffeetischs braune Dreiersofas aufgestellt. Krümel und Müll in den Ritzen beweisen allerdings, dass er immer nur allein am selben Platz saß. Ein Fernseher ist von dort aus nicht in Sicht. Stattdessen steht griffbereit ein wackeliger Stapel Bücher, deren Rücken in alle Richtungen zeigen.

«War Marcus depressiv?», fragt Sigrid, indem sie den Staub von einem Sofapolster wischt.

«Traurig war er.»

«Ist das was anderes?»

«Weiß ich auch nich.»

Die Frau zeigt Sigrid die beiden Schlafzimmer im Obergeschoss. Im großen, erklärt sie, habe sie alles von Marcus, was wertvoll oder nützlich aussah, in die Kartons gepackt, mit denen sie selbst hier eingezogen war. Sigrid erkundigt sich lieber nicht, von wo sie weggezogen ist. Der Anzahl der Kartons nach zu schließen, hat sie es mit dem Umzug jedenfalls ernst gemeint und plant, länger hier zu bleiben; so lange, wie sie glaubt, dass Marcus fort sein wird.

Ihr Name ist Juliet McKenna; er steht in großen lila Filzstiftbuchstaben auf sämtlichen Kartons.

«Mein Name steht drauf», erklärt sie überflüssigerweise. «Die Cops ham sie nicht angerührt.»

«Welche Cops?»

«Die kamen mit nem Durchsuchungsbefehl an. Hab ich nich erzählt? Nee, oder? Also ... Irving. Irving, der Cop. Und sein Sidekick, die Kleine, die ihm immer hinterherdackelt. Vergess' immer, wie die heißt. Die haben Marcus gesucht. Hab denen aber nix gesagt. Nur, dass sie die Griffel von meinem Zeug lassen sollen, solang mein Name nich auf dem Durchsuchungsbefehl steht. Und der stand da nicht.»

«Die Polizei hat nach Marcus gesucht?»

«Soll das jetzt ne Zusammenfassung sein, oder kommen Sie bloß nich richtig mit?»

«Wann? Wieso?»

«Vor ner Woche. Hören Sie mal, Sie können mich aber nich einfach so ausquetschen ohne ...»

«Marcus hatte also was mit einer ‹schicken Trulla›. Die ist gestorben, Marcus ist weg, und dann kamen die Cops mit Durchsuchungsbefehl und wollten wissen, wo er ist?»

«Schon wieder diese Papageiennummer.»

«Wer ist Irving?», fragt Sigrid.

«Irving Wylie», antwortet Juliet. «Irv.»

«Okay.»

«Der Sheriff.»

«Das ist ein Witz, oder?»

«Was?»

«*Sheriff* Irving Wylie? Ihr habt hier Sheriffs?»

«In der Wache. Mitten in der Stadt. Können Sie nicht verfehlen.» Sie wirft einen Blick auf die Uhr. «Oh, Shit, ich hab ein Date. Machen Sie nix kaputt, während ich weg bin.»

Juliet lässt Sigrid allein, und die nutzt die Ruhe, um ihre Umgebung nicht nur zu sehen, sondern auch zu spüren. Das Schlafzimmer ist in Erdtönen gehalten und liegt im Halbschatten, das einzige Fenster geht auf die vielbefahrene Freewayausfahrt. Die Bewegungsenergie der Außenwelt unterstreicht den Stillstand im Zimmer, das Fehlen allen Lebens, das hier einmal gelebt wurde.

Juliet hat bereits den Großteil von Marcus' Kleidung aus dem Schrank geräumt und in ihre JULIET-MCKENNA-Kartons gestopft. Wie sorglos sie dabei zu Werke ging, wird Sigrid klar, als sie die Kartons mit dem Klappmesser aufschneidet, das sie auf der Kommode findet und einsteckt, weil es wohl Marcus gehört hat.

Die Kartons sind größtenteils mit zerknüllter Freizeitkleidung gefüllt. Ein guter blauer Anzug und ein Paar Lederschuhe liegen allerdings auch dazwischen.

Im dritten Karton findet Sigrid eine Schultertasche, wie sie Fahrradkuriere gern benutzen, mit dem Gurt über der Brust. Auch die behält sie. Ihre eigenen Klamotten sind mit ihrem Koffer verschwunden, aber mit etwas Glück kommt sie mit Marcus' Sachen aus, bis sie es in einen Laden schafft.

Sie hat gehofft, auf irgendwas von Lydia zu stoßen, findet jedoch nichts von ihr. Gemessen am Zustand des Hauses ist das nicht überraschend, doch damit könnte es gut erst während des letzten Monats abwärts gegangen sein. Vielleicht war Lydia in besseren Zeiten hier.

Marcus war immer größer als Sigrid, nicht unbedingt sportlich, aber schlank. Einen Bauch hatte er nie. Trotzdem ist alles, was er besitzt, ihr entschieden zu weit. Am Ende findet sie ein eng geschnittenes schwarzes T-Shirt, das halbwegs passt, einen grauen Sweater für die Nacht, eine Trainingshose, eine Pilotensonnenbrille mit goldenem Gestell, ein Handy und einen alten, aber offenbar noch funktionstüchtigen iPod. Vor allem aber findet sie eine orangefarbene Festplatte, eingewickelt in ein T-Shirt der Band RUSH.

Sie hängt sich die Kuriertasche um und geht nach unten.

In der Küche wirft sie einen Blick in den Kühlschrank und Froster. Im Wohnzimmer geht sie die Bücher durch – Romane, Lehrbücher zum Thema Umweltschutz, populäre Sachbücher und Biographien. Nichts wirklich Persönliches, keine Spur von Krimskrams und Erinnerungsstücken, wie die Alten, Sentimentalen oder Faulen sie gewöhnlich anhäufen.

Ein Lebenszeichen gibt es allerdings. In einer Ecke des Wohnzimmers, links neben dem vernagelten Kamin, steht Marcus' akustische Gitarre. Dieselbe, auf der er schon als Teenager spielte. Sigrid kennt sich mit Gitarren nicht besonders aus, aber diese ist leicht an der Farbe zu erkennen. Sie ist aus wunderschönem Mahagoni, und auf dem Kopf steht: «MARTIN AND CO. EST. 1833». Sigrid hat sie Marcus 1981 zu Weihnachten gekauft, gebraucht; er war neunzehn, sie dreizehn. Das Geld hatte sie von einem Ferienjob, bei dem sie Seile und Taue in Baumwipfel gespannt hat, damit die Abenteuertouristen aus der Stadt ihre Höhenangst und ihr Vertrauen zueinander auf die Probe stellen konnten.

Die Gitarre lehnt merkwürdig schief an ihrem Ständer. Sigrids Blick fällt auf den Gitarrenkoffer voller Aufkleber von Marcus' Lieblingsbands und -städten sowie Kontrollstickern von Fluglinien. Marcus war nie ein besonders guter Gitarrist, aber auch kein schlechter; er konnte ein Lied spielen und dazu singen. Seine Stimme war immer auf schlichte Weise warm und aufrichtig gewesen, die ihm erlaubte, die simple Melodie im Herzen eines Songs zu finden und den Augenblick für alle zu bereichern. Wenn er zu Besuch war, spielte er allein in seinem Zimmer. Sigrid saß dann oft im Flur und lauschte, um sich ihm näher zu fühlen.

Sie packt die Gitarre in den Koffer und verschließt ihn, um ihn mitzunehmen.

Gerüstet tritt Sigrid wieder hinaus in Lärm und Schatten. Von der Straße kommt Juliet auf sie zu, steckt ein paar Scheine in ihren Geldbeutel.

Sie kaut auf einem Kaugummi herum.

«Wollen Sie nicht lieber eine Mundspülung?», fragt Sigrid.

«Hab Kaugummi.»

«Ja, aber ... zu den wesentlichen Merkmalen von Kaugummi gehört, dass er Geschmack speichert und sich nicht auflöst.»

«Und?»

«Marcus' Freundin hieß Lydia», sagt Sigrid. «Haben Sie sie mal getroffen?»

«Nein.»

«Gesehen?»

«Nee.»

Juliet kaut munter weiter, und Sigrid stellt sich unweigerlich vor, was sich zwischen ihren Backenzähnen abspielt. Wie dort all die winzigen, weißen Köpfchen platzen.

«Wollen Sie ihm helfen?», fragt sie.

«Wie?»

«Ich bin allein, und ich vermute, Marcus ist das auch, wo immer er steckt. Aus Erfahrung weiß ich, dass es praktisch unmöglich ist, irgendwas Schwieriges allein zu schaffen. Früher oder später brauche ich sicher Hilfe. Ich bezahle auch. Soll heißen: Ich zahle jetzt, Sie helfen mir später. Ich gebe Ihnen meine Nummer. Was meinen Sie?»

Juliet nimmt das Geld.

«Wo geht's zur Polizeiwache?», fragt Sigrid.

SHERIFF IRVING WYLIE

IN der Polizeiwache brüllt Sheriff Irving Wylie gerade Roger Mandel durchs Telefon an. Das tut er, weil es Spaß macht, weil er im Recht ist und weil er nicht anders kann. Beziehungsweise, weil er vermutlich nicht anders könnte, wenn er wollte, aber da er Roger ja gern anbrüllt, wird er das wohl nie herausfinden.

Roger bezeichnet sich selbst als Journalist und arbeitet beim Lokalsender WRGT, einem Ableger von ABC. Irving allerdings ist nicht bereit, das Wort «Journalist» so weit zu dehnen, dass es einen wie Roger Mandel einschließt.

Irv hat die Hälfte seiner zweiten vierjährigen Amtszeit als Sheriff von Jefferson County, New York, hinter sich und war eigentlich der Ansicht, er hätte den Lokaljournalisten mittlerweile klargemacht, welche Fragen er beantwortet und für welche sie von ihren Produzenten, Ehepartnern oder Müttern verlacht, gedemütigt oder angebrüllt werden.

Und doch rufen diese Schlümpfe immer wieder bei ihm an und wollen Stellungnahmen zu Fällen, die noch nicht abgeschlossen sind, nicht in seine Zuständigkeit fallen oder über die zu reden er schlichtweg keine Lust hat. Recht und Ordnung, so hat er immer wieder wütend gepredigt, das bedeutet nicht drakonische Unterdrückung oder zynische Manipulation der öffentlichen Meinung zugunsten von Tyrannei. Nein. Die Idee ist ganz einfach: Man hält sich ans Gesetz, und heraus kommt dabei Ordnung. Das gefällt ihm ja so daran. Darum ist er Sheriff geworden. Darum, und wegen des Titels. Und der Stiefel. Und der Knarre.

Genau das sagt er jetzt Roger: «Darum bin ich Sheriff geworden, Roger.»

«Ja, Sheriff», antwortet Roger.

Irving sitzt hinter seinem Schreibtisch, die Cowboystiefel lässig übereinandergeschlagen auf der Tischplatte, wo sie nichts verloren haben. Roger erfordert nicht Irvs ganze Aufmerksamkeit, also nutzt der Sheriff die Reserven, um ein Päckchen Zucker aufzureißen, wobei er das Handy zwischen Ohr und Schulter klemmt. Während Roger weiterplappert, wird Irv bewusst, dass wohl nur Leute in einem gewissen Alter auf die Idee kämen, ein Handy derart einzuklemmen. Immerhin eine interessantere Übung, als Roger Mandel zuzuhören.

«Ich wurde gewählt, um Gesetze zu hüten, nicht um welche zu machen, Roger», brüllt er. «Wenn Sie wissen wollen, wo die Gesetze herkommen, rufen Sie beim Parlament an. Die spendieren Ihnen dort sicher gern 'ne Führung durch ihre Ärsche. Für einen mehr ist da immer Platz. Ich dagegen kann, will und werde nicht über den Fall Simmons sprechen, der außerdem nicht mal mehr einer ist, weil das Urteil längst gefällt wurde. Außerdem mache ich Sie darauf aufmerksam, dass Jeffrey Simmons auf der anderen Seite einer unsichtbaren Grenze gestorben ist, die das amerikanische Volk in seiner grenzenlosen Weisheit eingerichtet hat, um zwei Orte aus einem zu machen, damit im zweiten jemand anderes als ich den Hut aufhat. Also zurück hinter den Mond mit Ihnen, Roger!»

«Aber Sheriff, es gibt eine Verbindung der Familien zwischen dem Fall Simmons und dem Fall Lydia Jones. Und für letzteren sind Sie ja wohl zuständig. Was da passiert ist, könnte doch mit dem zu tun haben, was hier los war. Es muss einen Zusammenhang geben.»

«Keinen juristischen.»

«Sie haben doch bestimmt eine Meinung, Sheriff?»

«Polizeiarbeit hat mit Meinungen nichts zu tun. Herr im Himmel, wenn ich bloß auf Grundlage von Meinung und persönlicher Überzeugung ermitteln würde, würde ich das neunte Gebot – Gottes Gesetz! – brechen, indem ich falsch Zeugnis ablege wider meinen Nächsten. Besser gesagt, indem ich ein Zeugnis ablege, von dem ich nicht guten Gewissens schwören könnte, dass es *nicht* falsch ist, weil mir die Fakten fehlen. Geht das vielleicht mal in Ihren Kopf? Ohne Fakten kann ich als Christ unmöglich auf seinen Namen schwören. Christentum ist nicht das Gegenteil von Wissenschaft. Wissenschaft ist das Werkzeug, durch das wir unserem Nächsten die gottbefohlene Gerechtigkeit widerfahren lassen. Warum schnallt das außer mir keiner? Im Wahlkampf hab ich pausenlos gesagt, dass ich für Polizeiarbeit auf der Basis von Beweisen eintrete, und das wiederhole ich jetzt schon seit sechs Jahren. Wenn ich Spaß dran hätte, zehnmal am Tag dasselbe zu sagen, wär ich noch verheiratet. Warum rufen Sie mich dauernd an? Sind Sie vielleicht ... einsam?»

Irv schüttet den Zucker in seinen Kaffee, ohne dass auch nur ein Körnchen danebengeht.

«Hier links auf meinem Schreibtisch liegen Akten, Roger, die müssen alle ganz rüber nach rechts. Glauben Sie, die wandern da von selber hin? Ich hab zu tun. Gehen Sie woanders Hunter Thompson spielen.»

Irving legt auf.

Und zetert weiter, jetzt Richtung Kollegen im Nebenraum.

«Wisst ihr, wieso die immer Meinungen wollen? Weil die billiger und leichter zu kriegen sind als Tatsachen. Was ist bloß aus Leuten wie Woodstein und Bernward geworden oder wie die zwei noch hießen, die Nixon drangekriegt haben?»

Irving blickt auf von seinem Kaffeebecher mit dem Schriftzug «Durchschnittlichster Dad der Welt». Niemand da.

«Wo zum Geier steckt ihr alle?», brummt er.

«WO ZUM GEIER STECKT IHR ALLE?», schreit er aus voller Kehle.

Cory Liddell steckt den Kopf ins Dienstzimmer – aus dem Warteraum davor, «Green Room» genannt, weil die Leute da auf ihren «Auftritt» warten – und sagt, alle seien dort.

«Ähm ... wieso? Es ist acht Uhr durch. Habt ihr nichts zu tun?»

Cory erklärt, James habe heute Geburtstag und es gebe Eisbombe, darum seien sie alle nebenan.

«Um acht Uhr morgens?»

Cory meint, der Kühlschrank sei mal wieder kaputt, also müsse man sie gleich essen.

«Hm ... klingt vernünftig», räumt Irving ein. «Aber vergesst nicht, ihr seid im Dienst. Und ihr werdet fett. Ich mag keine fetten Cops. Es gibt nichts Erbärmlicheres als einen fetten, röchelnden Cop, der mit der Hand am Gürtel einem Verdächtigen hinterhertrabt. Im Internet gibt's da jetzt sogar Videos. Ganoven filmen fette Bullen, von denen sie verfolgt werden. Schnaufend und röchelnd, mit knallroter Birne. Die schwarzen Cops werden wenigstens nicht rot. Aber fett sind sie auch. Gott, wie ich das hasse. Ich laufe zehn Kilometer in zweiundfünfzig Minuten, und ich bin achtundvierzig.»

Irving Wylie verfolgt die Lokal-, Regional- und Landesnachrichten, überall geht es um einen Schwarzen mit fremdländischem Namen, der im November vielleicht Präsident wird. Irving ist überzeugter Anhänger von Senator John McCain, den er – genau wie sich selbst – für einen der letzten wahren Republikaner hält. Doch als McCain diese hirnamputierte Tussi aus Alaska als Vizekandidatin ausgewählt hat, war das sogar Irv zu viel. Deshalb läuft er natürlich nicht gleich zu den Demokraten über – weil, ernsthaft mal, was soll das überhaupt sein, ein Demokrat? –, kann aber bis zum bitteren Ende so tun, als wäre nichts. Bis dahin ist die Wahl hoffentlich längst entschieden, und auf seine Stimme kommt es sowieso nicht mehr an.

Allerdings hat auch McCain Speck angesetzt, und Irv graut bei dem Gedanken, dass Palin nur einen einzigen cholesteringesättigten Herzschlag von der Präsidentschaft entfernt ist. Immerhin: Schräger kann eine Wahl wohl nicht mehr werden.

Auf Irvings Geheiß wurde am Eingang des Sheriffbüros ein Glöckchen angebracht, damit jeder, der eintritt, sich wie ein willkommener Kunde fühlt. Die meisten finden das zwar eher befremdlich, aber Irv hält daran fest. Als an diesem Vormittag das Glöckchen bimmelt, sieht er über seinen Kaffeebecher hinweg eine leicht derangierte, ganz passabel aussehende Blondine im mittleren Alter mit Pilotenbrille, Kuriertasche und einem Gitarrenkoffer hereinmarschieren. Das alles ist ungereimt genug, um ihn misstrauisch zu machen.

Die Frau lässt den Blick durch die Wache schweifen wie der Terminator, fixiert Irv und kommt schnurstracks auf ihn zu.

«Sind Sie Irving Wylie?», fragt sie.

«Höchstpersönlich», antwortet Irv, etwas unsicher, ob er nicht gerade lieber jemand anders wäre.

«Ich will jemanden vermisst melden», erklärt sie.

Von hier ist die bestimmt nicht. Den Akzent kann Irv jedoch nicht einordnen. Die häufigsten fremden Akzente hier oben kommen aus Franko-Kanada, Mexiko und Brooklyn, und diese Frau klingt nach nichts davon.

«Da sind Sie hier richtig», sagt er.

«Sind Sie der Polizeichef?»

«Ich bin der Sheriff.»

Die Frau schweigt.

Irv nimmt die Füße vom Tisch und setzt sich ordentlich hin. Dann greift er nach einem Kuli und klickt ein paarmal damit, um Eindruck zu schinden. Ganz offensichtlich klappt das aber nicht, weshalb er fortfährt:

«Ich bin Irving Wylie, ordnungsgemäß gewählter Sheriff in der zweiten Amtszeit. Zu Ihren Diensten. Sie dürfen Irv zu mir sagen. Was ist in dem Gitarrenkoffer?»

«Eine Gitarre. Man hat Sie gewählt?»

«Na ja, es war kein Putsch oder Wahlbetrug oder so, falls Sie das meinen. Was für eine Gitarre?»

«Akustisch. In Amerika werden Polizisten gewählt?»

«Sheriffs, ja, fast überall in Amerika, und besonders hier in Jefferson County. Ma'am ... stehen Sie unter Medikamenteneinfluss?»

«Nein.»

«Sollten Sie?»

Irv kann sich nicht entsinnen, wann ihn eine Blondine zum letzten Mal nervös gemacht hat. Rothaarige, sicher, aber doch nicht Blondinen.

Gut, da war schon der eine oder andere Nazi, und ein paar Reibereien mit Rassistengangs hat es auch gegeben, aber das waren alles blonde Männer, keine Frauen. Diese Frau hier ist eindeutig kein Gangmitglied. Sie ist kein Junkie, raucht weder Kette noch ist sie eine schwere Säuferin, und Tattoos kann er auch keine erkennen. Sie trägt nichts, was ihm Sorgen machen müsste, keine Gangfarben, Hakenkreuze oder Bikerabzeichen. Trotzdem, irgendetwas an ihr macht ihn unruhig. Wenn er nur wüsste, was es ist.

«Warum stehen vor Ihrem Schreibtisch keine Stühle?», will sie wissen.

«Nebenan wird Geburtstag gefeiert, da wurden die wohl gebraucht. Wir haben ja nicht damit gerechnet, dass so früh schon so ein Andrang herrscht. Würden Sie bitte mal ganz langsam den Gitarrenkoffer aufmachen?»

Sigrid öffnet den Koffer, nimmt die Gitarre heraus und schlägt ein E an – das Einzige, was sie kann.

«Hübsch. Möchten Sie einen Stuhl? Ich kann Ihnen einen besorgen.»

«Ich möchte meinen Bruder finden. Er ist verschwunden», sagt sie und packt die Gitarre wieder ein.

«Vielleicht schaffen wir ja sogar beides, mal sehen.» Irv steht auf, wischt sich die Frühstücksbrösel vom Hemd und huscht in den Green Room. Kurz darauf kommt er mit einem Bürostuhl aus tristem olivgrünem Vinyl mit stählernen Beinen zurück. Er stellt ihn vor den Schreibtisch und klopft zweimal demonstrativ darauf.

Sigrid nimmt die Schultertasche ab und setzt sich.

«Jetzt weiß ich, was es ist», erklärt er.

«Was was ist?»

«Sie sind so beherrscht. Eine coole Socke.»

«Ich verstehe nicht ganz», erwidert Sigrid.

«Macht nichts. Schießen Sie los», sagt er mit warmer, tiefer Stimme.

«Mein Bruder wohnt hier, und er ist verschwunden. Ich war vorhin in seinem Haus und habe erfahren, dass er seit etwa zwei Wochen weg ist. Anscheinend hat er einer Prostituierten aus der Gegend erlaubt, im Haus zu wohnen. Ich habe dafür keinen Beweis, glaube ihr aber. Unklar ist, wieso er weggegangen ist, seine Motive. Ob er gezwungen wurde, und ... natürlich ... die grundsätzlichen Fragen, wo er ist und ob es ihm gut geht. Die Prostituierte heißt Juliet McKenna. Sie meinte außerdem, Sie hätten ebenfalls nach ihm gesucht. Das freut mich zwar, aber ich frage mich auch, wann und von wem er vermisst gemeldet wurde.»

Mit auf den Tisch gestützten Ellbogen und verschränkten Fingern hat Irving aufmerksam zugehört. «Gut zusammengefasst. Sind Sie ein Cop?»

«Ja.»

«Aber nicht von hier.»

«Aus Norwegen.»

«Norwegen?»

«Das ist ein Land in Nordeuropa.»

«Ich weiß schon. Seit wann sind Sie in Amerika?»

«Seit gestern.»

«Können Sie das beweisen?»

Sigrid schweigt.

«Haben Sie die Frage verstanden?»

«Ich denke über die Antwort nach.» Sigrid schweigt erneut, und Irv wird wieder unruhig.

«Ja. In meinem Pass ist ein Stempel. Hier.» Sie reicht ihm den Pass und er betrachtet ihn.

«Können Sie beweisen, dass Sie ein Cop sind?»

Sigrid gibt ihm auch den Dienstausweis aus ihrer Brieftasche.

Der Ausweis ist eine Plastikkarte mit ihrem Foto, einer Codenummer aus hochsichtbaren gelben Ziffern und Buchstaben auf schwarzem Grund sowie dem Schriftzug POLITI am unteren Rand. Irv dreht sie herum und hält sie gegen das Licht, lässt die Sicherheitscodes und Hologramme aufscheinen. Der Name ist derselbe wie auf dem Pass, und beide Fotos passen zu der coolen Socke vor ihm.

Sigrid wartet, während Irv im Internet nach Fotos norwegischer Polizeiausweise sucht. Sie sehen aus wie dieser.

«Okay, Sie sind ein Cop», räumt er ein und gibt ihr Pass und Dienstausweis zurück. «Und es klingt, als sei Ihr Bruder tatsächlich verschwunden. Wie heißt er denn?»

«Marcus Ødegård», sagt sie, in der Hoffnung, dass der volle Name hilft.

«Marcus?»

«Ja.»

«Junge, da haben Sie aber mal sauber den Aufmacher verbaselt.»

«Ich weiß nicht, was das heißen soll. Englisch ist nicht meine Muttersprache.»

«Marcus Odegard ist uns bekannt.» Er spricht den Namen mit einem scheußlichen Akzent aus. «Wir suchen tatsächlich nach ihm. Und Ihr Englisch ist übrigens hervorragend.»

Sigrid lehnt sich zurück. «Ja. Ich habe ja schon gehört, dass Sie in seinem Haus waren. Was wissen Sie?»

«Was ich weiß, Ms. Odegard, ist, dass Ihr Bruder im Zusammenhang mit dem Tod von Professor Lydia Jones gesucht wird. Was nach unserem Dafürhalten auch der Grund für sein Verschwinden sein dürfte.»

KORINTHER 13

SHERIFF Irving Wylie nimmt eine Akte aus der Schublade und bittet Sigrid durch eine Tür hinter dem Schreibtisch in einen engen grauen Gang, der in einen großen Raum mit zwei leeren Zellen führt. Lässig lässt Irv sich auf der Pritsche links in der ersten Zelle nieder und schlägt die Akte auf.

Sigrid beäugt misstrauisch die Gittertür.

«Na kommen Sie schon rein, nur keine Hemmungen.»

«Wieso setzen wir uns in eine Zelle?»

«Der Green Room ist belegt, und der Verhörraum wird gestrichen. Von den Farbdämpfen kriege ich Kopfweh. Hier bin ich lieber.» Er nickt in Richtung der Gitterfenster. «Frischluft und ein Hauch Zitrone.»

Sigrid setzt sich auf die Pritsche gegenüber.

«Ist das Gefängnis neu?»

«Warum, weil's so sauber ist?»

«Normalerweise stinken die.»

«Wir brauchen's nicht oft. Meistens bringen wir die Leute gleich raus auf den Hof und erschießen sie.»

«Verstehe.»

«Und der Müllcontainer da draußen ... *der* stinkt zum Gotterbarmen.»

«Okay.»

«Also.» Irv schlägt die Beine übereinander und legt sich die Akte auf den Schoß. «Ihr Bruder ist verschwunden, seine

Freundin ist tot, Sie wollen ihn finden. Darum waren Sie in seinem Haus, und weil er da nicht war, gingen Sie zur Polizei. Wie schlage ich mich bisher?»

«Na ja, Sie haben ihn nicht gefunden, also ... nicht so besonders, Sheriff.»

«Das braucht eben Zeit. Was können Sie mir erzählen?»

«Über Marcus?»

«Na, bestimmt nicht über Norwegen.»

«Mein Vater und er schrieben sich Briefe. Dann kam von Marcus keiner mehr. Pappa war besorgt. Er hat angerufen und gemailt. Schließlich fand er, ich sollte ihn suchen gehen.»

«War das nicht ein bisschen überreagiert?»

«Es war sowieso eine gute Gelegenheit, dass Marcus und ich uns mal wiedersehen, und ich habe Urlaub. Von Upstate New York hab ich viel Gutes gehört.»

«Ja, sicher.»

«Sie sind dran», sagt Sigrid.

«Gut. Professor Lydia Jones, Ph.D., neununddreißig, unverheiratet, geboren in Syracuse, New York, vor sieben Jahren für eine Stelle an der Universität hierhergezogen. Eine Professur an der Fakultät für Philosophie, spezialisiert auf ... Moment.» Irv holt eine knallrote, feminin wirkende Lesebrille hervor. «Politik, Rasse und die Geschichte der Identitätspolitik in Amerika. Ganz schön anspruchsvolles Zeug. Sie hat drei Bücher geschrieben – zwei wissenschaftliche, ein populäres Sachbuch – und sieben Zeitschriftenartikel. Die Artikel haben alle Doppelpunkte im Titel, also müssen sie wohl wichtig sein. Gestorben ist sie durch einen Sturz aus dem Gebäude 86 Brookmeyer Road vor zwei Wochen. Autopsie wurde durchgeführt, Toxikologie war negativ. Ein kleiner Riss an der rechten Schulter ihres Pullis deutet auf einen Kampf hin – einfach irgendwo hängen geblieben sähe anders aus, meinen die Kriminaltechniker. Und sie hatte Hautfetzen unter den Fingernägeln. Immer wieder beliebt. Die DNA entspricht der Ihres Herrn Bruders, die wir bei ihm zu Hause sichergestellt haben. Wir haben einen Fahndungsaufruf ausgegeben und sind auf der Suche. Aber jetzt, wo Sie hier sind» – Irv nimmt die Brille ab und sieht sie an –, «dürften wir viel bessere Karten haben, ihn festzunehmen, ohne dass jemandem etwas passiert. Also willkommen an Bord.»

«Kann ich mal die Akte sehen?»

Irv reicht ihr die Mappe, doch Sigrid öffnet sie nicht gleich. Sie will die Geschichte erst von Irv hören. So wird sie verschiedene Deutungen besser vergleichen können, was unabdingbar ist, um sein Vertrauen in die seine auszuhöhlen.

«Gibt es Augenzeugen? Ein Video?»

«Wir haben einen Kerl namens Chuck, der gesehen hat, wie ihr Bruder aus dem Gebäude kam, zu Lydias Leiche rannte, 911 anrief, alles gestand und weglief. Ich hab also ein ganz gutes Gefühl bei der Sache, bin aber natürlich immer offen für Krittelei und Beleidigungen.»

«Das ist alles?»

«Wie, alles?»

«Ihre Anklage gegen Marcus. Das ist alles?»

«Anklage ist noch gar nicht erhoben, aber ja. Ein Augenzeuge und ein Geständnis. Zwei meiner liebsten Dinge auf der Welt. Ziemlich solide, finde ich. Zumindest ein guter Anfang, bis wir ihn befragen können.»

«911 ist die Notrufnummer in Amerika?»

«Ja. Die nehmen die Anrufe entgegen und schicken Feuerwehr, Polizei oder Krankenwagen.»

«Woher wissen Sie, dass Marcus da angerufen hat?»

«Wir haben eine Aufzeichnung und den Zeugen, der sagt, Ihr Bruder habe zu genau dieser Zeit exakt so lang telefoniert. Vorsichtshalber würde ich Sie gern noch unter Eid seine Stimme identifizieren lassen. Damit dürfte der Kreis dann allerdings quadriert sein.»

«Was hat er gesagt?»

«‹Sie ist tot. Sie ist tot. Sie ist tot. Ich bin schuld, ich bin schuld.› Sie können's gern selbst hören, wenn Sie wollen. Werden Sie eh müssen.»

«Er hat zweimal gesagt: ‹Ich bin schuld›?»

«Ja.»

«Was haben Sie noch?»

«Hautrückstände von ihm unter ihren Fingernägeln – ein hübsches Beispiel für die Locard'sche Regel.»

«Sie beziehen sich auf Locards 1904 verfassten Text über wissenschaftliche Methodik bei Kriminalfällen?»

«Ich beziehe mich auf einen Typ namens Howard, der sagt, es wird immer irgendwas zwischen Täter und Opfer ausgetauscht. Ich hab das nur nachgeplappert, um Sie zu beeindrucken, was aber wohl nach hinten losging.»

«Wir wissen nicht, ob es überhaupt eine Straftat gab», erwidert Sigrid. «Und die Locard'sche Regel ist vielleicht nur Einbildung. Opfer und Täter tauschen zwar wirklich häufig Spuren aus, ganz wie Locard gesagt hat, allerdings aus den verschiedensten Gründen. Da sind wir seit 1904 deutlich weiter. Das Allgemeine kann nie das Besondere ersetzen.»

«Hm», macht Irv.

«Sie haben also einen Zeugen für einen ominösen Notruf», führt Sigrid aus, «und Marcus' Haut unter den Nägeln der Toten, aber keine Ahnung, wie sie da hinkam.»

«Außerdem ist er vom Tatort geflohen.»

«Und?»

«Vor der Polizei.»

«Und?»

«Seiner Familie.»

«Und?»

«Wie ‹und›? Er hat alles stehen und liegen lassen und sein Haus einer bockigen Nutte geliehen.»

«Es ist also nicht grade ein klarer Fall.»

«Wir wissen noch nicht sicher, ob wir ihn wegen Mordes verhaften sollen, nein. Zugegeben, das sind alles nur Indizien, aber das goldene Dreieck von Motiv, Mittel und Möglichkeit hat langsam schöne, gleichlange Schenkel.»

«Das ist ein heuristisches Prinzip, kein Algorithmus, um Kausalität nachzuweisen», wendet Sigrid ein.

Irv grinst. Er strahlt übers ganze Gesicht, und alle Ernsthaftigkeit ist nicht nur wie weggewischt, sondern scheint einer anderen Zeit anzugehören. Als wäre Grinsen sein Normalzustand. Er muss sein letztes bisschen Reife und Abgeklärtheit zusammennehmen, um noch ein wenig bei der Sache zu wirken.

«Warum grinsen Sie so?»

«Mir hat gefallen, wie Sie das gesagt haben, besonders, zumal Englisch nicht mal Ihre Muttersprache ist. Nein, das goldene Dreieck ist natürlich kein automatischer Beweis. Ich zum Beispiel habe das Motiv, die Mittel und die Möglichkeit, den meisten Journalisten dieser Stadt den Hals umzudrehen, aber ich tue es nicht, und falls jemand einen von ihnen um die Ecke bringt, heißt das nicht, dass ich es war. Aber es heißt schon, dass es vollkommen plausibel wäre, mich zu verdächtigen, wenn einer aus dem Fenster fliegt. Im Moment befindet sich in meinem goldenen Dreieck niemand außer Ihrem

Bruder. Also muss ich mit ihm sprechen. Und zwar bald, ich habe ziemlichen Druck. Sie haben ja keine Ahnung von der Politik hier. Sie sind eine Fremde in einem fremden Land, mit fremden Ideen und einem Stück laminierten Plastik in der Tasche. Aber jetzt Sie wieder. Was wollen Sie mir als Nächstes erzählen?»

«Ich werde Ihnen nicht helfen, meinen Bruder zu schnappen.»

«Aber, aber, Ms. Odegard. Wir sind doch beide Cops. Sie wollen doch nicht die Justiz behindern oder der Beihilfe beschuldigt werden, oder?»

«Ich finde, es gibt da eine klare Grenze – ob ich einem Flüchtigen helfe oder nicht umsonst für Sie arbeiten will.»

«Sie sind schlau», stellt Irv fest, indem er nickend mit dem Finger auf sie zeigt. «Eine schlaue Socke.»

Sigrid sagt nichts.

«Und still. Haben Sie Asperger oder so was?»

«Nein.»

«Eine Stille sind Sie», sagt er still.

«Ich hab das Gefühl, Amerikaner können Stille nicht ertragen.»

«Sie sind doch erst seit gestern hier.»

«Das Muster ist solide.»

Irv halftert seinen Zeigefinger wieder und lehnt sich an die Gitterstäbe. «Was für eine Art Cop sind Sie eigentlich?»

«Ich bin Sektionschefin in Oslo.»

«Das ist die Hauptstadt.»

«Ja.»

«Wie groß?»

«Ungefähr sechshundertfünfzigtausend Einwohner in der Stadt, mit Umland etwa eine Million.»

«Dann sind Sie also ein Hauptstadtcop mit einem ernst zu nehmenden Job. Und wie alt sind Sie?»

«Vierzig.»

«Sie wurden schnell befördert. Entweder, Sie haben was drauf oder gute Beziehungen. Was macht Ihr Vater?»

«Der spricht mit Enten.»

«Polizeienten?»

«Nein», sagt sie. Und aus Sorge, in das bodenlose Loch trivialen amerikanischen Geplänkels abzurutschen, fügt sie hinzu: «Wir sind Bauern. Marcus blieb im Wesentlichen bei der Landwirtschaft, ich ging in die Großstadt, um das Verbrechen zu bekämpfen.»

«Also sagen wir fürs Erste: schlau und was drauf. Haben Sie schon viel erlebt im Dienst?»

«Ja.»

«Da, dieses Gesicht! Das ist interessant», verkündet Irv, zeigt erneut auf sie und beugt sich vor. «Sie sind still, aber Sie haben ein ausdrucksstarkes Gesicht. Ich tippe mal, Sie haben irgendwas Schlimmes durchgemacht. Vor kurzem erst. Darum bringt Sie das alles auch nicht wirklich aus der Fassung. Ihre Schmerzgrenze liegt höher. Nicht bloß im Herzen, sondern auch in der Seele.»

Sigrid lehnt sich zurück ans Gitter, um etwas Abstand zu Irv und seiner Analyse zu gewinnen. Ihr Blick fällt auf seine Cowboystiefel, was ihm nicht entgeht.

«Gefallen sie Ihnen?», fragt er.

«Nein.»

«Kommt schon noch.»

«Haben Sie dafür wirklich Zeit?», will Sigrid wissen. «Für all das sinnlose Gerede?»

Irv trommelt ein Bongosolo auf seinem Knie und verzieht das Gesicht. «Sinnlos ist das nur, wenn man nicht zuhören kann. Jedenfalls haben wir an allen üblichen und ein paar unüblichen Orten nach Marcus gesucht, aber vergebens; überall, wo Tommy Lee Jones uns hätte nachsehen lassen, haben wir nachgesehen. Aber ... wissen Sie ... das ist ein verflixt großes Land, und man kommt darin verflixt leicht rum. Wir beobachten seine Kreditkarten und so, aber da tut sich nichts. Sie könnten uns helfen, ihn aufzulesen. Ist er unschuldig, lassen wir ihn wieder gehen. Ist er's nicht – na, besser es passiert keinem was, bis wir das rausfinden, oder?»

«Wir reden aneinander vorbei, Sheriff.»

«Er gehört zur Familie, und Sie glauben an ihn. Schon kapiert. Ich bin kein Actionfilmcop, der so was nicht schnallt. Aber er muss trotzdem mit uns reden. Er hatte was mit dieser Frau, und ein Augenzeuge hat ihn am Tatort gesehen. Also denken Sie daran» – er stützt die Arme auf die Knie – «für den Fall, dass Sie sich einfallen lassen, ihn auf eigene Faust zu suchen: Ich hab die hiesige Polizei, die State Police und das FBI hinter mir, wenn nötig. Ich bin hier aufgewachsen und kenne Land und Leute. Sie sind Ausländerin. Sie kennen keinen und reisen allein. Nie im Leben wird eine Fremde in einem unbekannten Land die örtliche Polizei überlisten.»

«Hab das Gegenteil erlebt», sagt Sigrid. «Erst kürzlich.»

«Bei einem, der so schlau war wie ich?»

«Kann ich noch nicht sagen.»

«Okay. Aber noch was: Wenn wir zusammenarbeiten und ihn zusammen finden, dürfen Sie auf jeden Fall als Erste mit ihm reden. Aber was passiert, falls Sie alleine losziehen und ihn nicht als Erste finden, das steht in den Sternen.»

«Sie haben bisher nicht explizit von Mord gesprochen.»

«Ihnen entgeht aber auch gar nichts.»

Die Akte liegt immer noch auf Sigrids Schoß, und zum ersten Mal richtet sie nun ihre Aufmerksamkeit darauf. Irv hat recht, das weiß sie. An seiner Stelle hätte sie einen ähnlichen Appell an sich gerichtet – weniger wortreich allerdings.

Es stimmt, Marcus sollte sich stellen. Was immer Lydia Jones zugestoßen ist, Marcus war nicht schuld daran. Er hat nie aufbrausendes Verhalten gezeigt, war nie gewalttätig gegenüber Frauen. Soweit sie weiß, hat er sich nicht einmal als kleiner Junge geprügelt. Seine Schwächen gehen in die andere Richtung. Er ist zu sensibel, zu verletzlich. Ihr Vater sagte immer, er leide unter seinem Weitblick. Seine Weltsicht ist zu umfassend, als dass er den banalen Notwendigkeiten des Alltags noch viel Aufmerksamkeit widmen könnte. In ihren zwanzig Jahren bei der Polizei hat Sigrid nie jemanden wie ihn wegen einer Gewalttat festgenommen.

Sie öffnet die Akte und erschrickt.

Während des vergangenen Monats hat sie Hunderte Fotos vom Sturm auf das Sommerhaus in Glåmlia gesichtet. Vor dem Einsatz des Sonderkommandos hatten sie festgestellt, dass die Kriminellen bewaffnet und die Geiseln in Lebensgefahr waren. Deshalb hatten sie entschieden, von der Waffe Gebrauch zu machen. Hinterher gab es eine Menge Papierkram zu erledigen. Und Sigrid hat den ganzen Monat Bilder von Toten betrachtet.

Es ist also nicht Dr. Lydia Jones verdrehte, blutige Leiche auf dem Bürgersteig, die sie so erschreckt. Es ist der Umstand, dass sie schwarz war.

«Sie war schwarz», sagt Sigrid.

«Das wussten Sie nicht?»

«Nein. Ich hatte weder Zeit, über sie nachzuforschen,

noch ...» Sigrid unterbricht sich gerade noch, bevor sie sagt: «Marcus' Briefe fertig zu lesen und seine Festplatte zu durchstöbern.» Sheriff Irv Wylie braucht weder von den Briefen noch von der Festplatte zu wissen.

«*Noch* ... was?», fragt er.

«Hmm?»

«Sie sagten: ‹weder ... noch›, und ich hab gefragt: ‹noch ... was›? Sie wollten doch was sagen.»

«Ach so. Meine Zähne zu putzen.»

«Was soll das heißen?»

«Sagt man so in Norwegen. Schwer zu übersetzen.»

Irv wirkt skeptisch. «Was haben Sie vor, Sigrid?»

«Das überlege ich gerade.»

Irv steht auf, geht nach vorn und ruft jemanden namens Melinda. Als er zurückkommt, spricht er hastig:

«Ein Stück die Straße runter ist ein Motel Six», sagt er, «63,99 die Nacht, plus Steuern. Kommt also auf etwa siebzig Dollar. Da gibt's aber keine Kochecke, also kommen zwanzig Dollar täglich für Fastfood und noch ein paar für Kaffee und so was dazu. Mit Bus- und ein paar Taxifahrten kostet es Sie also mindestens hundertzehn Dollar am Tag, einfach nur hierzubleiben – sofern Sie nie ins Kino oder etwas trinken gehen. Ich weiß ja nicht, was Cops in Oslo so verdienen, aber ich würde mal tippen, dass ein paar Wochen hier ein ganz schönes Loch in Ihr Budget fressen. Bei mir wär's jedenfalls so. Und Sie sagten ja schon, Sie kommen vom Land, und Ihr Vater ist wahrscheinlich nicht grade ein Großbauer. Darum mein Angebot.»

Melinda kommt und bleibt an der Tür zum Gefängnis stehen. Sie ist etwa Mitte zwanzig, trägt Uniform und eine 9 mm-Beretta in einem schwarzen Halfter. Die Waffe scheint sie gar nicht mehr zu bemerken. Sie ist also mindestens schon ein paar Jahre bei der Truppe.

«Melinda, das ist Sigrid Odegard.»

«Ødegård», korrigiert Sigrid.

«Genau. Die Schwester von Marcus ... mit demselben Nachnamen. Ist aus Norwegen gekommen, um ihn zu suchen. Sie wird ein Weilchen bei dir wohnen, damit wir ihr bei dieser ehrenhaften Aufgabe zur Hand gehen können.»

«Okay.»

«Warum tun Sie das?», fragt Sigrid.

«Weil der Sheriff sagt, ich soll», antwortet Melinda.

«Nicht Sie. Sie.»

«Damit wir wissen, wo Sie stecken, und Ihnen leichter folgen können», antwortet Irv.

«Natürlich. Aber ich weiß ja gar nicht, wo er ist.»

«Glaube ich Ihnen voll und ganz», sagt Irv. «Und ich glaube auch, dass Sie es gut meinen. Aber ich habe den Verdacht, dass Sie sich an seine Fersen heften wie einer dieser lustigen kleinen Spürhunde. Kennen Sie die?»

«Ja.»

«Genau wie so einer. Ein Beagle vielleicht. Oder ein Schnauzer.»

«Mit ist schleierhaft, wieso Sie denken, ich hätte mehr Erfolg als Sie. Sie haben mir grade einen Vortrag darüber gehalten, dass ich ihn hier keinesfalls alleine finde.»

«Nicht gegen uns, nein. Aber mit uns? Auf jeden Fall. Ich sag Ihnen auch, wieso: Beim Ermitteln muss man Raum fürs Individuelle lassen. Für uns ist Marcus nur ein Amalgam. Ein Profil. Ein Muster. Keine Person. Sie dagegen, Sie kennen ihn. Sie wissen, was ihn ... zu ihm macht. Sie haben also den Vorteil zu wissen, wie seine Persönlichkeit sich in Verhalten niederschlagen könnte. Außerdem glaube ich, Sie sehen die Welt ein bisschen anders als ich, Ms. Sigrid. Ich glaube, wir hier im Sheriffbüro sehen Ihren Bruder durch eine dunkle Brille, und deshalb finden wir ihn nicht. Aber mit Ihren hellen norwegischen Augen werden wir lernen, ihm von Angesicht zu Angesicht zu begegnen, und wissen Sie auch, wieso? Weil die Liebe immer triumphiert. Und ich glaube, Sie lieben Ihren Bruder. Darum: Korinther 13. Wer hätte gedacht, dass man in der Bibel sogar eine Ermittlungsstrategie für einen Mordfall findet?»

OFFICER Melinda Powell stammt aus Buffalo, New York, wo sie mit ihrer Mutter Lisa und ihrem Vater Albert in einem weißen Haus mit schwarzen Fensterläden aufwuchs, nah genug an der Schule, dass sie zu Fuß hingehen konnte, was «voll gut» war, denn ein paar ihrer Freunde mussten jeden Morgen den Bus nehmen, und die Kinder im Bus konnten ziemlich fies sein, vor allem dieser eine, ein Schläger namens Benny, dessen Eltern geschieden wurden, als er noch ganz klein war, und mit dem offenbar niemand je so richtig darüber geredet hat, weshalb er jetzt eine Stinkwut auf alle hatte, und darum war zu Fuß gehen besser, weil sie im Winter all die Schneemänner zu sehen bekam, die die Leute in ihren Gärten bauten, mit Kohle und Karotte und allem Drum und Dran, aber niemand hat sie an den Haaren gezogen oder ihr gleich morgens den Tag versaut, was besonders als Teenager ganz schön krass sein kann, und so war ihre Kindheit eigentlich sehr schön, auch wenn's schon recht nahe an der Stadt war, wo es Kriminalität und so was gab, aber bei ihr in der Gegend eigentlich nicht so viel, weshalb sie jetzt auch nicht so genau weiß, wieso sie eigentlich zur Polizei gegangen ist, aber sie findet es spitze, weil sie das Gefühl hat, was Gutes zu tun, und Sheriff Irv ist sowieso der Beste und so klug und ehrlich, dass sie garantiert viel von ihm lernen kann.

All das erfährt Sigrid auf dem Weg von der Polizeiwache

zur Beifahrertür von Melindas Streifenwagen. Was sie wohl noch alles erfahren hätte, wenn sie Melinda tatsächlich was gefragt hätte?

Schließlich erkundigt Melinda sich bei Sigrid, wohin sie als Erstes möchte. Im Versuch, sich an amerikanische Gepflogenheiten anzupassen, sagt Sigrid: «Wir sollten es vielleicht mal in Marcus' Geheimversteck versuchen. Haben Sie da schon nachgesehen?»

Vielleicht war das doch eine Spur zu trocken, denn Melinda antwortet: «Nein, aber das ist voll die gute Idee! Wissen Sie die Adresse?»

Irgendwo hat Sigrid mal gelesen, Kultur basiere einzig und allein auf Sprache. Beim Lesen kam ihr das plausibel vor. Dass sie jetzt Englisch sprach, hätte sie also in eine Amerikanerin verwandeln müssen. Das ist ganz eindeutig nicht passiert. Irgendwas Tieferes muss da noch im Spiel sein.

«Sollte nur ein Witz sein», erklärt sie daher.

«Ach so.»

Melinda fährt los, Sigrid hat keinen Schimmer, wohin.

Vielleicht ist es ja auch umgekehrt. Vielleicht ist Melinda in Wahrheit eine geniale Komikerin.

«Moment. War das von Ihnen jetzt ein Witz?», fragt Sigrid.

«Nein», antwortet Melinda. «War das jetzt ein Witz darüber, ob ich einen Witz gemacht hab?»

«Nein», versichert Sigrid. «Ich mein's ernst.»

«Als Irv gesagt hat, Sie kommen aus Norwegen, hat er da Ihre Vorfahren gemeint oder so? Kommen Sie aus Minneapolis oder aus St. Paul?»

«Nein, wirklich aus dem Land.»

«Hm. Und ... was glauben Sie, warum Ihr Bruder diese Frau umgebracht hat?»

«Sie heißen Melinda, richtig?»

«Ja, Ma'am.»

«Also, Melinda, es gibt einen Unterschied zwischen investigativen Fragen und Verhörfragen. Die ersten zielen darauf, was man wissen will. Die zweiten stellt man, um es zu erfahren. Die beiden sind allerdings selten identisch. Das ist der Clou dahinter. Die Kunst ist, diese Einsicht anzuwenden, um sein Gegenüber durch indirekte Fragen dazu zu bringen, die gewünschten Informationen zu liefern. Wenn das hier also ein Verhör werden und ich etwas verraten soll, müssen Sie sich mehr anstrengen. Ich nehm's Ihnen nicht übel, aber wenn Sie gewinnen wollen, müssen Sie besser spielen. Ja?»

«Ich kann mich nicht erinnern, dass so was in der Akademie mal dran kam.»

«Wahrscheinlich haben die euch nur das Schießen beigebracht.»

«Hä?»

«Egal. Wohin fahren wir?»

«Wohin wollen Sie?»

«Sie zuerst.»

«Eigentlich nirgendwohin», gesteht Melinda. «Ich bin bloß rumgefahren, um Sie ein bisschen auszufragen.»

«Okay. Ich brauche was zum Anziehen. Mir wurde alles gestohlen.»

«Oh, das ist ja blöd.»

«Ja, das ist die allgemeine Ansicht.»

«Ich bring sie zu Target. Deren Slogan ist ‹Mehr erwarten, weniger zahlen›.»

«Klingt perfekt.»

Bei Target ist alles dermaßen billig, dass Sigrid angesichts der verschleppten und versklavten Kinder, die die Kleidung mit ihren Fingerchen genäht haben müssen, einen Augenblick lang Schuldgefühle überkommen. Wirklich verstörend ist jedoch, wie schnell diese Gefühle verfliegen, als sie eine gar nicht mal so hässliche Jeans für läppische zwölf Dollar findet: So viel zahlt man in Oslo für einen Kaffee und einen Muffin.

Melinda sieht gelangweilt zu wie eine mitgeschleifte kleine Schwester. «Man hat Ihren Koffer geklaut?», fragt sie.

«Ja.»

«Dann brauchen Sie einen neuen», kombiniert sie.

«Die haben hier auch Koffer?»

«Die haben alles.»

Sigrid erledigt ihre Besorgungen teils allein, teils im Team mit Melinda, zumal diese eindeutig Order hat, sie nicht aus den Augen zu lassen. Dennoch tut sie das lang genug, dass Sigrid sich ein paar Dinge schnappen kann, die sie für ihre eigene Arbeit ohne das Police Department braucht. Zum Glück sind diese Dinge so klein, dass sie sich unter der Kleidung im Einkaufswagen verstecken lassen.

Melinda folgt Sigrid zu den Toiletten und wartet am Eingang des kleinen Flurs auf ihre Rückkehr.

«Bin immer noch da», sagt Sigrid, als sie fünf Minuten später wiederkommt.

«Wir stehen doch auf derselben Seite», sagt Melinda, weder begeistert noch überzeugend.

«Aber sicher doch», pflichtet Sigrid bei.

An der Kasse beäugt Melinda die Einkäufe, die Sigrid nicht in der Tasche vor ihr verbirgt. «Zufrieden?», fragt sie.

«Ich kann nicht klagen.»

Über die Kassiererin könnte sie allerdings schon klagen, denn die stapelt beim Rausgeben die Münzen auf den Schein, statt sie zuerst Sigrid zu reichen. Wie zu erwarten rutschen sie weg und purzeln zu Boden.

«'tschuldigung, passiert mir ständig.»

«Warum machen Sie's dann nicht anders?», fragt Sigrid.

«Was denn?»

Immerhin hat Sigrid einen Koffer und neue Klamotten – und das für weniger, als in Oslo mit seinen fünfundzwanzig Prozent Mehrwertsteuer allein der Koffer gekostet hätte.

Inzwischen hat sich der Parkplatz gefüllt. Sigrid sieht sich um, während sie den Einkauf in den Kofferraum des Streifenwagens packen.

Ziemlich trostlos, aber auch nicht unbedingt schlimmer als zu Hause. Manche Teile von Oslo sind auch nur ein jämmerlicher Haufen Straßen, Kreisverkehre, Lagerhäuser und Beton. Økern zum Beispiel. Zur allgemeinen Atmosphäre von Verfall trägt hier ein zur Bar umgebauter Schuppen hinter dem Target bei. Im 19. Jahrhundert hat darin vielleicht mal wer gewohnt, aber heute sieht er aus, als würde er nur aus Gehässigkeit noch stehen.

«Was ist das denn?», erkundigt sich Sigrid.

«'ne Bikerbar. Das Inferno. Übler Laden.»

«Habt ihr den schon mal ausgeräuchert?»

«Die sind wie die Hornissen. Kommen einfach später wieder.»

Melinda startet den Motor und stellt das Funkgerät an. Im Gegensatz zu Oslo, wo ständig irgendwer plappert, ist hier kaum etwas zu hören.

Während Melinda ausparkt, entschließt Sigrid sich zu Offenheit. «Ihnen ist klar, dass ich Sie irgendwann abschütteln und alleine weitermachen muss?»

«Ich soll Ihnen nur folgen, Sie aber an nichts hindern», erwidert Melinda, den Blick fest auf die Straße gerichtet.

«Sollten Sie mir das sagen?»

«Irv meinte, es spielt keine Rolle, was ich Ihnen sage.»

«Ich bin Sektionschefin mit zwanzig Jahren Erfahrung bei einer der bestausgebildeten Polizeitruppen der Welt, das wissen Sie, oder?»

«Yup. Hat Irv alles auf Wikipedia nachgelesen. Spielt aber alles keine Rolle, meint er.»

«Sie beide kommen mir etwas eingebildet vor.»

«Wissen Sie, mit Irv ist das so», erklärt Melinda, «der findet für alles den Blickwinkel, den noch keiner vor ihm gesehen hat. Sie sollten ihn mal über Gott fragen. Sogar das hat er voll geschnallt.»

DER Campus der staatlichen Universität ist flach wie ein Teich und grün wie seine Studenten. Sigrid und Melinda fahren durchs Haupttor, wo der Name der Uni in goldenen Lettern auf einer schwarzen Tafel prangt. Eine lange Straße führt zum leergefegten Besucherparkplatz. Sie parken in der Nähe eines alten Backsteinbaus, der irgendwie fehl am Platz wirkt neben dem riesigen Komplex aus Glas und Stahl, der ein brandneues Zentrum für Naturwissenschaft und Technik beherbergt.

Trotz des schönen Wetters ist Mitte August auf dem Campus nicht viel los. Melinda kennt sich aus. Sie ist nicht zum ersten Mal hier.

«Jetzt sind Sommerferien», erläutert sie. «Glaub nicht, dass überhaupt wer da ist, aber ist ja Ihre Ermittlung.» Sie geht wie ein Cowboy, die Daumen in den schwarzledernen Polizeigürtel gehakt. Die Frauen gehen zwischen dem Frederick Douglass Building of Government und irgendeinem Verwaltungsgebäude hindurch. Offenbar haben all die Gebäude eigene Namen und Identitäten, wobei die neuesten, teuersten den Naturwissenschaften, der Informatik und der Karriereberatung gewidmet sind, die urigeren neugotischen dagegen den Geisteswissenschaften.

Sie überqueren einen großen Rasen, den Melinda als «Geviert» bezeichnet, auch wenn er Sigrid nicht mal rechteckig vorkommt. Der Rasen ist liebevoll gepflegt und einladend, in der Mitte hängt träge eine amerikanische Flagge an einem kolossalen weißen Fahnenmast.

«Hübsch hier», stellt Sigrid fest. «Wonach haben Sie beim letzten Mal gesucht?»

«Wir waren wegen Dr. Jones hier», antwortet Melinda. «Der Sheriff wollte, dass wir den Augenzeugen einen Moment vergessen und sehen, was wir sonst noch finden. Er meinte, Ihr Bruder sei zwar der naheliegende Verdächtige, aber wir müssten erst verstehen, in welchem Verhältnis er zum Opfer stand.»

«Dann war Ihr Ermittlungsziel also, Marcus ein Motiv nachzuweisen?»

«Nun», erwidert Melinda, «so direkt eigentlich nicht. Auf der Fahrt hierher hat Irv gesagt, wenn man ein Bild von einem sieht, der rennt, weiß man nicht, ob er vor etwas wegläuft, zu etwas hin oder ob er einfach nur joggt.»

«Was haben Sie über Marcus rausgefunden?»

«Dass er Lydia geliebt und gerne hier gearbeitet hat.»

«Klingt nicht gerade nach einem Mordmotiv.»

«Nicht direkt, nein, aber der Sheriff sagt, wo Liebe ist, da gibt's ein Universum voller Möglichkeiten.»

«Ist ja ein richtiger Philosoph, Ihr Sheriff.»

«Er war ein Bibelwissenschaftler oder so was, bevor er Sheriff wurde. Hat wirklich was im Kopf.»

Als Sigrid sich vor einer halben Ewigkeit für den Master in Kriminologie eingeschrieben hat, lebte sie in Bislett, Oslo, in einer WG mit drei Freunden. Die meisten ihrer Kommilitonen kamen aus Oslo und wohnten bei ihren Eltern. Die Universität Oslo ist eine Stadtuni ohne nennenswerten Campus, wenigstens verglichen mit Amerika. Beim Ring 2 gibt es ein paar Wohnblocks, aber die Studierenden richten sich dort nicht so häuslich ein wie die in amerikanischen Wohnheimen. Diese Uni hier, denkt Sigrid auf dem Weg über den malerischen Campus, ist eine Welt für sich. Kein Wunder, dass Marcus sich hier wohlgefühlt hat.

Sie stellt sich vor, wie sie mit ihm darüber reden würde:

Hast ja doch noch deinen Unterschlupf gefunden, würde sie sagen, wenn er hier wäre.

«Inklusive Frauen und Sonne», würde er antworten.

«Und dafür kriegst du auch noch Geld?»

«Nicht viel. Wenn man alles durchrechnet, kommt kaum Mindestlohn dabei heraus.»

«Warum machst du's dann?», würde sie fragen.

«Schau dich doch um, Sigrid», würde er erwidern. «Die Studierenden sind hungrig. Ihr Hunger ist allgegenwärtig. Nach Wissen, Gemeinschaft, Sex, Lösungen. Die wollen sogar die Schwierigkeiten. Alles wollen die. Alles, was sie noch nicht gedacht oder erlebt haben. Sie wollen davon überflutet werden. Sie sind hungrig und sind genau da, wo sie sein wollen, tun genau das, was sie tun wollen. Sie sind gleichzeitig hungrig und satt. Ein unnatürlicher Zustand, und trotzdem perfekt ausgewogen. Diese unmögliche Balance macht das hier aus. Wenn ich müsste, würde ich genau wie sie dafür bezahlen, dass ich hier sein darf.»

«Du wirst ausgebeutet.»

«Ich weiß. Trotzdem, sieh dir diesen Mittsommertag an, und sag mir, wo auf der Welt es besser wäre.»

Schließlich erreichen Sigrid und Melinda ein Gebäude, dass Sigrid an das Zoologische Museum im Botanischen Garten von Oslo erinnert. Laut Infotafel in der Eingangshalle befindet sich darin die Fakultät für Geowissenschaften, zu der auch die Agrar- und Umweltwissenschaften gehören.

Die Schritte der Frauen hallen durchs Treppenhaus.

«Der Chef der Fakultät ist Dr. Ernie Williamson», sagt Melinda.

«Haben Sie mit ihm gesprochen?»

«Mhm.»

«Weiß man hier, dass Sie Marcus verdächtigen?», erkundigt sich Sigrid.

«Sie meinen, dass wir glauben, er hat Lydia ermordet?»

«Genau.»

«Nein, nein. Davon weiß niemand. Die wissen nur, dass er vermisst wird.»

«Wie würden Sie Dr. Williamson beschreiben?», fragt Sigrid.

«Kennen Sie die Redensart: ‹Wie von der Castingagentur geschickt›?»

«Nein», antwortet Sigrid.

«Dann verwende ich sie besser nicht.»

Dr. Ernie Williamson ist Ende fünfzig, weiß, hat wirres Haar, und seine Brille passt nicht recht in sein Gesicht; die Brücke sitzt zu hoch auf der großen Nase, wodurch die Gläser nicht bis ganz nach unten reichen. Nicht gerade die Art modische Sehhilfe, die ein Mann auswählt, dem jemand dabei hilft.

Sigrid wirft einen Blick auf seinen Ringfinger, wobei sie sich erinnert, dass man Eheringe in Amerika links trägt. Williamson trägt keinen, es gibt auch keinen Bräunungsrand. Wie die Brille reicht auch sein Schreibtisch nicht bis ganz nach unten – zwischen Unterkante und Boden klafft eine

Lücke, durch die schwarze, bequeme Schuhe lugen, die völliges Desinteresse an menschlicher Sexualität signalisieren.

Formlos winkt er Sigrid und Melinda näher.

«Nur herein, nur herein. Sie sind ... Officer ... hab's gleich, nicht verraten ...»

«Melinda, Sir.»

«Melinda, genau. Freut mich, Sie wiederzusehen. Ich habe Ihre Schritte auf dem Gang gehört, und mein erster Gedanke war: Oh nein, Zombies. Ich meine, wer sonst würde an einem solchen Tag hier drin herumgeistern? Es ist so schön da draußen. Besser kann es gar nicht mehr werden.»

«Nur Ihre Freunde und Helfer, Sir», sagt Melinda. «Keine Zombies draußen. Nicht, dass wir wüssten, jedenfalls.»

«Na, nehmen Sie doch Platz. Was kann ich für Sie tun? Wie geht es mit den Ermittlungen zu Lydia voran? Wir sind hier ja alle sehr erschüttert.»

Ohne zu zögern, geht Melinda zum zweiten der beiden Stühle vor dem Schreibtisch des Professors, was wohl bedeutet, dass sie dort beim letzten Mal schon saß. Die Leute gewöhnen sich so was ganz automatisch an. Während sie Platz nimmt, stellt Melinda Sigrid vor: «Das ist Marcus' Schwester Sigrid. Aus Norwegen. Beim letzten Mal sprachen wir ja über Marcus und Lydia und ihr Verhältnis zueinander. Wie Sie wissen, wird Marcus vermisst, und wir hatten gehofft, Sie könnten uns weiterhelfen.»

Professor Williamson legt die Hände auf den Schreibtisch und spreizt die Finger. «Ach ja. Ein eher stiller Mensch, Ihr Bruder. Überrascht mich gar nicht, dass er nach so einer Sache etwas Zeit für sich braucht. Und er hat Ihnen nicht gesagt, wohin er geht?»

«Nein, leider nicht», bestätigt Sigrid. «Professor, als der

Sheriff und Melinda das letzte Mal hier waren, was haben die beiden Sie da gefragt? Wir haben darüber natürlich gesprochen», log sie, «aber es ist immer hilfreich, das noch mal aus anderer Perspektive zu hören.»

«Na, lassen Sie mich überlegen», sagt Dr. Williamson, indem er die Fingerspitzen zu einer Art pulsierendem Organ von der Größe eines menschlichen Herzens zusammenlegt. «Er fragte, woher Marcus und Lydia sich kannten, was ich aber nicht wusste. Wie gesagt, Professor Jones war in einer ganz anderen Fakultät beschäftigt. Ich kannte sie kaum. Wir waren beide im CARE-Komitee für Compliance, Abrechnung, Risiko und Ethik, das sich jeden Monat für zwei Stunden trifft. Privat hatten wir nichts miteinander zu tun. Und Marcus ist sehr liebenswert und ein guter Dozent, aber auch nur ein APL, ähm, ein außerplanmäßiger Professor. Als Fakultätsleiter habe ich kaum mit ihm zu tun. Ich konnte also nicht viel beitragen.»

«Haben Sie sonst über irgendwas gesprochen?», hakt Sigrid nach.

«Der Sheriff erkundigte sich nach Marcus' Kursen und ob die Studierenden ihn mögen.»

«Tun sie das?»

«Oh ja, sehr. Er vermittelt ihnen hervorragend die Unterschiede zwischen Erhaltung und Bewahrung, kann prima die theoretische Abgrenzung von Räumen und Orten erklären und – weil er nicht von hier ist – hochinteressante Vergleiche zu seiner norwegischen Heimat ziehen. Wie Ihnen das helfen soll, ihn zu finden, weiß ich allerdings auch nicht.»

Die Bürowände sind ausgekleidet mit Lehrbüchern und Fotos von Pflanzen und Landstrichen, die sicher irgendwas bedeuten, denn Kunst sind sie bestimmt nicht, so viel ist Sigrid klar. Das Büro entspricht zwar nicht ihrem Geschmack, ist aber doch hübscher als ihres in Oslo. Zum Beispiel hat seine Tür kein Fenster zu einem Raum voller junger Polizisten mit ihrem verdrießlichen Optimismus.

«Wissen Sie, wo er seine Freizeit verbracht hat?», will Sigrid nun wissen.

«Soweit ich weiß, war er gern in der Natur. Wir haben über so was kaum gesprochen. Wie gesagt ... er war ein APL.»

«APLs sind auch Menschen, oder?»

«Das sollten Sie auf ein T-Shirt drucken.»

«Ist die Fakultätssekretärin heute da?», fragt Sigrid, in der Hoffnung, Melinda inzwischen überzeugt zu haben, dass mit Professor Williamson nicht das Geringste anzufangen ist.

«Mrs. Perlmutter? Ja. Die ist immer da.»

«Melinda», wendet Sigrid sich an die junge Polizistin, «würden Sie bitte Marcus' Stundenplan und eine Liste seiner Studierenden besorgen? Vielleicht hilft uns das weiter.»

«Ähm ... jetzt?»

«Ja.»

Sigrid richtet sich auf ihrem Stuhl auf, um Gewissheit, Autorität und einen Hauch von Dringlichkeit auszustrahlen. Melinda will gerade protestieren, also fügt sie hinzu: «Wir warten so lange hier.»

Melinda blickt die beiden Älteren an. Die blicken zurück, und Melinda entscheidet sich für den Weg des geringsten Widerstands, schüttelt ihre Zweifel ab und macht sich an die ihr übertragene Aufgabe.

Kaum ist sie außer Hörweite, fischt Sigrid nach den Infos, auf die sie wirklich aus ist: «Hatte er Lieblingsorte? Für Exkursionen mit seinen Kursen zum Beispiel?»

An denen er jetzt sein könnte?

«Hm», macht Dr. Williamson und lehnt sich zurück. Sein Stuhl knarrt wie ein Friedhofstor, doch das bemerkt er gar nicht. «Er fährt mit seinen Kursen natürlich in den Adirondack State Park. Zweimal pro Semester.»

«Wieso natürlich?»

«Na, darum sind wir doch hier», stutzt der Professor und lehnt sich so weit zurück, dass Sigrid fürchtet, der Stuhl könne gleich umkippen. «Darum haben wir hier diese Kurse. Die Adirondacks sind was Besonderes, weil sie einerseits ein staatliches Schutzgebiet, andererseits aber zu etwas über der Hälfte in Privatbesitz sind. Das ist einzigartig. Und dieses Wort passt hier genau. Der Park gilt als eins der größten Naturschutzexperimente der industrialisierten Welt. Wenn Sie sich für Nachhaltigkeit und das Verhältnis Mensch und Natur interessieren, gibt es nicht Interessanteres. Und wir sitzen direkt daneben.»

«Wie groß ist der Park?»

«Über sechs Millionen Acre.»

«Was ist ein Acre?»

«Sagen wir, es sind insgesamt über 24 000 Quadratkilometer. Zum Vergleich: Das ist ein bisschen kleiner als Albanien und ein bisschen größer als Israel. Es gibt dort zehntausend Seen und fünfzigtausend Kilometer Flüsse und Bäche. Da kann man leicht verloren gehen.»

«Was war Marcus' Lieblingsort in den Adirondacks?»

«Das ist leicht. Sie sind immer zu den Inseln im Saranac-See. Mit denen, die übers Wochenende geblieben sind, ist er immer noch auf den Mount Redfield gewandert.»

«Glauben Sie, dort könnte er jetzt auch sein?»

«Falls ja und falls er nicht gefunden werden will, haben Sie keine Chance. Unmöglich.»

«Klar. Natürlich.»

«So viel Trauer», sinniert Williamson. Aus irgendeinem Grund streift er die Schuhe ab und wackelt im Spalt unter dem Schreibtisch mit den schwarzbaumwollenen Zehen. Sigrid widersteht dem Drang, ein Stück wegzurutschen. «Lydias Tod. Der Junge, der erschossen wurde. So eine Tragödie für die arme Familie. Ich erinnere mich gut. Marcus hat das auch mitgenommen. Er kannte Jeffrey.»

«Welcher Junge?»

«Lydias Neffe. Jeffrey, Jeffrey Simmons.»

«Davon weiß ich nichts.»

«Oh, abgesehen von der Präsidentschaftswahl ist das hier Thema Nummer eins. Lydias Neffe wurde von der Polizei erschossen. Er war zwölf, hat mit Freunden im Garten gespielt. Die Polizei hielt seine Spielzeugpistole für eine echte und ... hat ihn erschossen. Auf dem Campus gab es Demos gegen Polizeigewalt und Sit-ins, auf denen Antworten gefordert wurden. Wir hatten Gastredner zum Thema Rasse, Rassismus und Politik der ... Na ja, wie auch immer. Ich will die Tragödie nicht intellektualisieren. Lydia hatte ich seither nicht gesehen, sie kam nicht mehr zum Komitee. Marcus habe ich aber gesehen. Er war nicht mehr derselbe.»

«Ist das hier im Bezirk passiert? Hat Sheriff Wylie –»

«Nein, nein!», unterbricht er. «Das war im Nachbarcounty. Deren Polizei, nicht unsere. Aber nach dem Tod des Jungen ging hier alles in die Luft. Ich muss zu meiner Schande gestehen, dass ich mich mit derlei Dingen nie beschäftigt hatte, und bei diesen Studentendemos geht es ehrlich gesagt oft eher ums Erwachsenwerden als um Sachthemen. Aber das hat mir wirklich die Augen dafür geöffnet, wie abgrundtief ungerecht es da zugeht und wie miserabel unsere Institutionen die Schwachen schützen. Wussten Sie, dass wir in den USA nicht einmal eine Datenbank über tödlichen Schusswaffengebrauch der Polizei haben? Das ach so souveräne Volk weiß nicht mal, wie viele Bürger vom Staat getötet werden – ob mit Recht oder nicht.»

«Ja, das wusste ich», sagt Sigrid.

«Wirklich?»

«Ich bin Polizeichefin in Norwegen. In der Kaffeeküche wird viel über Amerika gesprochen.»

«Dann sind wir also weltberühmt, was?»

«Es ist schwer, den Elch zu ignorieren, der auf deiner Waffel sitzt.»

«Wie bitte?»

«Funktioniert wohl nur auf Norwegisch. Was, glauben Sie, ist mit Lydia passiert?»

«Ich will nicht spekulieren. Aber sagen wir ... Sie war Mitte vierzig, hatte keine Kinder und hat ihren Neffen sehr, sehr geliebt. Ein paar Monate danach ... ist sie gestorben.»

Sigrid trägt das in ihr Notizbuch ein und vergewissert sich aus den Augenwinkeln, dass Melinda nicht hinter der Tür steht und ebenfalls mitschreibt.

«Wer kannte Lydia am besten, Dr. Williamson? Wer kann uns helfen, all das zu verstehen und Marcus zu finden?»

«Auf dem Campus? Gloria Dillane, aus der Anglistik. Lehrt zeitgenössische amerikanische Literatur. Die beiden führten eine lebhafte Debatte zum Thema Psychologie kontra Soziologie in Hinblick darauf, was uns Menschen antreibt. Mal was anderes als die immer gleiche Kontroverse von Individualität kontra Struktur. Davon habe sogar ich die Nase voll. Die Studierenden waren jedenfalls Feuer und

Flamme. Reden Sie mit ihr. Sie ist auch traurig. Das ist ansteckend, wissen Sie.»

«Was ist ansteckend?»

«Traurigkeit.»

DRAUSSEN auf dem Platz steht ein Ahornbaum, unter dem sonst vermutlich erdfarben gekleidete amerikanische Hipster Songs von Nick Drake für junge Frauen in Secondhandklamotten klampfen, die ihnen gar nicht zuhören.

Dorthin setzen Sigrid und Melinda sich mit dem Mittagessen, das sie im Deli um die Ecke besorgt haben, da die Cafeteria im Sommer geschlossen hat.

Amerikanische Sandwiches sind offenbar viermal so groß wie norwegische und haben unten *und* oben Brot. Zwischen den dicken Kohlenhydratscheiben liegt genügend Aufschnitt, um einen Löwen zu ersticken. Sigrid klappt das Sandwich auf, verteilt den Aufschnitt auf die beiden Brotscheiben und halbiert diese noch mal mit dem Klappmesser ihres Bruders. Eine dieser Hälften isst sie, während Melinda sich den gesamten Wursttorpedo in den Mund stopft.

«Hungrig?», fragt Sigrid.

Melinda zuckt die Achseln. «Ist halt Mittagessen.»

Bärtige Hipster sind zwar keine da, aber dafür eine Rotte junger Männer in Flip-Flops und ungewöhnlich langen kurzen Hosen – sie hängen bis weit unters Knie. Sie tragen Baseballmützen und haben allesamt erstaunlich stramme Waden und breite Schultern, genau wie im Kino. Dafür, dass Amerika eine so heterogene Gesellschaft ist, sind doch eigentümlich viele Menschen exakt gleich gebaut.

«Warum laufen die alle mit diesen großen Flaschen mit Strohhalm herum?», fragt Sigrid.

«Damit sie nicht dehydrieren.»

Sigrid blickt in den blauen Himmel und auf die Schäfchenwolken. «Besteht dazu besondere Gefahr?»

«Keine Ahnung.»

Sigrid wickelt den Rest ihres Mittagessens in seinen Kokon aus Wachspapier, nippt an ihrem Mineralwasser und packt alles wieder weg. Sie braucht dringend etwas Privatsphäre, um Marcus' orange Festplatte zu sichten, seine Briefe zu lesen, Leben und Tod von Lydia Jones besser zu begreifen und so viel wie möglich über den Fall Jeffrey Simmons herauszufinden. Melinda ein paar Minuten loszuwerden, war ein Kinderspiel. Sie ganz abzuschütteln, wird schwerer.

«Warum sind Sie eigentlich zur Polizei gegangen?», leitet Sigrid ihr Manöver ein.

«Um Verbrechen zu bekämpfen.»

«Sie hätten doch auch Krebs bekämpfen können.»

«Der ist schlauer als ich, glaub ich. So hatte ich bessere Aussichten, ab und zu mal zu gewinnen. Und Sie?»

«Vor zwanzig Jahren hab ich dasselbe gesagt.»

«Und jetzt nicht mehr?»

«Ich dachte, ich will Verbrechen bekämpfen. Jetzt, wo ich älter bin, wird mir klar, dass es mir eigentlich um Ungerechtigkeit geht. Ersteres zu bekämpfen, hilft nicht immer gegen Letzteres.»

«Voll krass, dass Sie keine Amerikanerin sind», staunt Melinda. «Sie reden besser als fast alle, die ich kenne.»

«Ich habe einen Wortschatz für die Arbeit, aber nicht für anderes.»

«Was heißt das?»

«Das heißt, ich kann auf Englisch über Polizeiarbeit sprechen, aber nicht über Liebe.»

«Wer kann das schon», seufzt Melinda. «Muss echt cool sein, eine andere Sprache zu können. Kann ich mir nicht mal vorstellen.»

«Das liegt daran, dass Sie Englisch sprechen. Bei Fremdsprachen seid ihr alle eine Katastrophe. Ihr, die Briten, die Australier, die Neuseeländer. Die Kanadier tun um der nationalen Einheit willen so, als könnten sie Französisch, aber das war's auch schon. Haben Sie eigentlich Mitbewohner?», fragt Sigrid, als käme ihr das zufällig gerade in den Sinn.

«Nein, ich wohne allein. In der Stadt, bei der Main Street, neben einem Waschsalon. Zwei Schlafzimmer, ein Bad, Stellplatz an der Straße. Nichts Besonderes, aber ich kann's mir leisten und es ist mein eigenes Reich. Kennen Sie diesen Möbelladen, IKEA?»

«Ja.»

«Gibt's den in Europa auch?»

«Er ist europäisch.»

Die Flip-Flop-Jungs mit dem Dehydrationsproblem werfen inzwischen einen Football hin und her. Warum nennen die Amerikaner das bloß Football?

«Ach, echt?»

«Aus Schweden. Vielleicht ist Ihnen ja schon mal all das Blau und Gelb aufgefallen.»

«Ich dachte, das sind bloß die Firmenfarben.»

«Das sind die Farben der schwedischen Flagge. Darum verkaufen die auch tiefgekühlte Fleischbällchen und alles hat schwedische Namen.»

«Hab ich nie groß drüber nachgedacht. Aber Lego kommt aus Dänemark, stimmt's?»

«Sie haben zwei Schlafzimmer?»

«Yup. Meins und Ihrs. Wir sind jetzt eine WG.»

«Ich würde mich gerne mal kurz hinlegen.»

«Im Ernst?»

«Hier ist es sechs Stunden früher als in Norwegen. Zu Hause ist es jetzt nach zehn, und ich hatte schon einen langen Tag. Ich brauche erst mal ein, zwei Stunden Ruhe, ehe ich weitermache. Das ist nur vernünftig. Es heißt nicht, dass ich zu schwach bin.»

«Meine Stechuhr läuft, egal, wo wir sind. Also ... okay. Aber sollten wir nicht erst mit Lydia Jones' Leuten reden, wo wir schon mal hier sind?»

Sigrid steht auf und wischt sich die Hose sauber.

«Die sind nicht da. Wir sprechen später mit ihnen. Jetzt muss ich mich erst mal ausruhen.»

DREISSIG Minuten später ist Sigrid allein hinter einer geschlossenen Zimmertür in Melindas Wohnung. Dank etwas, das Melinda «Boxspring» nennt und das die Matratze so dick macht, wie Sigrids Unterarm lang ist, liegt man auf dem Bett erstaunlich hoch. Einen Schreibtisch und einen Kleiderschrank gibt es auch. Alles riecht wie frisch aus dem Karton. Den Quilt auf dem Bett hat Melindas Großmutter ihrem Mann zur Hochzeit genäht. Die Geschichte ging noch weiter, aber Sigrid hatte bereits abgeschaltet.

«Mi casa es su casa», hat Melinda gesagt.

Sigrid packt einen koreanischen Laptop auf den Schreibtisch, fährt ihn hoch und muss sich eine Viertelstunde stur weigern, sich irgendwo zu registrieren oder irgendetwas upzudaten oder zu verbinden. Sie kämpft sich durch Einverständniserklärungen, bei denen es sich zwar keineswegs um «Willenseinigungen» handelt, ohne die sie aber den Computer nicht benutzen kann, der ihr angeblich gehört.

Erster Punkt auf der Tagesordnung ist, die orange Festplatte in den USB-Port einzustöpseln. Surrend erwacht die Platte zum Leben, während Melinda nebenan Musik aufdreht – irgendein Teenie-Girl, das über sich selber singt.

Sigrid steckt einen USB-Stick in den Laptop.

Mal abgesehen vom Zustand seines Hauses war Marcus immer schon ein ordentlicher Mensch. Die Festplatte beweist, dass sich das nicht geändert hat. Sie enthält vier Ordner – Englisch beschriftet, nicht Norwegisch. Ob er nach zwanzig Jahren in Amerika wohl Englisch träumt?

Die Ordner heißen: DEPRESSION, POLIZEI, JEFFREY, IDEEN. Ihr Umfang beträgt, in derselben Reihenfolge: 103 MB, 127 MB, 57 MB und 3 KB. Sigrid kopiert sofort alle vier auf den USB-Stick, dem sie ohne besonderen Grund den Namen «Ferdinand» gegeben hat. Dann wirft sie die Festplatte aus und öffnet die Dateien auf dem Stick, damit die Originaldateien nicht verändert werden, was jeder Ermittler sofort an den Änderungsdaten erkannt hätte.

So wird niemand wissen, wo sie wann was nachgesehen hat. Das Ganze fühlt sich eher kriminell an als wie Ermittlungsarbeit, aber Vorsicht ist ja nicht verboten.

Der Ordner DEPRESSION besteht hauptsächlich aus PDFs und Screenshots von medizinischen oder pseudomedizinischen Websites, einschließlich einiger Blogs und Briefen von Menschen mit Depressionen oder verwandten seelischen Problemen. Nach Größe geordnet erweisen die Dateien sich als eher klein, zwischen 500 KB und 1,5 MB. Die wenigen über 4 MB sind kurze Videos. Sigrid sieht sich zwei davon an; es sind Interviews darüber, wie es ist, mit einer Depression zu leben.

Nebenan hat Melinda inzwischen etwas aufgelegt, das klingt wie die Bangles, obwohl sie kaum alt genug sein dürfte, die Bangles zu kennen.

Sigrid hätte in Marcus' Haus gründlicher sein und im Schrank nach Medikamenten suchen sollen. Doch sie darf sich nicht zu sehr geißeln. Niemand kann beim ersten Mal gleich alles sehen. Was sie wirklich wurmt, ist der falsche Gebrauch des Begriffs «Beweis»; das bringt zu viele Ermittler durcheinander. Schon oft, besonders bei auf Englisch geführten Konferenzen, hat Sigrid mit ihrem Kollegen Petter über die Unterschiede zwischen dem englischen *«evidence»* und dem norwegischen *«bevis»* gesprochen. Letzterer ist zwar verwandt mit dem deutschen «Beweis», aber so wird er nicht verwendet. Beim Durchsuchen eines Hauses oder Tatorts sucht man erst einmal nicht nach «Beweisen», denn Beweise braucht man, um eine Theorie zu bestätigen. Untersucht ein Ermittler aber erstmals den Ort eines Verbrechens, darf er keinesfalls schon eine Theorie im Kopf haben, die er dann nur noch bestätigen will. Er oder sie muss Informationen sammeln, die irgendwann erlauben, eine logisch und juristisch stichhaltige Behauptung aufzustellen.

Man braucht Zeit, Mühe und eine vernünftige Betrachtung der Tatsachen, um eine plausible Erklärung zu liefern – will man eine konsistente Geschichte erzählen. Wie soll man das schon beim ersten Anlauf hinbekommen? Das blutige Messer, das im Butler steckt, hat vermutlich etwas zu bedeuten. Aber was ist mit dem angebissenen Toast? Oder damit, dass die Spülmaschine voll ist? Oder leer?

Ärgerlicherweise will das von den jungen Leuten kaum noch einer hören. Ist ihnen zu öde. Sie schalten einfach ab, wenn Sigrid erläutert, dass Ermittlung ein iterativer Prozess hypothetisch-deduktiven Schließens ist. Dass sie keine Hexerei ist. Dass sie weder leicht noch sexy ist noch von einem guten Riecher abhängt, und dass die Formulierung eines plausiblen Arguments kein Kinderkram ist. «Fakten sind keine Beweise», sagt sie immer. «Fakten *werden* Beweise, wenn man sie zur Stützung eines Arguments heranzieht.»

Wer diesen Vortrag übersteht, der übersteht womöglich auch den Job.

Es sind tatsächlich die Bangles. Melinda hört *Manic Monday*. Woher kennt sie nur diesen Song?

Der Ordner POLIZEI enthält eine größere Bandbreite komplizierterer Dateien als der über DEPRESSION – auch wenn Sigrid natürlich nicht alle gelesen hat. Bilder, Videos, juristische Dokumente, Richtlinien, Artikel aus Zeitungen und Zeitschriften, Berichte von Krankenhäusern und gemeinnützigen Organisationen, von Kirchen, Bürgerinitiativen und Jugendgruppen. Fotos von toten Kindern; ein stiernackiger, fast kahlköpfiger Schwarzer mit Beulen und Blutergüssen auf Gesicht, Hals und Schultern; Stellungnahmen der Polizei, man habe sich nur verteidigt; Stellungnahmen von Umstehenden, die Polizei sei mit breiter Brust und zu allem bereit angerückt; Debatten über Waffenbesitz sowie Plädoyers dafür, dass Schwarze sich gegen die Polizei zur Wehr setzen müssen, weil alle sie als von vorneherein schuldig und gewaltbereit abstempeln.

Marcus hat Zeitungsberichte aus dem ganzen Land gesammelt, dazu Studien und offizielle Dokumente. Was all das mit ihm zu tun hat, ist Sigrid jedoch schleierhaft.

Der Ordner namens JEFFREY dreht sich um den toten Jungen: der zwölfjährige Jeffrey Simmons, der in die sechste Klasse der Lincoln Middle School im nahen Cofield ging. Jeffreys Mutter ist Sekretärin in der dortigen Niederlassung eines Chemieunternehmens, das vorwiegend die Holzbranche beliefert, sein Vater ist Geschäftsführer eines großen Heimwerkermarktes. Jeffrey spielte Schlagzeug in der Schulband und war verrückt nach Harry Potter. Laut seiner Mutter brachte er Stunden damit zu, Szenen aus den Büchern und Filmen nachzuzeichnen: Wunderwelten voller Schlösser, Wolken, Drachen und Zauberer. Am Wochenende traf er sich mit gleichgesinnten Freunden, und sie verglichen ihre Werke. Seinem Vater hat er einmal erzählt, er wolle später Ingenieur, Architekt oder Schriftsteller werden.

Laut Bericht hatte Jeffreys Mutter die Kinder zum Spielen raus in die Sonne geschickt. Immer noch nichts als Harry Potter im Kopf, jagten Jeffrey und seine beiden Freunde einander ums Haus, die Muggel mit Spielzeugpistolen, die Zauberer mit Zauberstäben. Um 13.26 Uhr tauchte urplötzlich ein Streifenwagen vor dem Haus auf. Ein weißer Polizist namens Roy Carman zog eine Glock 17, 9 mm, und schoss Jeffrey zweimal in die Brust und einmal in den Kopf. Die beiden anderen Kinder, Peter Macintyre und Buddy Sandler, blieben unverletzt. Peter lief weg. Buddy stand zwanzig Minuten stocksteif da und hörte nicht auf zu schreien, egal, was der zweite Beamte unternahm. Aus den Zeitungen ging hervor, dass beide Jungen wegen «schwerer Traumata» psychologisch betreut werden. Die Eltern gaben zu Protokoll, beide machten nun ins Bett, wagten sich nicht mehr vors Haus, konnten nicht mehr alleine schlafen, fürchteten sich vor dem Tod und der Polizei und könnten sich in der Schule nicht mehr konzentrieren.

Peter und Buddy sind weiß. Jeffrey war schwarz. Er hinterlässt seine Eltern und zwei kleine Schwestern, Elizabeth und Marjorie. Auch die sind am Boden zerstört.

Das geschah vor zwei Monaten, im Juni. Vor zwei Wochen ist Marcus nach diesem kryptischen Brief verschwunden, und zwei Wochen davor ist Lydia gestorben. Kurz zuvor hatten die Geschworenen entschieden, dass es keinen Grund gab, Roy Carman wegen Jeffreys Tod vor ein Gericht zu bringen.

Der letzte Ordner heißt IDEEN. Er enthält eine einzelne Datei mit dem Namen «Die Zukunft». Sie ist leer.

NACH einer Stunde spürte Sigrid, dass ihre Konzentration nachließ. Sie beschloss, ein Nickerchen zu machen.

Jetzt wacht sie auf, und es ist stockfinster. Der Discobeat von nebenan ist gedämpften Fernsehstimmen gewichen, durchsetzt mit atmosphärischer Musik. Wie zur Verteidigung hält Sigrid den linken Arm vor sich, um ihre Armbanduhr zu sehen, doch das giftige Glühen der Zeiger verweigert sich jeder Lesbarkeit. Sowieso egal, wie lange sie geschlafen hat.

Meist fühlt sich Sigrid nach einem halbstündigen Nickerchen kurz ein wenig groggy, dann aber erholt und wach.

Normalerweise.

Diesmal fühlt es sich an, als wäre ihr die ganze Haut vom Gesicht getrieft und hätte klebrig-rosa Pfützen neben dem Kissen hinterlassen, durch das sie bis nach China gestürzt ist. Kein Kater, kein Schuldgefühl und keine schmerzhafte Erinnerung hat sie jemals so geschafft. Kein Soldat, keine Mutter von Drillingen, kein aus dem Eis befreiter Höhlenmensch war jemals so erschlagen.

Aus dem Augenwinkel kann Sigrid fast einen schmalen Streifen blaues Licht zwischen den Vorhängen ausmachen, der beweist, dass es jenseits ihrer Kopfschmerzen noch eine Welt gibt. Eine Welt, in der womöglich doch noch Leben existiert, das in der Lage ist, sich zu bewegen, und das Willen und Motive besitzt.

Sigrid versucht, ein Geräusch hervorzubringen. Aus ihrer Brust dringt ein leises Stöhnen in b-Moll, wie das Schnaufen einer reanimierten ägyptischen Mumie.

Vielleicht versucht sie das in einer Minute noch mal.

Sie hat von ihrer Mutter geträumt, warum auch immer. Astrid war draußen vor dem Bauernhaus, an den Füßen trug sie Gummistiefel mit Paddington dem Bären darauf. Zusammen mit Marcus wusch sie das Auto. Die beiden tauchten riesige Schwämme in warme Seifenlauge und klatschten sie auf den dunkelblau in der Sonne glänzenden Lack. Sigrid muss in dem Traum etwa fünf gewesen sein, Marcus so alt wie Jeffrey Simmons. Er war barfuß, hatte die Jeans bis zu den Knien hochgekrempelt. Als er mit der Seite fertig war, kniete er sich neben den Kotflügel und seifte das Chrom rings um die Scheinwerfer ein, bis alles in der Sonne strahlte wie aus innerster Zufriedenheit. Marcus lächelte seine Mutter an, sie lächelte zurück. Astrid trug das Haar im Pferdeschwanz, mit einem grünen Band. Sie war so schlank, wie Sigrid es nur am Ende ihrer Pubertät mal war, und ihre Wangenknochen waren prominenter. Hätten Make-up-Artists, Modeberater und Stylisten sich an ihr zu schaffen gemacht, hätten andere sie ausgesprochen schön gefunden. Hier dagegen, in ihrem Dorf, war sie blond, schlicht und allen bekannt.

Plötzlich hielt Astrid beim Schrubben eines Kotflügels inne und wurde todernst. Sie blickte Sigrid auf eine Art leidend an, die Eltern ihren Kindern eigentlich nicht zeigen. Leise fragte sie: «Mein Sohn. Geht es ihm gut?»

Sigrid wandte sich zu Marcus, doch der war nicht mehr zu sehen. Jede Spur von ihm – Eimer, Schwamm, die Pfütze zu seinen Füßen – war verschwunden.

«Ich weiß es nicht, Mamma», sagte sie.

Genau da ist sie aufgewacht. Jetzt fällt ihr alles wieder ein, leider.

Immerhin verpasst ihr der Schmerz einen kurzen Adrenalinschub, der ihr erlaubt, sich zum Nachttisch zu drehen, die rechte Hand zur Lampe hinzubewegen und den Schalter zu ertasten.

Sie dreht ihn zweimal, hofft, das Zimmer würde sich vor ihr auftun, doch das tut es nicht. Ihre Augenlider sind wie von Harz verklebt.

Da bollert jemand an die Tür wie ein Troll vor einem Bauernhaus.

«Was?», stöhnt Sigrid.

Melinda steckt den Kopf herein. «Sind Sie wach?»

«Wie spät ist es?»

«So halb acht.»

«Warum ist es so dunkel?»

«Es ist Nacht. Da ist's meistens dunkel.»

«Wie, Nacht?»

«Sie haben vier Stunden geschlafen. Es ist halb acht. Am Abend. Mittwoch, 13. August 2008. Dritter Planet von der Sonne aus.»

«Du liebe Güte.»

Melinda verschränkt Arme und Beine und lässt sich wie ein Baumstamm gegen den Türrahmen fallen. Sie grinst. «Sie haben Jetlag. Davon hab ich schon gehört. Ich komm ja nicht viel rum, aber mit elf war ich mal in Paris, und als ich heimkam, sind meine Schwester und ich um fünf Uhr nachmittags eingeschlafen und morgens um drei wieder aufgewacht. Wir sind dann runter, fernsehen, aber es liefen nur so gruselige B-Movies aus den Fünfzigern. Ich schätze mal, so sind wir den Jetlag losgeworden, weil wir nach ein paar

Tagen einfach gar nicht mehr ins Bett sind, und dann war wieder alles gut.»

«Ich glaub nicht, dass das was für mich ist», erwidert Sigrid und wischt sich Sabber aus dem Mundwinkel.

«Haben Sie's mal mit Ambien probiert?»

«Hören Sie mir bloß mit Ambien auf.»

«Ich wüsste ein paar Horrorfilme. Kennen Sie *Twenty-Eight Days Later*? Da hab ich mir fast in die Hose gemacht. Oder *Alien*? Der war voll gut! *Blair Witch Project?* Hab kein Auge zugekriegt danach. Dieses Ende! Keine Ahnung, wieso ich mir das antue. Oder überhaupt irgendwer. Vor allem Zombiefilme. Die machen mich total kirre, und ich hab eine Pistole im Haus! Ich weiß nicht, ob ein Land mit so vielen Schusswaffen so viele Horrorfilme machen sollte.»

«Umgekehrt wird ein Schuh draus», meint Sigrid, indem sie sich mit den Fingern die Lider aufzieht.

«Wie jetzt?», fragt Melinda.

Sigrid reibt sich das Gesicht und blinzelt ein paarmal, um ihre entgleiste Mimik wieder in Gang zu bringen. «Wir haben in Norwegen eine Menge Einwanderer. Darum kriegen wir Schulungen zum Thema Kultur. Unsere Dozentin war eine Amerikanerin mit zweifelhaftem Filmgeschmack. Die meinte, in Amerika dreht sich alles um Individualismus. Das ist nicht bloß eine Idee, sondern eine Frage der ‹Performance›, hat sie gesagt, also quasi der Aufführung. Ihr ‹performt› Individualismus durch Eigenständigkeit. Aber den Eigenständigen spielen, bedeutet meistens, dass man allein ist. Und alleine ist man schwächer als mit anderen. Das ist das Paradoxe an Amerika: Euer Individualismus prägt eure Kultur, macht euch als Gemeinschaft aber schwächer. Das könnt ihr nicht sehen. Ihr habt Angst, wenn ihr euch zusammentut, untergräbt das eure legendäre Eigenständigkeit, also übertreibt ihr maßlos deren Wert, um diese Angst zu überspielen. Tut ihr das nicht, fühlt ihr euch nicht mehr als Amerikaner. Im Grunde seid ihr hoffnungslos verloren.»

«Was hat das mit Jetlag zu tun?»

«Gar nichts. Wir reden über Horrorfilme. Sie haben doch davon angefangen.»

«Okay», sagt Melinda. «Erklären Sie das mit den Horrorfilmen.»

«Jeder Horrorfilm läuft darauf hinaus, dass jemand allein auf sich gestellt seine – meistens *ihre*, eigentlich – Angst überwinden muss, um nicht zu sterben. Mir fällt kein einziger ein, bei dem das Grauen durch Strategie, Teamwork und Planung besiegt wurde. Ein schrecklicher Mechanismus, den ihr da geschaffen habt. Darum kauft ihr alle Waffen, statt ordentliche Institutionen zu schaffen. Sicherer macht euch das nicht, bloß amerikanischer.»

«Meine Waffe wurde mir zugeteilt.»

«Passen Sie auf, dass Sie niemanden erschießen.»

«Sie klingen gar nicht wie ein Cop. Sie klingen ...» Melinda blickt an die Decke, wo meistens die Antwort klebt. «Wie so ein Collegeprofessor, der ewig über dieses Zeug nachgedacht hat, und jetzt ist es ihm egal, weil er zu viel darüber weiß und keine Fragen mehr hat.»

«Gute Beschreibung.»

«Danke.»

«Wenn man Verbrecher fangen will, muss man schlauer sein als sie», erklärt Sigrid. «Wissen, wie die Leute ticken, kann helfen zu verstehen, was sie tun. Oder nicht tun. Ich brauche Kaffee.»

«Die Augen aufmachen sollten Sie auch irgendwann.»

Melindas Wohnung erweist sich – nachdem Sigrids Blick sich geklärt hat – als geschmackvoll mit günstigen, aber stylishen Möbeln eingerichtet. Offensichtlich tendiert sie eher zum modernen, schwedischen Ende des Spektrums als zum Landhausstil, was die kleinen Räumlichkeiten aufhellt. Obendrein hat sie bei Sofa, Tischen und Stühlen mit kräftigen Farben Akzente gesetzt. All das vermittelt Bodenständigkeit, und unerwartete Reife.

«Haben Sie hier einen Computer mit Internetzugang?», fragt sie Melinda.

«Ist das ein Witz?»

«Warum fragen Sie das schon wieder?»

«Liegt wohl daran, wie Sie reden.»

«Nein, das war kein Witz.»

«Da drüben ist ein Laptop.»

Sigrid nimmt auf einem bequemen Sessel Platz und sucht im Netz nach Inspiration für einen Plan, der ihr etwas Zeit ohne Melinda verschafft. Langsam fühlt sie sich ein wenig schuldig. Melinda scheint wirklich in Ordnung zu sein und könnte eine Mentorin gebrauchen, doch die Umstände verlangen, dass Sigrid ihren Bruder ohne Anstandswauwau sucht. Sie hat zumindest eine vage Idee, wie sie Marcus' Festung in der Wildnis finden kann, und der will sie mit möglichst viel Abstand zum Sheriff und seinen Leuten nachgehen – sei es auch nur, um Marcus eine echte Chance zu geben, ihr die Sache zu erklären, damit sie gemeinsam eine Lösung finden können.

«Hat der Target wirklich bis elf Uhr abends geöffnet?»

«Samstags bis Mitternacht. In Norwegen nicht?»

«Nicht ganz, nein.»

Der Schießerei bei der Hütte letzten Monat ging der

Mord an einer Serbin im Osloer Viertel Tøyen voraus. Sie hatte mit ihrem sieben Jahre alten Sohn Zuflucht bei einem zweiundachtzigjährigen amerikanischen Juden und Koreaveteran namens Sheldon Horowitz gesucht. Die Frau hat es nicht geschafft, aber der alte Mann nahm sich des Jungen an und tauchte mit ihm in der norwegischen Wildnis unter. Vier Tage lang wich er der Polizei, Überwachungskameras, einem Hubschrauber und der Balkanmafia aus. Er sprach kein Wort Norwegisch, gab kein Geld aus, hinterließ keinerlei Spuren. Hinterher brauchte Sigrids Team zwei Wochen, um seine Flucht zu rekonstruieren, was hauptsächlich dank Anrufen von Zeugen gelang, aus Kinos, Hotels und Restaurants, von Touristen und Autofahrern. Mit ihrem Partner Petter erstellte Sigrid eine plausible Chronologie, dann wurden Taucher der Marine ausgeschickt, um einen originellerweise am Grund eines Sees geparkten Traktor zu finden und zu fotografieren.

Sigrid ist Sheldon nie begegnet – abgesehen von dem gemeinsamen Augenblick auf der Wiese vor der Hütte, als er sterbend in ihren Armen lag. Dennoch hatte sie Gelegenheit, seinen Verstand und Charakter kennenzulernen, die beide grenzenlos waren. Sie ist halb so alt wie dieser Mann und zweifellos besser in Form als er es war, Jetlag hin oder her. Im Gegensatz zu ihm spricht sie die Landessprache, und ihr Leben ist nicht in Gefahr. Vor allem aber hat Sigrid kein traumatisiertes Kind im Schlepptau. Im Grunde kann sie also nichts daran hindern, sich besser als der alte Mann zu schlagen – außer drei Faktoren: Sie muss die Polizei abschütteln, obwohl sie bei ihr wohnt; sie wurde nicht von den Marines dazu ausgebildet, im Krieg als Scharfschützin und Kundschafterin dem Feind auszuweichen; und ihr fehlt ganz einfach auch der Wagemut von Sheldon Horowitz.

Der erste Faktor ist unwesentlich, der zweite nicht zu ändern, und der dritte ... tja, der wirft eine interessante Frage auf:

«Was würde Sheldon tun?», fragt Sigrid sich laut.

«Hä?»

«Ich sagte: ‹Was würde Sheldon tun?›», wiederholt sie.

«Wer ist Sheldon?», erkundigt sich Melinda, ohne sich von der Arztserie im Fernsehen abzuwenden.

«Einer, der immer wusste, was zu tun ist.»

«Vielleicht sollten wir den anheuern.»

Während Melinda *Dr. House* schaut, sucht Sigrid mit dem Laptop, was sie braucht. Das Ziel ist einfach: Melinda abschütteln. Allerdings erfordert der Plan ungewöhnliche Zutaten: Sie benötigt Informationen – einschließlich Satellitenfotos –, etwas Glück mit den Sichtachsen auf dem Parkplatz des Targets, eine annehmbare Außentemperatur bei Nacht, Zugfahrpläne und eine Prostituierte. Das alles zu recherchieren, braucht Zeit. Unterdessen brüllt neben ihr Dr. House: «Wenn ihre DNA ein Prozent unter der Norm liegen würde, wäre sie ein Delfin.»

Zehn Minuten später ist der Plan geschmiedet. Sigrid weiß, was zu tun ist, wohin sie will und wie sie dort hinkommt. Jetzt muss sie nur noch Juliet schreiben.

Melinda lacht.

«Gute Folge?», fragt Sigrid.

«Hugh Laurie find ich echt heiß. Sie nicht?»

«ALS Sie fragten, wann der Target zumacht», sagt Melinda eine halbe Stunde später im Streifenwagen, «dachte ich echt nicht, dass Sie heute Abend noch mal hinwollen.»

«Kriegen Sie dafür Überstunden bezahlt?», fragt Sigrid.

Melinda schaut gleichzeitig nachdenklich und sauertöpfisch. «Gute Frage.»

«Ich werde das bei Irv mal anregen.»

Laut Anzeige auf dem Armaturenbrett beträgt die Außentemperatur auf dem Parkplatz des Target um 9.48 Uhr abends genau 65 Grad Fahrenheit, also 18 Grad Celsius – ungefähr so warm wie tagsüber in Oslo. Hinter dem Target hindert ein Zaun Kinder und Landstreicher daran, auf dem Gleis herumzulaufen, das sich entlang des Sankt-Lorenz-Stroms quer durch das County und tief ins Land erstreckt.

Die Angestellten des Megamarkts tragen beigefarbene Hosen mit Bügelfalte, wie sie in Norwegen seit den Glanzzeiten der Thompson Twins keiner mehr anhatte. Ihre Poloshirts sind knallrot, und obwohl es spät und der Laden beinahe leer ist, haben die Leute an den Kassen allesamt ein unnatürliches Dauerlächeln im Gesicht. In eine Zwischendecke montierte rechteckige Leuchten bestrahlen den gebohnerten Linoleumboden, der so sauber ist, dass sogar einem Gefängnisleiter davon das Herz aufginge.

Eine Frau schiebt einen roten Einkaufswagen mit zwei

Flachbildfernsehern und einer Tüte Schulklamotten vor sich her.

Eine zweite dicke Frau mit speckigen, pickligen Knöcheln begutachtet etwas, das aussieht wie zwei identische beigefarbene Schlüpfer, von denen jeder groß genug für eine Bowlingkugel wäre. Durch eine rahmenlose Brille studiert sie das Kleingedruckte auf dem Etikett. Als Sigrid vorbeigeht, blickt sie kurz auf und mustert sie.

Zwanzig große Fernseher zeigen die Spätnachrichten. Ein distinguierter Mann mit tiefer, beruhigender Stimme präsentiert eine Umfrage von NBC und *Wall Street Journal*, laut der Barack Obama drei Punkte vor John McCain liegt.

Sigrids Plan, Melinda loszuwerden, ist ebenso raffiniert wie einfach und hat sich vor Jahren schon einmal bei einer anderen klugen, eifrigen, aber unerfahrenen Frau bewährt: gegen sie selbst. 1999, vor neun Jahren, hat Sigrid auf Streifendienst eine Frau im Kaufhaus GlasMagasinet beschattet, gegenüber der Domkirke in Oslo. Die Frau, eine Drogensüchtige, hatte sich eine Michael-Kors-Handtasche geschnappt und Parfüm, Lederhandschuhe und Geldbörsen hineingestopft. Sigrid heftete sich unauffällig an ihre Fersen, um irgendwann Blickkontakt herzustellen, ihr Einhalt zu gebieten und sie ohne großes Aufsehen festzunehmen.

Als Junkie mit finanziellen – und vermutlich psychologischen – Problemen war die Frau offenbar daran gewöhnt, dass man ihr aus irgendwelchen Gründen folgte. Als sie bei der Damenmode ihren Schritt beschleunigte und die Toiletten ansteuerte, wies Sigrid daher ihren Kollegen Lucas an, vor der einzigen Tür zum Gang mit den Toiletten auf sie zu warten.

«Warte hier», sagte sie, und Lucas ging in Stellung, während Sigrid voll Zuversicht das Damenklo betrat. Dort war allerdings nichts zu finden: keine offenen Fenster, niemand in den Kabinen, keine Schränke, nichts unter den Waschbecken.

«Ist sie hier rausgekommen?», fragte Sigrid draußen Lucas.

«Nein.

«In anderer Kleidung vielleicht?»

«Es kam niemand heraus.»

«Dann ist sie gar nicht rein», schloss Sigrid.

«Oder sie hat sich in ein Vögelchen verwandelt und ist aus dem Fenster geflattert», meinte Lucas.

«Gefällt mir beides nicht.»

«Tun wir einfach so, als wäre nichts passiert», schlug Lucas vor.

«Danach sieht es ja wohl aus», sagte Sigrid.

Sie war dumm gewesen. Völlig klar. Lukas ebenfalls. Doch mit den Jahren lernte sie zu schätzen, wie gründlich man aus allem lernt, aus dem Guten wie dem Schlechten. Heute ist sie klüger. Und macht es sich zunutze.

Die Hände in den Hosentaschen und die Kuriertasche um die Schulter betrachtet Sigrid einen Fernseher von Panasonic, der ein schärferes Bild hat als das Gerät daneben. Melinda taucht neben ihr auf, bewaffnet und in Uniform, und steckt ebenfalls die Hände in die Taschen. Jetzt ist Obama zu sehen. Seine Lippen bewegen sich. Laut Untertitel spricht er über Hoffnung.

«Komische Art, Ihren Bruder zu suchen», merkt Melinda an, ohne sich zu rühren.

«Was halten Sie davon?», fragt Sigrid mit einem Nicken in Richtung der Umfragewerte.

«Ich glaube, McCain gewinnt.»

«Wieso?»

«Weil Obama schwarz ist.»

«Aber in den Umfragen liegt er doch vorn.»

«Ich glaube, Fox News hat recht. Wenn die Weißen erst mal allein in der Wahlkabine stehen, machen sie ihr Kreuzchen nicht für einen Schwarzen. Ich wünschte, es wär anders. Aber ich hab in der letzten Zeit 'ne Menge drüber gelernt, wie's wirklich läuft. Und es läuft nicht gut.»

«Für wen sind Sie denn?»

«Ich bin unentschieden. Ich find's gut, wenn mehr vor Ort entschieden wird und weniger in Washington. Und McCain kommt mir eher vor wie einer von uns. Nicht so ein feiner Anwalt wie Obama, der nie was Falsches sagt. Andererseits glaubt McCain anscheinend, alles sei eh ganz prima und wir dürfen bloß nichts ändern. Das stimmt aber nicht. Was kaputt ist, wird nicht von selber wieder ganz. Obama kapiert das. Am Ende sind mir beide recht.»

«Was ist mit Lindas Neffe passiert? Mit Jeffrey?»

Melinda senkt den Blick. «Er war nur ein Kind, hat mit seinen Freunden im Garten gespielt, während seine Mutter Geschirr spülte. Dann sind zwei Cops angerauscht, als wären sie ein SWAT-Team, und haben ihn abgeknallt. Die Geschworenen fanden aber, der Schusswaffengebrauch war in Ordnung, weil die Spielzeugpistole echt aussah und die Cops sich an die Vorschriften gehalten haben.»

«Sehen Sie das auch so?»

«Die Polizeigewerkschaft, der Commissioner und die Departments, alle sagen, es war in Ordnung.»

«Das hab ich nicht gefragt», beharrte Sigrid.

«Irv meinte, das war nicht in unserem County, und wir sollten uns um unseren eigenen Kram kümmern. Um Lydia.»

«Das hab ich auch nicht gefragt.»

«Ich schätze, Amerika ist so oder so geliefert.»

«Wie meinen Sie das?»

«Na, hätten die Geschworenen gesagt, das war nicht in Ordnung, würde das heißen, die Polizei weiß nicht, was richtig und was falsch ist. Und wenn sie sagen, es war in Ordnung, weiß es das ganze Land nicht. Aber was ich finde, interessiert ja keinen.»

«Sieht der Sheriff das auch so?»

«Irv hat mit Lydias Eltern gesprochen, Jeffreys Großeltern. Die haben die Hölle durchgemacht. Irv wollte sein Beileid aussprechen und mehr über Lydia erfahren. Als er zurückkam, war er ganz still. Dann sprach er mit dem Commissioner. Und dann mit dem Pfarrer, Reverend Green. Und seither ... will er nur noch mit Marcus sprechen. Die ganze Kiste ist ziemlich ... Na ja, Sie wissen schon.»

Sigrid blickt auf ihre Uhr. Fast Zeit.

«Ich muss mal aufs Klo.»

«Schon wieder?»

«Reisen schlägt mir immer auf den Magen.»

«Okay.»

Im Eilschritt geht Sigrid zu den Toiletten.

«So dringend?», ruft Melinda ihr nach.

Sigrid huscht durch Gänge, um Karussells voll reduzierter Hemden und Röcke herum, vorbei an gleich hohen Stapeln von Luft*ent*- und Luft*be*feuchtern. Dann betritt sie den Gang zu den Toiletten, schätzt den Abstand zu Melinda, etwa zwanzig Meter, und ...

Während Sigrid um die Ecke zu den Toiletten geht, betrachtet Melinda Obama, ohne ihm zuzuhören. Sie kannte den

Mann nicht, der Jeffrey Simmons getötet hat, aber gehört hat sie von ihm: Roy Carman. Jefferson County ist groß, wenigstens flächenmäßig, aber die meisten Cops kennen einander, und man versucht, auch die Kollegen aus den umliegenden Countys kennenzulernen. Grillpartys, Picknicks, Softball ... so was eben. Roy war zwei Städte weiter auf der Highschool und ist drei Jahre vor Melinda von der Polizeiakademie abgegangen. Unter Melindas Kollegen hieß es, Roy habe eine Aufmerksamkeitsdefizitstörung, eine kurze Zündschnur und eine Vorliebe für rechte Radiotalkshows, aus denen er gern zitiere. Er faselte immerzu von Eigenverantwortung, Recht und Ordnung, strenger Bestrafung und ähnlich bornierten Ideen, die die Waage der Welt immer nur zu einer Seite bis auf den Boden kippten.

Wenn Melinda andere Cops über Roys Schüsse reden hört, erscheinen ihr deren Argumente immer gleichzeitig vernünftig und mangelhaft. Irgendwie kommt sie einfach nicht dahinter, was da fehlt, das erklären würde, wieso es falsch war – mal abgesehen vom Ergebnis.

Melinda wurde in Harrisville, New York, geboren, Einwohnerzahl: nicht mal 650. Ein sauberer, freundlicher, bescheidener Ort, aber nicht gerade einer, an dem eine junge Frau ihre Träume verwirklichen kann. Er öffnete auch nicht unbedingt den Blick für die Probleme des Landes – vom Planeten ganz zu schweigen. Das Leben drehte sich dort weniger darum, die Welt zu ändern, als darum, sich von Tag zu Tag zu hangeln und dabei ein halbwegs anständiger Mensch zu bleiben. Es galt, die kleinen Schlachten namens Familienzwists, Alkoholismus und Arbeitslosigkeit zu schlagen und sich dem Verfall alles Menschlichen zu widersetzen: Autogetriebe, Lastwagenmotoren, Dächer, Straßenbelag, einfach alles ging kaputt. Die Anstellung beim Sheriff nach der Polizeiakademie war da ein Geschenk des Himmels und dann auch noch bei einem Boss wie Irv, der nicht bloß auf dem College war, sondern sogar einen Master in irgendwas mit Latein und Griechisch hat. Das machte aus Melinda eine Jüngerin. Aber nie wäre sie auf die Idee gekommen, dass es Leute in fernen Ländern jenseits des Ozeans interessieren könnte, wenn hier bei ihr zu Hause jemand von der Polizei erschossen wird.

Obama redet jetzt über Wirtschaft. Melinda kann ihn zwar nicht hören, aber sehen und mitlesen. Sie spürt die Zuversicht, die Entschlossenheit, die aus jeder seiner Gesten strahlt. Dieser Mann weiß genau, wo er hinwill, und er möchte, dass Amerika ihm eine Chance gibt und ihm folgt. Ebenso gut könnte er durchs Dorf hüpfen und Flöte spielen.

Allein in Jefferson County wurden bereits fast zwei Dutzend Menschen von der Polizei erschossen. Achtzig Prozent der Toten waren schwarz, obwohl Schwarze hier nicht mal zehn Prozent der Bevölkerung ausmachen. Dass da was nicht stimmte, lag auf der Hand, und doch kam allen jeder Vorfall, jeder Schuss aufs Neue völlig nachvollziehbar vor. Wie war das nur möglich?

Einmal hat ihr ein Kollege Aufnahmen davon gezeigt, wie Rodney King von der Polizei verprügelt wurde. Melinda war damals nicht einmal zehn Jahre alt gewesen und konnte sich nicht daran erinnern, aber auf der Wache war der Vorfall immer noch Thema, und so wurde auch sie hineingezogen.

Der Kollege, ein netter Kerl, den alle Wilky nannten, wollte ihr erklären, wieso King jeden einzelnen Schlag verdient hatte. Er zeigte ihr das Video in Zeitlupe, genau wie die Anwälte damals. Verlangsamt und vergrößert wirkte wirklich alles sehr vernünftig. Doch hinterher, als sie wieder allein war, spielte Melinda es immer wieder bei normaler Geschwindigkeit ab, und alles daran kam ihr falsch vor.

Wilky hatte es so dargestellt, als habe jeder einzelne Cop bei jedem einzelnen Schlag die schwierige, aber nötige Entscheidung getroffen, Gewalt anzuwenden. Bei normalem Tempo sah sie jedoch bloß noch einen Mann, der zu Brei geschlagen wurde, von Männern, die schön weit ausholten, ehe ihre Knüppel zielgenau auf Kings zerstörte Muskeln und Gelenke niedersausten.

Jeffreys Tod traf Melinda sehr. Jeffrey war kein Krimineller. Er war ja nicht mal erwachsen. Und selbst wenn man beides ist, sollte die Polizei das nicht mit einem machen. Jeffrey war nur ein kleiner Junge, der mit seinen Freunden spielte. Da tauchte ein Mann, der sein Freund und Helfer hätte sein sollen, in seinem Garten auf und schoss ihn tot. Und hinterher wollten die Geschworenen nicht mal ein richtiges Verfahren, um zu prüfen, ob das vielleicht ein Fehler war – von Totschlag oder Schlimmerem gar nicht zu reden.

Das alles ergibt keinen Sinn, aber sie kommt auch nicht darauf, was genau damit nicht stimmt. Im Fernsehen schimpfen sie immer über «institutionellen Rassismus», aber das will ihr nicht in den Kopf; war damit nach der Segregation nicht Schluss? Sind jetzt, wo für alle dieselben Gesetze gelten, nicht alle bloß für ihre eigenen Taten verantwortlich? Sicher, es gibt intolerante Menschen und Rassisten. Aber am Ende zählt doch, was einer tut, nicht was man denkt. Oder? Die wütenden Leute im Fernsehen sind eindeutig anderer Meinung. Manchmal wollte Melinda schon einen schwarzen Kollegen danach fragen, hat sich dann aber doch nicht getraut. Niemand will absichtlich dumm wirken.

Und jetzt hat eine norwegische Polizeichefin mit der Sache zu tun. Vielleicht liegt Irv mit dem Bibelkram gar nicht so falsch; vielleicht kann Sigrid die Welt wirklich mit anderen Augen sehen und erkennt etwas, das ihnen verborgen bleibt. Aber selbst wenn nicht, es war ein komisches Gefühl, von einer Ausländerin nach Jeffrey gefragt zu werden. Irritierend und beschämend. Jeffreys Tod fühlt sich dadurch irgendwie bedeutsamer an; als ob die ganze Welt ihre Heimat durch einen Einwegspiegel beobachtet und Melinda und alle, die sie kennt, verurteilt. Vielleicht ist das ja gut so; vielleicht ist das genau, was sie brauchen: Zeugen.

Obama hat aufgehört zu sprechen, jetzt läuft Werbung für ein Spülmittel. Melinda hat langsam genug davon, spätabends noch zu shoppen, vor dem Klo zu warten und die Babysitterin zu spielen. Wieso dauert das so lange?

Aber Sigrid kann ja nichts für ihren Dünnpfiff. Reisen kann einem schon mal auf die Verdauung schlagen.

Melinda blickt über die Schulter zu Gang sieben. Ohne die Tür zu den Toiletten lange aus den Augen zu lassen, schnappt sie sich ein paar Durchfallmedikamente und geht zum Frauenklo. Zu ihrer Rechten sind vier Waschbecken, zu ihrer Linken vier Kabinen.

«Sigrid, ich hab hier was, das Ihnen vielleicht hilft.»

Nichts.

«Sigrid?»

Melinda bückt sich und linst unter die Kabinentüren.

«Sigrid, bitte. Das ist nicht lustig. Ich mein's doch nur gut. Zwingen Sie mich doch nicht, hier auf dem Boden rumzukriechen.»

Melinda öffnet alle vier Kabinen. Alle vier sind leer.

Das kleine Fenster ist höchstens groß genug für eine Flaschenpost und hängt voller Spinnweben und toter Fliegen. Eine Besenkammer gibt es nicht.

«Hm. Nicht schlecht», staunt Melinda.

Auf dem Weg zurück in den Laden funkt sie die Zentrale an.

«Cory?», sagt sie zum Mikrofon an ihrer Schulter. «Melinda hier. Sag Irv, die Norwegerin hat im Target ’nen Houdini abgezogen.»

«Sie ist dir ausgebüxt?»

«Ein Schlitzohr ist die.»

«Geb ich weiter.»

«Roger.»

Über einen grünen Gartenstuhl aus Plastik steigt Melinda auf den dazugehörigen Tisch, von wo sie den ganzen Laden überblickt. Etwa ein Dutzend Kunden. Es ist spät. Ein paar Leute drehen sich nach ihr um, und sie winkt lässig. Die hinteren Notausgänge sind zu. Es gab keinen Feueralarm, keine Diebstahlsicherung wurde ausgelöst. Chefinspektorin Sigrid Ødegård ist wie vom Erdboden verschluckt.

DIE Laternen auf dem Parkplatz verwandeln den Asphalt in ein leuchtendes Schachspiel – eins, das sich den entscheidenden Zügen nähert, wie Sigrid hofft. Endlich allein trabt sie das Gebäude entlang und rechts um die Ecke zu den Verladerampen und Mülltonnen, wo kein Licht mehr brennt.

Es stinkt nach Zigarettenkippen, nassem Karton und verbrannter Kupplung. Ein Stück weiter vorn steht halb verborgen Juliet McKenna, immer noch in dem lila Rock vom Vormittag. Ganz am anderen Ende des Gebäudes lehnt sie an der dunklen Wand. Die meisten Frauen würden diesen Ort wohl meiden, Juliet beherrscht ihn. Beim Näherkommen kann Sigrid schon sehen, dass sie alles wie verabredet besorgt hat; sie hat eine schwarze Lederjacke bei sich, an der noch ein Preisschild hängt, sowie einen Karton mit einem Motorradhelm, reduziert auf bezahlbare 59,96 Dollar plus Steuern.

«Sie schulden mir zweihundert Dollar», verkündet Juliet. «Sechzig für den Helm, hundertzwanzig für die Jacke, plus Steuern, und noch mal zweihundert dafür, dass ich mitten in meiner Schicht für Sie shoppen geh. Ersatzkostengebühr nennt man das. Zusätzlich zu den Zweihundert von heute früh.»

«Ich komme nur auf hundertachtzig.»

«Fuck you.»

«Hier sind die zweihundert.» Sigrid nimmt zwei brandneue Scheine aus dem Geldbeutel. «Ich war mir nicht sicher, ob Sie kommen würden.»

«Ich arbeite für mein Geld, Schätzchen. Ist total in, heutzutage.»

«Trotzdem.»

«Sagen Sie mir auch, wieso ich das mach?», fragt Juliet.

«Nein.»

«Ich will keinen Ärger.»

Sigrid mag ja in Eile sein, und ihre innere Uhr ist völlig aus dem Tritt, doch ihre Verwirrung ist berechtigt, das weiß sie. «Sie sind Prostituierte und haben in den vergangenen zwanzig Minuten zwei Artikel in einem Laden eingekauft. Und Sie machen sich Sorgen wegen des Einkaufs?»

«Hey, ich weiß ja nich, wofür das war, oder? Keine Ahnung, was Sie damit vorhaben. Oder wo Sie hingehen. Und wo ham Sie überhaupt Ihr Bike? Wer braucht bitte nen Helm ohne Motorrad? Is ja nich so, als stünde hier Evil Knievel rum, um sie aufm Sozius mitzunehmen.»

«Danke für Ihre Hilfe.»

«Wo soll's denn hingehn?»

«Sie können den Rest behalten.»

«Ich will jetzt wissen, was Sie vorhaben.»

«Okay.»

«Hey, ich bin nich Ihre Bitch, ja?»

«Nochmals danke.»

Sigrid reißt das Preisschild von der Rockerjacke und zieht sie über – passt überraschend gut. Sie zieht den Reißverschluss hoch bis zum Kragen, dann packt sie den Helm aus und wirft den Karton in den Müllcontainer.

Die Sachen sehen unerfreulich neu aus, doch das ließ

sich wohl nicht vermeiden; zum Glück sind Männer in Bars keine sonderlich kritischen Beobachter.

Ihre Tasche über der Schulter wirft sie einen letzten Blick zurück, falls Melinda ihr doch folgt, dann überquert sie den Parkplatz in Richtung der von Harley-Davidsons gesäumten Bar.

«Sie wollen ja wohl hoffentlich nich da rein!», ruft Juliet ihr nach. «Da drin sind Onepercenter. Die verputzen Sie zum Frühstück!» Doch Sigrid ist schon außer Hörweite und kurz vor dem Inferno.

«Blöde Ausländerschlampe», brummt Juliet.

Als Sigrid gerade erst drei Monate Kriminalbeamtin war, fragte man sie, ob sie sich die Hände mit ein bisschen «echter Polizeiarbeit» schmutzig machen wolle. Hans Andersen war ihr Vorgesetzter, und die Frage war rhetorisch, denn ihr Eifer war nicht zu übersehen.

In Hans' Büro roch es immer nach Himbeersirup. Die meisten Kollegen tranken Kaffee oder Tee, doch Hans war ein Schleckermaul und konnte Koffein nicht leiden. Allerdings waren die Osloer Winter auch für ihn nicht wärmer, weshalb er für sich sorgte, indem er kochendes Wasser und Sirup zusammen- und die Mischung dann in sich hineingoss; der Geruch hing überall.

Er rief Sigrid zu sich und erläuterte sein Angebot.

«Ich habe hier zwei Fälle, beide *undercover*. Kannst selbst aussuchen. Erstens eine schwedische Motorradgang, die auf dem Landweg Zigaretten aus Polen nach Norwegen schmuggelt. Wir haben außerdem Grund zu der Annahme, dass sie die leeren Laster hier mit geklauten Fahrrädern, Motorrädern und Kinderwagen beladen, um sie nach Polen zu schaffen.»

«Kinderwagen?»

«In den vergangenen zehn Monaten wurden in Oslo dreihundertsechsundvierzig Kinderwagen gestohlen.»

«Das ist ja widerwärtig», fand Sigrid.

«Dann also Nummer eins?»

«Und der andere Fall?»

«Litauische Windelschmuggler.»

«Bitte was?»

«Litauische Windelschmuggler.»

«Aha.»

«Offenbar, laut einer staatlichen Studie, sind Windeln hier viel billiger als in Litauen. Keine Ahnung, wieso man eine Studie brauchte, um das rauszufinden, statt einfach einen Supermarkt dort anzurufen und nachzufragen ...» Hans driftete einen Moment ab. Das tat er öfter, in der Hoffnung, eine gewonnene Einsicht gleich wieder zu vergessen, bevor sie seine Karriere stören konnte. Dann fuhr er fort: «Also kaufen die Litauer unsere Windeln und schmuggeln sie nach Litauen. Den Einfuhrzoll sparen sie sich und können so immer noch billiger verkaufen als die örtlichen Geschäfte.»

«Was geht das uns an? Windeln kaufen ist in Norwegen doch nicht verboten.»

«Stimmt, aber das Außenministerium wurde von Vilnius um Hilfe gebeten, und wir sollen an einem internationalen Undercovereinsatz mitwirken, weil Steuerhinterziehung allen schadet und wir meistens die höheren Steuern haben.»

«Litauische Windelschmuggler», murmelt Sigrid.

«Wie bitte?»

«Ich wollte es nur selbst mal aussprechen.»

«Also ... lieber die Biker?»

«Jawohl.»

Sigrids Auftrag bestand darin, sich als korrupte Zollbeamtin auszugeben, die sich von den Bikern schmieren lassen will. Um ihr Vertrauen zu gewinnen, sollte sie mit ihnen in Bars über Motorräder quatschen.

Über Motorräder wusste Sigrid allerdings rein gar nichts, und über Harley-Davidsons sogar noch weniger – mal abgesehen davon, dass sie bei kriminellen Subkulturen beliebt waren. Zur Vorbereitung musste sie sich ihre diversen Namen einprägen, Glides, Softtails, Sportster und so weiter, dazu Bauweisen, Hubraum, Baujahre und technische Zipperlein. Es war sterbenslangweilig, doch am Ende konnte sie ganz passabel fachsimpeln.

Am meisten erstaunte sie beim Lernen auf ihre Prüfung im Fach «Gesetzlose Motorradbanden», wie all diese Klubs sich amerikanische Ideen wie Freiheit, Individualität, Einzigartigkeit und Rebellion auf die Fahnen schrieben und dann bedingungslose Anpassung daran verlangten. Es war ihr erster, flüchtiger Einblick in die komplexen Zusammenhänge amerikanischer Kultur, die selbst als Exportartikel in Skandinavien noch funktionierten.

Die Zigarettenschmuggler gehörten zu einem alten Klub, der nach dem skandinavischen Rockerkrieg Mitte der Neunziger übrig geblieben war. Damals waren in Norwegen, Schweden und Dänemark etwa ein Dutzend Menschen ums Leben gekommen, um die hundert verletzt und eine ganze Schar wegen versuchten Mordes angeklagt worden. Sigrids Auftrag war nicht annähernd so riskant wie der jener Beamten, die diese Banden infiltriert hatten. Ungefährlich war er aber auch nicht, besonders für einen ersten Ausflug in die Welt der verdeckten Ermittlung.

Sigrid umfasst den schädelförmigen Türknauf an der Höllenpforte zum Inferno. Einen Moment hält sie inne. Fast kommt es ihr vor, als führe der nächste Schritt sie ein halbes Jahrzehnt zurück in dieses Dreckloch im schwedischen Västerås, wo sie zwischen lauter Leder, Chrom und Bärten einen norwegischen Kontaktmann treffen sollte. Der größte Unterschied ist, dass hier alle Englisch sprechen.

«Ach, Marcus», seufzt sie den Schädel an.

Dann zieht sie. Mit der Tür kommt ihr dichter Zigarettenrauch entgegen, steigt ihr beißend in die Augen. Der Eingang zum Inferno gleicht eher einem Schlund, in den man eine Jungfrau wirft, um einen zürnenden Gott zu besänftigen, als dem Zugang zu einer Bar. Doch Sigrid schreitet tapfer in die Schwaden, den Helm lässig unterm Arm. Düstere Death-Metal-Rhythmen lassen den Boden erzittern, drohen, sie in die Schatten zu reißen. Die Tür fällt hinter ihr zu, und sie ist drin. Es stinkt nach Schmierfett, Rauch und ungewaschenen, bärtigen Kerlen. Hinter dem Tresen hängt eingerahmt ein schwarzes Stück Stoff mit einem Aufnäher: «THE 1%».

Den Begriff kennt Sigrid aus der Zeitung in Norwegen. Da ging es um die reichsten Menschen der Welt. Hier scheint er etwas anderes zu bedeuten.

Das Klubhaus ist gut besucht, aber nicht überfüllt. Alle tragen eine Version derselben Uniform, sorgfältig darauf getrimmt, unter den anderen nicht aufzufallen. Südstaatenflaggen sind hier beliebter, als Sigrid so weit im Norden der USA gedacht hätte, aber Kultur ist eben nicht ortsgebunden. Ein Viertel der Biker sind Frauen, die Jüngsten sind sie alle nicht mehr. Dank ihrer müden Augen und ungewaschenen Haare fühlt Sigrid sich ganz gut getarnt, obwohl sie weniger Ausschnitt zeigt und deutlich weniger auf die Waage bringt als die meisten anderen Frauen. Sie lässt die Jacke lieber an, um der Konkurrenz nicht die Show zu stehlen.

Neben einer Frau in Chaps, Jeans und einem schwarzen Tanktop mit der Aufschrift CHOPPER, dessen aufgeschnittener Kragen das Dekolleté offenbart, steht ein freier Barhocker. Sigrid setzt sich.

«Ich brauch wen, der mich mitnimmt», sagt sie.

Die Frau nimmt einen Schluck Bier, die Augen trüb vom Ausblick auf die Zukunft. Sie blickt Sigrid an, erkennt an ihr nichts Interessantes und wendet sich wieder der Sportübertragung im Fernseher über dem Tresen zu.

«Ich steh nicht auf Frauen.»

«Jemand hat mein Bike geklaut, und ich glaube, ein Cop ist hinter mir hier», erklärt Sigrid. «Ich muss hier weg.»

«Ich kenn dich nicht. Was ist das überhaupt für ein Akzent?»

CHOPPER blickt Sigrid mit zusammengekniffenen Augen an, wovon ihre Krähenfüße mascaraschwarz werden. An ihrer Oberlippe klebt Bierschaum.

«Schwedisch», lügt Sigrid. «Ich frag jemand anders.» Sigrid stützt sich auf den Tresen und ist schon halb aufgestanden, als die Frau fragt: «Arierin also, was?»

Sigrid setzt sich wieder.

«Was ist für den Chauffeur drin?», fragt CHOPPER.

«Geld und Dankbarkeit.»

Die Frau schnaubt gekünstelt.

«Ich muss Richtung Malone», fährt Sigrid fort. «Die Cops warten auf dem Parkplatz. Ich muss sofort weg.»

«Keine Eile. Hier suchen die dich garantiert nicht», sagt CHOPPER und bestellt noch ein Bier mit Schuss.

«Die wissen, dass ich hier irgendwo bin. Abgesehen vom Target ist das hier am wahrscheinlichsten.»

«Ich hab nicht gesagt, dass die nicht wissen, wo du bist. Nur, dass sie bestimmt nicht hier reinkommen, um dich zu suchen.»

EIN TRAURIGES PLÄTZCHEN

SHERIFF Irving Wylie sitzt allein in seinem 1989er Jeep Wagoneer auf dem Parkplatz des Target, nippt Kaffee aus einem Thermosbecher und hört Bluegrass aus dem Radio. Durch die Windschutzscheibe blickt er hinaus ins Dunkle, wo die Mitarbeiter des Targets für heute schließen.

Melinda macht die Beifahrertür auf und rutscht auf den beigefarbenen Ledersitz neben ihm.

«Hast du sie gesehen?», fragt sie und lässt den Blick über den Parkplatz schweifen.

«Ist einfach zum Haupteingang rausspaziert», antwortet Irv. «Dann ist sie dort hinten um die Ecke.»

«Hat Cory hinten was gesehen?»

«Sie hat sich eine Weile dort im Dunkeln rumgedrückt, dann ist sie die zweihundert Meter zum Inferno rüber.» Irv dreht die Musik leiser. «Da ist sie jetzt drin, meint er.»

«Vielleicht sollten wir lieber gleich den Leichenwagen rufen», seufzt Melinda.

«Da bin ich nicht so sicher. Cory konnte sie gut sehen. Offenbar kam sie in einer schwarzen Lederjacke aus der Gasse, einen Helm unterm Arm. Beides hatte sie noch nicht, als sie den Parkplatz überquerte. Eine Minute nach ihr kam Juliet McKenna aus der Gasse, hier auf meiner Seite, hat ihre Möpse in einen Honda Accord gehängt und ist mit dem Kerl darin weggefahren.»

«Hm», macht Melinda.

«Genau das hab ich auch gesagt.»

«Woher kennt Sigrid Juliet?»

«Hat sie bei Marcus' Haus getroffen, bevor sie zu uns kam.»

«Ich kann mir die beiden schwer als Freundinnen vorstellen. Nicht ganz dieselbe Kragenweite», sagt Melinda.

«Kaum», pflichtet Irv bei. «Wir sehen also, dass Chefinspektorin Sigrid vorausplant und sich nicht in die Karten schauen lässt. Was hat Professor Williamson noch gleich am Telefon gesagt, als sie schlief?»

«Dass er mit ihr über die Adirondacks gesprochen hat, darüber, wie gern Marcus da immer war.»

«Und er hat ausdrücklich Saranac Lake erwähnt?»

«Yup. Sie will in die 'Dacks, garantiert. Wie, das weiß ich auch nicht. Und sie ist wirklich immer noch da drin?»

«Ja. Man sieht die Tür von hier aus mit dem Fernglas.» Irv grinst Melinda an. «Klar, du solltest sie sowieso abhauen lassen, aber sie hat dich echt aufs Kreuz gelegt?»

«Sie ist aufs Klo und hat sich in Luft aufgelöst wie ein Gespenst.»

«Auf welches Klo?»

«Das bei den BHs und so.»

«Und du bist nicht mit rein?»

«Hab vorm Gang gewartet.»

Irv lacht leise. «Die alte Nummer also. Bist du schon dahintergestiegen?»

«Nein.»

«Kommst du schon noch drauf. Ah, da ist sie ja.» Irv beugt sich vor und nimmt das Fernglas hoch. «Siehst du? Sie steigt grade hinten auf die Roadking.»

«Woher weißt du, dass sie das ist?» Melinda sieht nur eine Frau in schwarzer Lederjacke und Helm, die auf dem Sozius der Harley Platz nimmt.

«Drei Gründe. Sie hatte den Helm schon auf, als sie aus der Tür kam. Das macht niemand. Zweitens hat keiner dieser Biker einen Integralhelm. Die zeigen alle ihr Gesicht. Sie will nicht erkannt werden und vermutlich auch keine Kopfverletzungen riskieren. Und drittens ... Schau doch nur mal hin. Jacke und Helm glänzen ja noch, so neu sind die.»

«Da ist ja voll sherlockmäßig, Sheriff.»

«Ehrlich gesagt, wackelt sie vor allem so hübsch und vornehm mit dem Hintern wie niemand sonst, der je durch diese Tür kam. Kuck nicht so. Das wär sogar dem Papst aufgefallen.»

«Aber gesagt hätte er's nicht.»

«Da hast du wohl recht.»

Der Besitzer der Harley spricht mit einem fetten Kerl in brauner Lederweste und fingerlosen Handschuhen. Sigrid hat die Füße auf den Stützen, wartet, dass es losgeht. Melinda kann ihre Ungeduld förmlich spüren.

«Komisch, dass sie damit nicht gerechnet hat, wo sie doch so schlau ist», sagt sie. «Mit unserer Falle, mein ich.»

«Sie hat uns eben unterschätzt.»

«Aber wieso?»

«Wegen der Cowboystiefel. Niemand hat je den Intellekt eines Cowboystiefelträgers überschätzt. Darum hab ich die ja. Die Columbo-Nummer fand ich schon immer spitze. Sagt dir das noch was, Columbo?»

«Nein.»

«Macht ja nix. Okay, sie fahren los. Steig aus! Wir sehen uns, wenn ich sie eingeholt hab.»

Melinda öffnet die schwere Tür des Jeeps und rutscht nach draußen. Bevor sie wieder schließt, sagt sie: «Sie weiß von Jeffrey Simmons. Hat nach ihm gefragt.»

«War zu erwarten. Spielt aber keine Rolle. Wir müssen Marcus finden. Und sie muss das auch.»

«Glaubst du echt, ihr Bruder war's? Wenn man die so sieht, müsste der Apfel ganz schön weit vom Stamm gefallen sein. Bei so einem vornehmen Hintern und so.»

«Marcus und Lydia waren in einer schwierigen Zeit zusammen. Da kann alles passieren. Darum ermitteln wir ja. Jetzt geh ins Bett. Gute Arbeit. Abgesehen davon ... na ja ... wie sie dir ausgebüchst ist.»

«Fahr vorsichtig, Sheriff.»

Melinda schlägt die Tür zu und geht unter den turmhohen Laternen des Parkplatzes zu ihrem Streifenwagen.

Irv schnallt sich an und dreht den Zündschlüssel, lässt das Licht aber aus. Der Biker ist ein Hüne in kurzen Ärmeln und mit Pickelhaube. Er biegt auf die Straße, und die dicken Auspuffrohre der Harley blubbern grimmig.

«Verdammte Biker», brummt Irv.

Durchs Fernglas begutachtet er noch einmal genauer das Motorrad, falls er es später aus den Augen verliert. Ein Umbau mit Ledertaschen, Sissybar und Sigrid.

Irv legt den Gang ein, prüft die Tankanzeige und quält seinen Achtzylinder in gebührendem Abstand hinter der Harley her. Auf der dunklen Straße dreht er das Radio wieder auf. Gillian Welch und Dave Rawlings singen *Revelator*. Kaum auszuhalten, diese Harmonie. Hätten seine Ex-Frau und er nur einen Bruchteil davon aufgebracht, wären sie wohl noch verheiratet.

Auf dem Sozius der Harley, vor der Nase den weißen Schädel auf dem Helm dieses Idioten, fragt Sigrid sich zum wiederholten Mal, welcher Frau ein solcher Anblick lieber sein sollte, als selbst am Steuer dieses blöden Dings zu sitzen.

Zweihundert Dollar musste sie diesem Neandertaler zahlen, im Voraus, für vierzig Minuten Fahrt über Nebenstraßen bis zu einer Bushaltestelle in einem Nest namens Nicholville.

Der Biker zügelt seinen Bock vor einem einsamen Ziegelbau neben einer Busspur mit Greyhoundschildern. Unter einem Wellblechdach surrt ein Colaautomat, einer für Zigaretten hängt daneben. Hinter dem Gebäude dichter, schwarzer Wald. Sonst ist nichts zu sehen außer der Straße, Telefonmasten und der schlaff daran hängenden Leitung, die sogar die Vögel aufgegeben haben.

«Wer sind deine Leute?», fragt der Biker.

«Danke für's Herbringen», antwortet Sigrid und nimmt den Helm ab.

«Ich hab dich was gefragt.»

«Meine Leute haben Aufnäher, auf denen steht ‹The Filthy Few›. Du nicht. Wenn du noch einmal den Mund aufmachst, wirst du's bereuen.»

Der Mann schnaubt und mustert sie. Er ist eindeutig viel stärker, könnte Sigrid leicht überwältigen, wenn er die Chance dazu bekäme, doch sie ist schneller, ganz bestimmt. Sie konzentriert sich auf den ungeschützten Hals. Da wird sie hinschlagen, falls er Mätzchen macht. Mit einer kaputten Luftröhre kämpft es sich gleich viel schlechter.

Ohne sie aus den Augen zu lassen, lässt der Biker den Motor ein paarmal theatralisch aufheulen, dann fährt er mit quietschenden Reifen an, und Sigrid bleibt allein zurück im tiefsten Herzen von Amerika.

Auf der anderen Straßenseite wiegt schwarzes Gras in einer Brise, die zu weit weg ist, um Sigrid zu erreichen. Vielleicht, wenn sie die Augen schließt und lange genug wartet.

Nach einiger Zeit, als ihr Puls sich beruhigt und die frische Nachtluft ihr Gemüt gekühlt hat, öffnet sie wieder die Augen und blickt über die Straße in die Ferne. Hinter dem Feld zeichnet sich ein Wald ab, darüber ein Wolkengebirge, dessen Ränder im weißen Licht eines unsichtbaren Mondes glänzen. Dunkelblaue Schlieren durchziehen die Wolken. Einsam sitzt Sigrid auf der Bank, Helm und Kuriertasche neben sich und versucht, Schultern und Nacken zu entspannen. Wenigstens ist sie jetzt allein und kann ungestört nach ihrem Bruder suchen.

«Du hast deine Gitarre vergessen», wird sie sagen, wenn sie ihn gefunden hat.

«Ich weiß», wird er erwidern.

«Die ich dir geschenkt habe.»

Die Wolken sehen aus wie Berge, doch in Wahrheit ist das Land um Sigrid flach. Falls das Wetter umschlägt, wird der Regen alles überfluten. Die Luft ist jetzt schon schwer. Nächtlicher Regen hat für Sigrid immer etwas Intimes; als könnte man in einem Geheimnis baden. Das Prasseln auf den Dachziegeln. Das Tröpfeln in der Regenrinne. Wasser, das leise übers Fenster rinnt, kleine Bächlein, die im gelben Licht der Straßenlaterne schwarz an der Decke tanzen. Wie ein Überbleibsel aus der Zeit, als die Welt noch neu war, als es noch keine Menschen gab und der Planet nur mit sich selbst zu tun hatte; mit seinen eigenen Zyklen, Rhythmen und Veränderungen. Milliarden Jahre ohne Zeugen, die all das hätten in Worte fassen können.

Still sitzt sie da und betrachtet die Wolken, wartet, dass sie aufreißen und der Mond – halbvoll – auftaucht und sie zurück zu ihrem Bauernhof bringt, zu ihrem Vater, vielleicht sogar bis zu dem Punkt, als ihre Familie noch komplett war und alles sich intakt anfühlte. Doch es kommen weder Mond noch Regen. Stattdessen durchschneidet ein starkes Licht die Dunkelheit, und ein großer SUV nähert sich aus der Richtung, aus der sie kam. Statt vorbeizufahren, wird er langsamer, verdeckt, was sie gerade noch betrachtet hat, und kommt knirschend vor ihr zum Stehen.

Die Fahrerscheibe senkt sich, und aus der Dunkelheit schiebt sich ein sprechender Ellbogen: «Ganz schön trauriges Plätzchen haben Sie sich da ausgesucht.»

«Sie sind zum Kotzen», sagt Sigrid zu Sheriff Irving Wylie.

«Ich weiß.»

Sigrid rührt sich nicht. Irv zeigt auf die Haltestelle. «Hier kommt erst um fünf Uhr früh wieder ein Bus. Jetzt», er blickt auf die Uhr, «ist es noch nicht mal eins. Was hatten Sie denn die nächsten vier Stunden Schönes vor?»

«Ich wollte ein bisschen lesen.»

«Hier ist's finster wie im Bärenarsch.»

«Es läuft eben nicht immer alles wie geplant.»

«Bei mir auch nicht. Aber heute hab ich wohl 'ne Glückssträhne.»

Sigrid reagiert nicht, Irv schüttelt den Kopf. «Wie wär's mit nem Kaffee?»

Sigrids Verwirrung ist ihr anzusehen. «Kurz vor Malone ist ein Diner», sagt Irv. «Da kriegen wir welchen.»

«Es ist ein Uhr morgens.»

«Der hat rund um die Uhr geöffnet. Und der Kaffee

strömt da wie ... na ja, Kaffee. Gibt's in Norwegen keine Lokale, die immer aufhaben?»

Sigrid rührt sich noch immer nicht.

«Jetzt seien Sie doch nicht so.»

«Ich kann mir beim besten Willen nicht vorstellen, wie wir zusammenarbeiten sollen, Sheriff.»

«Lustig, ich kann mir beim besten Willen nicht vorstellen, wie wir das vermeiden sollen.»

Irv schaltet den Warnblinker an und öffnet die Tür. Er schwingt die Beine heraus und stützt die Ellbogen auf die Knie. «Ich sag Ihnen mal, wie ich das sehe. Sie haben vermutlich eine ganz gute Ahnung, wo Ihr Bruder steckt. Und zwar schon nach vierundzwanzig Stunden, wo wir nach zwei Wochen noch keinen Schimmer hatten. Kompliment. Aber jetzt wissen wir's auch. Saranac Lake. Zumindest in der Gegend. Woher wir das wissen? Ich hab Melinda gesagt, sie soll Ihnen an der Uni ein bisschen Freiraum geben, damit Sie ungestört Fragen stellen können. Später haben wir dann den Professor angerufen, und der hat uns alles erzählt. Hinterlistig, ich weiß. Aber ich habe Ihnen ja gesagt, dass ich an Geschwisterliebe glaube, und da lag ich wohl richtig. Jetzt, verehrte Chefinspektorin Sigrid, besorgen wir Ihnen erst mal ein schönes Monte-Cristo-Sandwich mit Ahornsirup, um Sie aufzuwärmen, und dann überlegen wir gemeinsam, wie wir Ihren Bruder in aller Ruhe einsammeln. Andernfalls hat der hiesige Sheriff keine Wahl, als ein SWAT-Team anzufordern, um die Urlauber am See zu schützen. Dann können wir beten, dass Marcus kein Gewehr mitgebracht hat, um sich von den Früchten des Waldes zu ernähren. Kann er denn schießen?»

«Er ist weder gewalttätig, noch interessiert er sich für

Waffen. Das Verbrechen, das Sie ihm vorwerfen, hatte ja auch nichts mit einer Waffe zu tun.»

«Aber er kommt vom Land. Ich kenne keinen, der da nicht wenigstens gelernt hätte, mit einem Gewehr umzugehen. Vielleicht lieg ich ja falsch, aber die vom SWAT werden's genauso sehen. Also haben Sie die Wahl: Entweder wir finden ihn, Sie und ich, oder ein schießwütiges SWAT-Team. Ich habe dringende Gründe, die Sie nicht verstehen, und muss Marcus finden, bevor unsere kleine Welt hier oben Feuer fängt. Die ist nämlich brennbarer, als es aussieht.»

GOTTLOSE KOMMUNISTEN IN AMERIKANISCHEN DINERS

SOFERN es überhaupt irgendwie heißt, heißt das Diner einfach Diner. Für Sigrid sieht es aus wie ein Ort, der nie für etwas Gutes vorgesehen war. Nur ein Parkplatz trennt es von der Straße. Die Fassade ist aus künstlichem, weiß getünchtem Stein, und ein ebenfalls weißer Zaun rings um die Dachkante verdeckt wenigstens teilweise eine gigantische Klimaanlage neben einem Blechschornstein. Drin glotzen vier einsame Gäste stumpf nach draußen auf die Straße, von der sie kamen und auf der sie bald wieder unterwegs sein werden – von ihren kunstledernen Aussichtspunkten aus gesehen sind Vergangenheit und Zukunft aller vier identisch.

Die Gäste sind männlich, die Belegschaft ist weiblich. Die Männer sitzen in blauen oder beigefarbenen Hosen auf ihren Hockern. Breite Gürtel blitzen unter Hemdzipfeln, die über Speckrollen hängen. Sie stürzen sich auf Mahlzeiten, die sie alt und krank machen, aber vertraut und tröstlich schmecken und sie an die glücklichen Zeiten erinnern, als sie noch woanders waren.

Sigrid und Irv rutschen in eine Nische – sie ist jetzt ihr ganz eigenes, uramerikanisches Stück Land.

Eine weiße Kellnerin mit leerer Miene schlurft mit zwei Kannen Kaffee herbei, die sich an ihre Hüften schmiegen wie missratene Zwillinge – einmal mit Koffein, einmal ohne. Irv deutet auf die braune Kanne, die Frau schenkt ihm ein.

Sigrid sagt nichts, bekommt aber auch welchen, da die Frau wohl annimmt, jeder hier drin brauche dringend Kaffee.

Irv nimmt zwei der braunen Plastikwälzer, die zwischen Ketchup und Serviettenspender klemmen, und reicht Sigrid einen davon.

«Was ist das?», fragt sie.

«Die Speisekarte.»

Sigrid schlägt sie auf. Es gibt Tausende Gerichte zur Auswahl, vom T-Bone-Steak bis zu Blaubeerpfannkuchen.

«Das kann man alles bekommen?»

«Ja», bestätigt Irv.

«Um ein Uhr morgens?»

«Ja.»

«Wie geht das?»

«Ich hab nicht die geringste Ahnung.»

Irv bestellt einen getoasteten Maismuffin und einen Apfelsaft. Sigrids Blick fällt auf einen Bagel mit *«Lox»*.

«Was ist denn das?»

«Geräucherter Lachs. War mal ein jiddisches Wort, glaub ich. Jetzt ist es amerikanisch.»

«Laks, L-A-K-S geschrieben ist norwegisch für Lachs.»

«Sind Jiddisch und Norwegisch nicht beide eigentlich Deutsch?»

«Nein.»

«Na gut.»

Sigrid bestellt und lehnt sich zurück. Irv holt eine Landkarte aus der Tasche und breitet sie auf dem Tisch aus. Der nördliche Teil der Adirondacks ist darauf.

«Wie wollten Sie ihn denn finden?», fragt er.

«Wie wollten *Sie* ihn denn finden?», fragt sie zurück.

«Mit Manpower. Fahndungsplakate, Hunderte Cops, Befragungen, langsam einkreisen, nachts umstellen ... Dazu ein paar Hunde. Wir haben Pullis von ihm, aus dem Haus. Niemand wäscht regelmäßig seine Pullis. Die Achseln sind für die Bluthunde wie Ambrosia. Aber Sie, Sie haben weder Manpower noch Hunde. Sie sind allein. Wie sollte das klappen?»

«Anders.»

«Wieso trauen Sie mir nicht?», fragt Irv, indem er sich ans Fenster lehnt und das rechte Bein auf die Bank legt.

«Erzählen Sie mir von Jeffrey Simmons», verlangt Sigrid.

«Melinda sagte schon, dass Sie das interessiert. Was hat das mit Ihrem Bruder zu tun?»

«Lydia Jones», antwortet Sigrid.

«Klar, aber trotzdem. Jeffrey wurde erschossen. Das war tragisch. Monate später stürzt Lydia in den Tod, im Beisein Ihres Bruders. Außerdem war da noch Chuck. Und der Anruf. Ich sehe keinen Zusammenhang zwischen der Tragödie mit Jeffrey und Lydias Tod.»

«Sicher?», fragt Sigrid.

«Ich habe keinen Grund, einen zu vermuten.»

«Das ist nicht dasselbe.»

«Stimmt. Aber ich habe auch keinen Grund zu vermuten, dass Lydias Tod was mit dem entführten Lindbergh-Baby zu tun hat, auch wenn mir klar ist, dass auf der Welt die merkwürdigsten Dinge vor sich gehen und das Universum groß und kompliziert ist. Warum sprechen wir darüber eigentlich?»

«Ob Lydias Tod etwas mit dem von Jeffrey zu tun hat, könnte wiederum damit zusammenhängen, ob Jeffreys Tod etwas mit der Situation von Marcus zu tun hat.»

«Ich komm nicht mehr mit.»

«Mir macht Kopfzerbrechen, dass Cops einfach irgendwelche Leute abknallen. Das ist», Sigrid sucht nach dem richtigen Wort, «das Ding, das die beiden Fälle gemeinsam haben und das sie verbindet.»

«Der gemeinsame Nenner?»

«Genau. Sie werden verstehen, dass es mich beunruhigt, wenn mein Bruder wegen Mordes gesucht wird.»

«Das ist unnötig.»

«Weil mein Bruder weiß ist?

«Das ist unfair.»

«Gegenüber wem?»

«Zwei Tage hier und schon alles über Amerika kapiert, hm? Typisch Europäer. Sie sind nicht die erste Touristin, die hier an die Bäume pinkelt, wissen Sie.»

«Ich habe über den Fall Jeffrey Simmons gelesen», sagt Sigrid. «Roy Carman ist ein rassistischer Mörder mit Dienstmarke. Kommt vor. Unbegreiflich ist mir nur, wie die Geschworenen den Fall nicht mal für verhandlungswürdig halten konnten, von einer Verurteilung und Suspendierung ganz zu schweigen.»

Irv nimmt ein Buttermesser und lässt es auf dem Handballen kreisen, wie Sigrids Schulkameraden das früher mit Stiften getan haben. Er sieht Sigrid eindringlich an.

«Jeffrey Simmons war noch jung», sagt er ganz ruhig, «aber er war eins siebzig groß. Ungefähr wie Sie. Er trug einen schwarzen Kapuzenpulli mit dem Namen einer Rapgruppe, dazu eine dunkle Sonnenbrille. Man hätte unmöglich wissen können, wie alt er war, wenn man nicht direkt vor ihm stand oder mit ihm redete. Und ja, seine Waffe war ein Spielzeug. Allerdings keine rosa Spritzpistole, sondern eine realistische Nachbildung. Roy Carman ist ein Hitzkopf, aber er kam wegen des Anrufs eines Nachbarn, der einen Schwarzen im Kapuzenpulli mit etwas gesehen hatte, das – Zitat – ‹wie eine

Waffe aussieht›. Als Roy sah, wie zwei Kinder vor dieser mysteriösen Gestalt wegliefen, sprang er unter Gefahr für Leib und Leben aus dem Auto und rief dem Verdächtigen zu, er soll die Waffe fallen lassen. Das hat Jeffrey nicht getan, und Roy hat geschossen. Mit tragischen Folgen. Keine Frage. Aber ich kann nicht erkennen, wo er falsch geurteilt oder gehandelt hätte. Es war einfach Pech.»

«Jeffrey hat eine Figur aus einem Kinderbuch gespielt. Ein Weißer hätte nicht so viel Pech gehabt.»

«Kann sein», räumt Irv ein. «Aber leider passte er genau ins Profil der Leute, die wir hier unverhältnismäßig oft verhaften: männliche Afroamerikaner zwischen siebzehn und fünfundzwanzig in Gang- oder Rapkleidung.»

«Das Allgemeine ist nicht dasselbe wie das Besondere», wirft sie ein.

«Richtig. Aber der Raum dazwischen ist eine ganze Welt voller Probleme.»

«Ich sage Ihnen mal, wie ich die Sache sehe, Sheriff», sagt Sigrid. «Ich sehe einen kleinen Jungen, der mit seinen Freunden im Garten spielt. Da springt ein paar Meter entfernt ein bewaffneter Polizist aus einem Streifenwagen und ermordet ihn innerhalb von zwei Sekunden – so zeigt es die Kamera im Wagen an – vor den Augen seiner Mutter. Was ich sagen will, als Polizeibeamtin, die auch schon bewaffnete Einsätze geleitet hat: Jeffrey war bereits tot, als Roy zum ersten Mal das Gaspedal berührte, nicht erst, als er so dicht vor dem Jungen gebremst hat. Der einzige Grund, so dicht an einen Verdächtigen ranzufahren, ist nämlich, dass man nicht danebenschießen will. Roy wollte ihn töten.»

«In Norwegen trägt die Polizei doch nicht mal Waffen. Was wissen Sie denn überhaupt darüber?»

Sigrid beugt sich vor und spricht leise.

«Vor einem Monat haben mein Partner und ich den Sturm auf eine Sommerhütte im Wald geleitet, mit unserer Sondereinheit, den *Beredskapstroppen.* Ich hatte das Kommando. Ich stieg ein ganzes Stück weiter weg als Roy aus meinem Auto, da rannte jemand mit einem Messer auf mich zu. Ich habe zweimal Halt gerufen, bevor ich abdrückte, weil sowohl mein Diensteid als auch meine Ausbildung verlangen, dass ich eine Situation eher entschärfe, als sie durch Waffengewalt zu verschlimmern. Aber er blieb nicht stehen, also habe ich diesem jungen Mann zwei 9 mm-Kugeln in die Brust geschossen. Wir tragen zwar normalerweise keine Waffen, können sie aber durchaus benutzen und tun das manchmal auch. Aber nicht oft. In Norwegen wird etwa alle zehn Jahren mal jemand von der Polizei erschossen. In Amerika? Das weiß keiner. Es wird nicht mal zentral erfasst. Ihr zählt nicht einmal mit, wie oft die Polizei jemanden tötet. Und es fragt auch niemand danach. Finden Sie das zivilisiert?»

«Hier herrscht ein Krieg gegen die Polizei, Sigrid. In Amerika tragen die Leute Waffen, und es gibt eiskalte Kriminelle. Persönlich bin ich ja für Waffenkontrolle, denn das Gegenteil bedeutet meiner Ansicht nach Waffen *außer* Kontrolle, was ich unverantwortlich fände. Aber das spielt keine Rolle, weil ... es gibt eben jede Menge Waffen. Das heißt, wir müssen die Menschen in einem bis an die Zähne bewaffneten Umfeld beschützen, das uns bei der Arbeit eine Heidenangst macht. Und zu Recht. Da hätte jeder Angst.»

Sigrid lehnt sich zurück und verschränkt die Arme. Dieses Gespräch hat sie schon oft geführt. Meistens mit Leuten, die keine Ahnung von Statistik haben.

«Ich nehme mal an, Sie haben Kriminologie studiert?», sagt sie.

«Nein, Theologie.»

«Theologie?»

«Ja, ich hab einen Master an der Loyola University gemacht, mit einer Arbeit über missionarische Akkommodation. Jede Religion muss sich, wenn sie sich ausbreitet, irgendwie an die Gegebenheiten anpassen, sonst findet sie keinen Halt. Die Frage ist, wie genau das funktioniert. Interessant. Ich hab mich vor allem auf die Konversion des Römischen Reichs konzentriert.»

«Wie kommt man vom alten Rom zur Polizei?»

«Man kandidiert und gewinnt die Wahl. Ich dachte, das macht vielleicht Spaß, und ich hatte die Nase voll davon, meine Latein-, Griechisch- und Hebräischkenntnisse dafür zu verwenden, Medikamente zu benennen wie in meinem letzten Job. Sheriff sein hat auch tatsächlich Spaß gemacht – zumindest bis Sie auftauchten.»

«Sie haben sich Namen für Medikamente ausgedacht?»

«Ich wurde gefeuert.»

«Wieso?»

«Ich war sauer, weil die meisten Produkte einen gar nicht heilen sollen, sondern nur abhängig machen. Das fand ich falsch. Also hab ich die Klappe aufgerissen und einen Namen vorgeschlagen, der denen nicht gefiel.»

«Was für einen?»

«Puratoxin.»

«Es gibt keinen Krieg gegen die Polizei. Den gab es seit der Prohibition nicht mehr», erklärt Sigrid. «Wir wissen nicht, wie viele Leute von der Polizei getötet werden. Aber wie viele Polizisten von Kriminellen getötet werden, das wissen wir. Zum einen geht die Zahl getöteter Beamter seit den Siebzigern kontinuierlich zurück, die Kurve wird immer flacher. Zum anderen gibt es heute viel mehr Polizisten, fast doppelt so viele wie damals. Das bedeutet, die absolute Zahl der Todesfälle ist gesunken, die relative geradezu in den Keller gestürzt. Heutzutage lebt man in Amerika als Polizist kaum gefährlicher als der Durchschnittsbürger der meisten Großstädte. Oh, und die Verbrechensrate ist auch gesunken. Amerika ist sicherer als je zuvor. Nur die Medien behaupten, das Land gehe vor die Hunde. In Wahrheit ist das mit dem Krieg gegen die Polizei eine Lüge, gestützt von einem Missverständnis. Diese Lüge hat zu Jeffreys Tod beigetragen, weil sie einem bewaffneten Cop Flausen in den Kopf gesetzt hat. Genau diese Flausen bringen jetzt meinen Bruder in Gefahr.»

«Mir tut das mit dem Kleinen ja auch leid. Ich kenne die Familie, war bei ihnen zu Hause. Die sind so am Boden, dass Fred Green, ihr Pastor, nicht mal ... Ach, egal. Aber hey, das betrifft Sie doch gar nicht. Warum macht Sie das so wütend?»

Irvs linke Hand liegt auf dem Tisch. Stark, wie die ihres Vaters. Ausgeprägte Adern auf dem Handrücken, muskulöse, aber sanfte Unterarme; diese Hände neigen nicht zu Gewalt. Diese Hände haben eine Tochter großgezogen, ihr Klapse auf den Po gegeben und sie ins Bett getragen.

Ja, warum macht sie das so wütend?

«Die Situation mit Jeffrey und Roy kenne ich aus eigener Erfahrung», sagt sie. «Nicht ganz dieselbe, aber ich kann sie mir lebhaft vorstellen. Auch wenn meine Abteilung mich entlastet hat, ich bin nicht sicher, dass ich Burim töten musste, weil ich nicht sicher bin, dass er mir wirklich schaden wollte. Ich weiß nicht mal, ob er bei Verstand war. Die Männer in der Hütte waren eiskalte Verbrecher, da ging es nicht anders. Aber draußen auf der Wiese, vor meinem Auto, da hatte ich Optionen. Ich hätte die Lage anders einschätzen können. Dann hätte ich sein Leben vielleicht gerettet, statt es zu beenden. Ich bin kein Roy Carman. Ich habe nicht aus rassistischen Motiven ein Kind ermordet. Aber ich bin verantwortlich. Ich weiß nur nicht recht, wofür. Ich glaube, das nötige Vokabular dafür habe ich nie gelernt. Egal, in welcher Sprache. Vielleicht ist es die nächste große Herausforderung, das zu verstehen. Nicht nur für mich, sondern für uns alle.»

«Was Ihnen passiert ist, tut mir leid. Ehrlich. Aber die Lage war unklar, und Sie mussten handeln. Roy vielleicht auch. Wie Sie sagten, fast die gleiche Situation.»

Sigrid hatte wirklich gewollt, dass Burim stehen bleibt. Dass er zur Vernunft kommt. In ihr jemanden sieht, der ihm helfen könnte. Seine Freundin Adrijana hatte der Polizei den Tipp gegeben. Sie stammte aus Serbien, war als Kriegswaise von Norwegern adoptiert worden. Sie sprach Norwegisch wie eine Einheimische und benahm sich wie eine ganz normale junge Frau aus dem gut betuchten Osloer Westend.

Warum sollte eine solche Frau, modern, stylish und gebildet, die auf die Wache kam, um einem kleinen Kind zu helfen, sich mit einem Mann einlassen, den Sigrid niederschießen musste wie einen tollwütigen Hund? Das ergibt keinen Sinn. Und doch kam er mit dem Messer auf sie zu. Analyse und Hintergründe sagen ihr, dass sie nicht in Gefahr war. Aber das waren Annahmen. Vermutungen. Hoffnungen über die menschliche Natur, über Beziehungen und Liebende, über weibliche Urteilskraft und attraktive Bad Boys – es speiste sich aus etwas, das in der Evolution erst später kam. Nicht aus dem Teil ihres Hirns, der in diesem Augenblick die Kontrolle hatte. Sie konstruierte keine Begriffsmodelle, prüfte die Wahrscheinlichkeiten nicht mit Regressionsanalysen. Sie dachte nicht mit der Großhirnrinde, sondern mit dem limbischen System: Flucht oder Kampf, fressen oder gefressen werden. Träge wie ein Bär sah sie den Mann mit dem Messer auf sich zurennen. Wie sollte sie das anders bewerten? Also schoss sie. Die 9-mm-Kugel hatte nicht genügend Mannstoppwirkung, also schoss sie noch ein zweites Mal, mitten ins Herz.

Bleibt die Frage: Redet sie sich bloß raus? Hätte sie einfach zur Seite treten und ihn vorbeirennen lassen können, damit die Nachhut ihn umzingelt und festsetzt, wenn er wieder klarer im Kopf ist?

Und was ist mit Roy? Wäre Jeffreys Pistole echt gewesen, hätte ein Schuss ins Bein die Lage nicht geklärt. Es musste sofort eine Entscheidung her. War es nicht nur fair, dass Irv den Polizisten in Schutz nahm?

Ja, das wäre es. Wenn.

Wenn man das Lachen der anderen Kinder ignoriert und die Frau, die hinterm Küchenfenster seelenruhig Geschirr spülte und zusah, wie ihr Sohn mit seinen Freunden auf ihrem Grundstück tobte. Wenn man über Jeffreys kindliche Bewegungen und Körpersprache genauso hinwegsieht wie über die beinahe fünfzehn Minuten zwischen dem Notruf und dem Vorfall, während denen nichts Schlimmes passiert war.

Lässt man also alles beiseite, was Roys Einschätzung hätte widersprechen können, wäre es nur fair zu sagen, er habe nach bestem Wissen und Gewissen gehandelt. Aber wollen wir wirklich sagen, dass Polizisten nicht zu gründlicher Beurteilung der Lage verpflichtet sind? Zu Genauigkeit? Zur Wahrnehmung der Wirklichkeit?

Unklar?

«Nein, Irv», erklärt Sigrid, während die Kellnerin einem Gast einen Hamburger vorsetzt, den dieser ohne Regung entgegennimmt. «Bei mir war die Situation unklar, weil Burim mit einem Messer auf mich zustürmte und nicht auf meine Rufe reagierte. Es gab keine zeitliche Verzögerung und keine weiteren Indizien. Bei Roy war das vollkommen anders. Wissen Sie ... ich habe schon oft Leute über institutionellen Rassismus reden hören. Fast schon ein Modewort, heutzutage. Aber die reden darüber immer so, als ginge es um eine seelische Störung oder einen Geist in der Polizeimaschinerie. Ich habe es nie recht verstanden. Im letzten Monat habe ich dem Begriff dann aus norwegischer Perspektive ins Auge geblickt, wegen mir und Burim, und jetzt sehe ich hier, was bei Roy und Jeffrey ablief. Und ich glaube, jetzt hat es klick gemacht. Ich verstehe das jetzt so: Eure Regelwerke, eure Doktrin, das Training, die Theorie, das akademische Punktesystem, eure Lehrbücher, Fallbeispiele und Entscheidungstools, eure Abschlussprüfungen und Gerichtsprozeduren, eure Kriterien für Beförderungen und das, was ihr an Menschen schätzt ... all die Mittel, durch die Institutionen Leute professionalisieren und lenken ... all das verschiebt das Risiko im Zweifel auf die Bürger. Aber der Staat hat die Pflicht – das ist der Witz am Gesellschaftsvertrag – dieses Risiko zu managen und selbst zu tragen. In einer Demokratie darf der Bürger nicht in Angst vor dem Staat und seinen Mängeln leben. Das geht einfach nicht. Der Staat muss sich rückhaltlos verpflichten, ständig an sich selbst zu arbeiten. Der Fall von Jeffrey Simmons war nicht unklar. Carman hat nur alles ignoriert, was darauf hinwies, dass er nicht in Gefahr war. Und zwar wegen Jeffreys Hautfarbe. Der Polizist hätte die Lage anders beurteilen müssen, nicht Jeffrey. Der Polizist hätte besser ausgebildet und verpflichtet sein sollen, die Situation erst vorsichtig und für alle ungefährlich aufzuklären – schließlich hat er geschworen, ihnen zu dienen und sie zu schützen. Das sollten Sie wissen.»

Der Maismuffin und der Bagel kommen.

Die Kappe des Muffins wurde abgeschnitten, die beiden Teile in Butter angebraten und dann auf dem Teller halbwegs wieder zusammengesetzt und serviert, mit zwei weiteren Butterstückchen in eisig glänzendem Goldpapier. Der Bagel ist dick mit Frischkäse beschmiert und mit Lachs im Wert von gefühlt dreißig Dollar belegt, kostet aber nur 4,95 Dollar, plus Steuern. Die Bedienung schenkt Kaffee nach, fragt auf eine Weise «Noch was?», bei der sich jede Antwort verbietet, und schlurft von dannen.

Irv verzichtet auf zusätzliche Butter. Etwas geziert zupft er ein Stück von der knusprigen Muffinkappe ab und sagt mit vollem Mund: «Sie haben recht.»

«Was?»

«Sie haben recht. Amerikanische Polizisten erschießen Zivilisten. Wir gehen schlecht mit unklaren Situationen um. Tendenziell machen wir sie eher schlimmer als besser. Statt qualifizierter Rekruten ziehen wir zu oft die falschen Leute aus der Unterschicht an. Es gibt zu viel Mauschelei und zu viele Waffen. Es gibt einiges zu tun. Aber die Sache ist die, Sigrid: Wir sitzen hier in einem Diner, mittendrin in einem schwarzen Loch, und aus dem müssen wir raus. Wenn Sie mir nicht helfen, Marcus zu finden, kann ich für nichts garantieren. Ich will weder ihm noch Ihnen drohen. Aber ... Marcus schwebt in größerer Gefahr, als Sie ahnen. Nach der Sache mit Jeffrey ist die Lage ziemlich angespannt. Es wird heiß auf der Straße. Der Commissioner will Marcus wegen Lydia drankriegen. Die Simmons wollen ebenfalls Gerechtigkeit. Das heißt, Marcus wird gejagt.»

«Er war's nicht.»

«Wenn er sich der Verhaftung widersetzt und ihm was passiert, wird das keinen interessieren. Verstehen Sie?»

«Das klingt wie eine Drohung.»

«Ist es aber nicht. Saranac Lake liegt außerhalb meiner Zuständigkeit. Aber ich habe Freunde und Verwandte, die helfen können. Ich bin Ihre einzige Chance. Wie Sie sagten, wir müssen die Lage entschärfen.»

Sigrid beißt in ihren Bagel. Der Lachs ist überraschend gut, aber es ist zu viel Frischkäse darauf.

«Übrigens», sagt Irv, plötzlich gut gelaunt. «Während Sie bei Melinda im Bett lagen, hab ich mich über Norwegen schlau gemacht. War eine ganze Stunde im Internet unterwegs, beim *Economist*, dem *U.S. News and World Report*, auf Wikipedia und irgendeiner Seite über Holzstapel. Hab erfahren, dass ihr den Käsehobel erfunden habt, dafür gibt's 'nen Punkt. Andererseits hat Quisling euch an die Nazis verkauft, dafür gibt's zwei Punkte Abzug. Dann hat euer Widerstand aber geholfen zu verhindern, dass die Deutschen einen Schwerwasserreaktor bauen, dafür gibt's wieder drei, womit ihr fast im Plus wärt, aber – oh-oh ... da sind ja noch a-ha mit ihrem hirnlosen *Take on Me*. Das kostet wieder zwei Punkte, und ihr steht auf null. Amerika dagegen? Wir haben Jazz, Rock 'n' Roll und Chocolate Chip Cookies erfunden! Na, jedenfalls, irgendwann dachte ich mir: Ich bin ja hier der Sheriff, da kann ich doch einfach mal Ihren Chef in Oslo anrufen. Es war schon spät, aber ich hab ihn erreicht.»

«Das haben Sie nicht getan.»

«Komischer Vogel ist das.»

«Sie haben's doch getan.»

«Ich hab ihm gesagt, ich rufe aus New York an. Er dachte wohl, ich meine die Stadt, und hatte einige Fragen. Hatten Sie bei Ihrem letzten Fall mit einem Juden zu tun? Er wollte wissen, wieso Juden jüdische Nachnamen haben. Zufällig wusste ich das sogar. Hab ihm erklärt, dass sie bis Anfang des 19. Jahrhunderts gar keine hatten. Dann haben Österreich-Ungarn und Russland sie dazu verpflichtet, davor trugen sie die Namen von Vater oder Mutter. Was wir heute als jüdische Namen kennen, haben die sich damals ausgesucht. Ihr Chef war schwer beeindruckt. Jetzt sind wir dicke Freunde und haben was gemeinsam: Sie. Er hat mir alles über die Sache mit Sheldon Horowitz erzählt. Der alte Marine hat Sie ja ganz schön auf Trab gehalten.»

«Ja. Er war wirklich was Besonderes.»

Draußen donnern in schneller Folge vier Sattelschlepper vorbei.

«Für eine gottlose Kommunistin in einem amerikanischen Diner sind Sie offenbar eine hervorragende Polizistin. Arbeiten wir zusammen. Lassen Sie mal hören, wie Sie Ihren Bruder finden wollten, da draußen im großen bösen Wald.»

Sigrid nimmt Irvs Stift und malt auf der Karte einen Kreis um Saranac Lake. «Ich wollte ihn nicht suchen, denn Sie haben recht, ich hätte ihn nie gefunden – selbst wenn der Professor wegen seiner Lieblingsorte richtig lag. Ich könnte zehn Meter daneben stehen und nichts bemerken, vor allem, wenn er nicht gefunden werden will.»

«Also?»

«Ich wollte ihn dazu bringen, zu mir zu kommen.»

«Wie das?»

«Irgendwann braucht er Vorräte. Er kennt sich aus in der

Natur, aber ein Überlebenskünstler ist er nicht. Zwar könnte er inzwischen leicht auf den Fidschis oder in Peru sein, aber ich schätze, er steckt irgendwo hier.» Sie zeigt auf den eben gemalten Kreis von etwa fünf Kilometern Durchmesser. «Wenn das stimmt, wird er innerhalb von höchstens einer Woche einen dieser sieben Supermärkte oder Baumärkte aufsuchen. Ich wollte mit dem Bus in die Stadt fahren, mein Foto an den Schwarzen Brettern und Telefonmasten dort aufhängen, zusammen mit meiner Telefonnummer und einem Insiderwitz auf Norwegisch, damit er weiß, dass ich wirklich ich bin. Dann wollte ich mir ein Fahrrad besorgen, mir die Gegend ansehen und warten, bis er sich meldet. Und Ihnen aus dem Weg gehen, versteht sich.»

Irv saugt Apfelsaft durch seinen lila Strohhalm. «Guter Plan.»

«Ja.»

«Kann immer noch klappen.»

«Zumindest der erste Teil.»

«Mit dem Jeep schaffen wir das mit den Fotos schneller. Nein, eigentlich können das die jungen Leute hier übernehmen. Frank Allman ist hier Sheriff. Bisschen gut gepolstert, aber sonst in Ordnung, und seine Leute sind wahre Künstler mit dem Tacker.» Blubbernd leert Irv seinen Saft, saugt mit dem Strohhalm die letzten Tropfen ein. «Klingt, als hätten wir ein bisschen Zeit miteinander, Sie und ich, während wir darauf warten, dass Marcus der Magen knurrt», sagt er. «Was sollen wir damit anstellen?»

«Ist das nicht offensichtlich, Sheriff?»

Lächelnd beugt Irv sich zu ihr vor. «Nein. Verraten Sie's mir.»

«Wir finden heraus, was mit Lydia Jones passiert ist.»

IRV fährt Sigrid zurück zu Melinda. Fernlicht gleitet über schwarzen Asphalt, das Radio bleibt aus.

Um 4.30 Uhr öffnet Melinda ihnen die Tür, im Bademantel und verschlafen. Sigrid dagegen ist hellwach und voller Koffein. Sie geht schnurstracks zum Gästezimmer, wirft die Kuriertasche aufs Bett, zieht die Schuhe aus und verzieht sich ins Bad, um sich den Mief der Bikerbar aus den Haaren zu waschen.

Irv tritt etwas schüchtern ein und lächelt Melinda zu. Die lächelt nicht zurück. Aus dem Handgelenk knallt sie die Tür schwungvoll hinter ihm zu.

«Lief alles wie geschmiert», sagt Irv mit einem Blick auf die Uhr und reibt sich das Gesicht.

«Musstet ihr hierherkommen?», nuschelt Melinda, wobei ihr der Bademantel zur Seite rutscht und ein übergroßes Band-T-Shirt der Go-Go's offenbart. «Gab's kein Motel?»

«Machst du Witze? Da draußen ist's unheimlich.»

«Klar.»

Irv klopft ihr auf die Schulter und sagt, sie solle erst um zehn zur Arbeit kommen statt um acht, aber Sigrid mitbringen. Obwohl ihre Augen ohnehin fast zu sind, gelingt es Melinda, sie skeptisch noch ein wenig weiter zuzukneifen.

«Die verdünnisiert sich schon nicht», versichert Irv. «Hab sie bekehrt. Sie ist jetzt auf unserer Seite.»

«Wie hast du das denn hingekriegt?»

«Ich hab ihr recht gegeben.»

«Und das hat funktioniert?»

«So kriegt man Frauen doch immer rum, oder?»

«Wolltest du auch bleiben, Boss?»

«Ich? Auf keinen Fall! Ich hab ein Zuhause. Bis morgen.»

Irv stand nach nur vier Stunden wieder auf, rechnete aber fest damit, nach dem Mittagessen die Stiefel zu einem schönen Powernap hochlegen zu können, genau wie seine Vorgänger im Wilden Westen. Als er im Büro ankommt, ist Cory bereits da. Alle Spuren der gestrigen Geburtstagsfeier wurden von der Putzkolonne beseitigt. Alles wieder beim Alten also, außer dem Lämpchen an Irvs Anrufbeantworter, das vor sich hin blinkt wie ein Alarmsignal.

Wie die meisten Alarmsignale ignoriert Irv zunächst auch dieses, lässt sich auf seinen Stuhl plumpsen und schaltet den PC ein. Dann wagt er sich doch ins Ungewisse und drückt auf das Blinklicht. Vom Band kommt eine Nachricht der New York State Sheriffs Association: Man will hören, wie die Dinge im County stehen und bittet freundlich um Rückruf.

Wenn man es genau nimmt – und genau nimmt Irv es für gewöhnlich am liebsten –, hat er als Sheriff keinen Boss. Als gewählter Funktionär hat er ganz allein das Sagen. Zwar muss er sich vor dem Commissioner des Countys verantworten und sich hin und wieder mit der Sheriffs Association kurzschließen, aber weder muss er eine Stechuhr betätigen noch irgendwem den Hintern küssen; wenn den Wählern was nicht passt, können sie das bei der regelmäßigen, unblutigen Revolution zum Ausdruck bringen, die man in Amerika als «Wahl» bezeichnet. Aber erst wieder in zwei Jahren – darum ist Demokratie ja so ineffizient.

Allerdings ist Irv kein Dummkopf. Wenn er sich mit den hohen Tieren nicht gut stellt, hat er bald nichts mehr zu melden, weil niemand mehr ans Telefon geht. Diese Gewaltenteilungskiste ist zwar eine hochkomplexe Angelegenheit, aber am Ende geht es eigentlich nur darum, wer mit wem telefoniert. Das ist das Ironische an der Demokratie: Nur weil sie so ineffizient ist, kann nicht einer allein einfach tun, was er will.

Soweit Irv das überblickt, sitzt in der Mitte des Spinnennetzes ein gewisser Howard Howard, der aus naheliegenden Gründen einfach Howard genannt wird. Er ist die rechte Hand des Commissioners, und alles, was er dem Commissioner ins Ohr flüstert, kommt aus dessen Mund wieder heraus. Äußerst praktisch.

Howard ist groß wie ein Baum und hat Füße wie Schwimmflossen. In der Highschool hätte er einen prima Rückenschwimmer abgegeben, doch diese Berufung hat er leider verfehlt. Sein Barry-White-Bariton bringt die Hörmuschel von Irvs Telefon immer wieder an ihre Grenzen. Wenn er anruft, kommt sofort Corys Hund Muppet angelaufen, mit offenem Maul, aufgestellten Ohren und ehrfürchtigem Blick. Muppet würde sich vermutlich die eigene Pfote abkauen, wenn Howard es befähle.

Irv ruft auf dem Festnetz zurück. Durch die Kupferdrähte klingt Howards Stimme einfach wärmer als auf dem Handy.

«Howard, Howard, Howard.»

«Einmal reicht völlig, danke.»

«Wie geht's Ihnen, Howard?»

«Sheriff Wylie.»

«Wann singen Sie endlich mal *What a Fool Believes* für mich, hm? Alle sagen immer Barry White, aber ich höre da eher Michael McDonald raus.»

«Ich singe nur unter der Dusche.»

«Sie könnten längst zwei oder drei Ex-Frauen haben, wenn Sie mal ein bisschen die Sau rausgelassen hätten.»

«Was gibt's Neues, Irving?»

«Ach, das Übliche, Howard.»

«Nein, im Ernst. Was gibt's Neues?»

«Oh. Also, dieser verschollene Norweger, wissen Sie? Seine Schwester ist hier. Kam extra aus Norwegen.»

«Das ist ja mal ein Zufall.»

«Wohl kaum. Die Familie hat ihn auch aus den Augen verloren, und sie ist jetzt da, um ihn zu suchen. Genau wie wir, im Grunde. Das Lustige ist, sie ist ein Cop. Vielleicht sogar ein guter. Sie kooperiert mit uns. Oder sie verscheißert mich. Definitiv eins von beiden.»

«Was haben Sie vor?»

«*Sie* hat was vor. Sie glaubt, wenn er erfährt, dass sie ihn sucht, wird er sich melden.»

«Oder sich noch tiefer eingraben.»

«Kann sein. Aber ich habe weder die Leute noch das technische Knowhow, um ihn zu finden. Wir sind hier nicht grade die NSA.» Irvs Blick fällt auf Cory, der just in diesem Augenblick versucht, einen Klebebandroller mit einem Brieföffner aufzubekommen, was garantiert in Tränen enden wird. «Ich habe ein gutes Gefühl. Aber damit der Plan aufgeht, brauche ich ein bisschen Zeit.»

«Wie viel Zeit?»

«Genug, damit es klappt eben. Den Spielraum müssen Sie

mir verschaffen, Howard. Ich will nicht, dass jemand Hummeln im Hintern kriegt. Die Leute halten Denken gern für Bummelei, weil man nicht sieht, dass was passiert. Besonders Politiker und Medien. Darum sind wir auch alle miteinander dem Untergang geweiht, aber mich fragt ja keiner.»

«Sie kennen also meine Antwort schon.»

«Ja.»

«Und auch den Grund.»

«Ja.»

«Lydia Jones war schwarz.»

«War sie.»

«Eine Schwarze. Und jetzt ist sie tot.»

«Ist sie.»

«Nicht irgendeine Schwarze. Eine Professorin. Eine Intellektuelle. Eine Persönlichkeit.»

«Angeblich ein ziemlicher Bücherwurm. Eher still.»

«Nach Abschluss des Falls Jeffrey Simmons», fährt Howard ungerührt fort, «wurden Forderungen laut – von wichtigen Stellen –, polizeiliche Gewaltausübung stärker in den Blick zu nehmen. Außerdem mal wieder Bedenken über Rassismus und über mangelndes Interesse für schwarze Opfer. Die Familie Jones verdient Gerechtigkeit, Irving. Wenn wir Ihnen jetzt Zeit lassen, könnte das aussehen, als sei uns der weiße Täter wichtiger als das schwarze Opfer. Der weiße *männliche* Täter wichtiger als das schwarze *weibliche* Opfer obendrein. Ein weißer Ausländer wichtiger als eine Amerikanerin. Die Zeit läuft uns davon, Irv, die können wir nicht verschenken. Besser, wir versuchen nicht, die Flut aufzuhalten wie der hochmütige König Knut.»

Corys Triumph über den Klebebandroller ist – wie zu erwarten war – ein Pyrrhussieg: Den blutenden Zeigefinger im Mund wendet er sich instinktiv zu Irv, der nur den Kopf schüttelt.

«Also eigentlich», erwidert Irv, «bringen alle diese Geschichte leider immer durcheinander. In Wahrheit hat Knut nicht aus schierem Hochmut der Flut befohlen, anzuhalten, nur um dann die Grenzen seiner Macht kennenzulernen. Im Gegenteil. Von seinem Thron an der Küste Englands aus wollte er seinen Untertanen theatralisch und mit voller Absicht demonstrieren, dass ihm die Wellen nicht gehorchen. Hinterher hat er verkündet, und das zitiere ich natürlich nur aus dem Gedächtnis: ‹Die ganze Welt soll wissen, wie eitel und nichtig die Macht von Königen ist, und dass keiner den Namen König verdient, außer dem, der dem Himmel, der Erde und dem Meer nach ewigem Gesetz gebietet.› So in etwa. Darum bin ich anderer Meinung, Howard. Ich finde, wir sollten uns vom guten Knut ruhig eine Scheibe abschneiden. Auch wir müssen anerkennen, dass nur *ein* König uns gebietet, müssen Seinen Gesetzen gehorchen und an den höchsten Wahrheiten festhalten. Und wenn, o Howard, die Welt Euch eine große Schippe Dung bescheret, und dazu ein lodernd Feuer, um zum Dampfen ihn zu bringen, so möget Ihr an unseren Herrn Jesus Christus und unsere Pflicht erinnern, wahrhaft gut zueinander zu sein und nicht nur in den Medien so auszusehen – Sprüche Salomos 902. Und wenn das Ihre Leute noch nicht überzeugt, rufen Sie Ihnen das Motto der New York State Police ins Gedächtnis, das seit 1917 *‹Excellence Through Knowledge›* lautet, Leistung durch Wissen. Bei diesem Fall hier geht es immer mehr um den äußeren Anschein statt um Gerechtigkeit, und das gefällt mir nicht. Ich glaube ganz fest daran, mein lieber Howard, dass wir viel mehr Gerechtigkeit in die Welt tragen, wenn wir uns in den kleinen Dingen treu bleiben. Sie werden schon sehen.»

«Wo haben Sie bloß so reden gelernt, Irv?»

«Bei den Jesuiten an der Loyola. Wenn man die richtig guten Sachen hören wollte, musste man sie allerdings erst mit Glenlivet abfüllen.»

«Versauen Sie das nicht, Irv.»

«Amen, Howard.»

IRV lässt Cory ein Whiteboard und einen Schreibtisch in der Zelle aufstellen, doch der Tisch ist zu groß, weshalb Cory erst die Beine abschrauben muss. Dank seines bösen Fingers und der Schrauben, die vermutlich seit Eisenhowers Präsidentschaft nicht mehr an der frischen Luft waren, braucht er dafür fast drei Stunden.

Sobald die Einsatzzentrale fertig ist, breitet Irv die Karte mit Sigrids Markierungen aus. Cory hat in seinem Auftrag ein Verlängerungskabel für das mintgrüne Festnetztelefon verlegt. Angenehm schwer und skulpturhaft fixiert dieser Fernsprechdinosaurier nun die Karte.

Diese neumodischen Schnurlostelefone konnte Irv noch nie leiden. Die eingebauten Lautsprecher nehmen einem jede Privatsphäre und außerdem das Gefühl, wirklich *am* Telefon zu sein, statt nur auf eines einzuquasseln. Ein bisschen wie beim Rauchen ist das. Wer würde das schon tun, wenn man dabei keine Zigarette in der Hand hielte? Damit gestikulieren, sie im Mundwinkel halten – das ist doch der ganze Witz daran. Das Leben kommt einem nun einmal realer vor, wenn man sich mit der Schwerkraft anlegt. Die ist es schließlich, die einen am Ende kriegt.

Irv überlegt, die andere Seite der Karte mit seiner Pistole zu beschweren, verkneift es sich aber. Schade eigentlich, denkt er. So wäre sie zum ersten Mal zu etwas nütze gewesen.

Sigrid kommt um elf – nicht um zehn wie Melinda. In Oslo ist es jetzt fünf Uhr nachmittags erklärt sie, und sie hat schlecht geschlafen. Irv nickt. Vielleicht hat sich die Erdkrümmung gegen sie verschworen, vielleicht ist sie auch nur besorgt. Er hat schon gesehen, wie Frauen, die innerlich völlig gebrochen waren, eine dünne Schicht Farbe auf Lippen, Augen und Wangen aufgetragen haben – nicht um Aufmerksamkeit zu erregen, sondern um sie abzulenken. Sigrid mag zwar müde sein, aber gebrochen ist sie nicht, und sie lenkt auch von nichts ab. «Wir brauchen ein Bild von Ihnen. Für die Flyer», versucht er, konstruktiv zu sein.

Sigrid nickt und fragt nach Kaffee, will das Thema wohl aufschieben, bis sie etwas wacher ist, doch Irv hat schon sein iPhone in der Hand und knipst ein Foto.

«He ... warten Sie», ruft Sigrid.

Irv wartet nicht, sondern zeigt das Bild Melinda, worauf der die Miene dermaßen entgleist, dass sie sich lieber schnell verkrümelt.

«Zeigen Sie her», verlangt Sigrid.

«Alles zu seiner Zeit.»

«Das können Sie nicht nehmen», protestiert Sigrid, aber Irv grinst bloß, während sein iPhone das Foto mit einem *swisch* in den Äther schickt.

«Wie bitte?», fragt er mit Unschuldsmiene.

«Wem haben Sie das geschickt?»

«Frank Allman, in Saranac Lake. Vielleicht auch noch Duane Allman, irgendwo da draußen. Du fehlst, Duane.»

Sigrid setzt sich an denselben Platz wie ... gestern, wirklich? Es fühlt sich an wie eine Woche.

Ausgebreitet auf dem Tisch in der Zelle liegt der unerwartete Beweis, dass Irv auch noch was anderes im Kopf hat als pubertäre Faxen. Auf den ersten Blick zumindest sieht es aus, als habe er recht gründlich die wahrscheinlichsten Orte markiert, an denen Marcus Vorräte besorgen könnte – falls die zugrundeliegende Hypothese stimmt.

«Franks Leute machen die Beinarbeit und verteilen die Poster», sagt er.

«Moment, vorhin waren es noch Flyer, jetzt sind es plötzlich Poster? Poster sind groß, größer als Flyer, oder?»

«Gigantisch. Übrigens, Sie haben da was im Mundwinkel. Ist das ein Muffinkrümel? Hoffentlich sieht man das nicht auf dem Poster.»

Sigrid wirkt zwar im ersten Moment unscheinbar, hat aber einen ausgesprochen schönen Hals, wie Irv jetzt bemerkt. Das ist ihm schon öfter bei Blondinen aufgefallen: Zuerst sind sie fade Durchschnittsfrauen, in etwa so interessant wie trocknende Wäsche, und dann – als wären sie vom Sonnenlicht verwandelt – sind sie plötzlich expressiv und sinnlich. Sigrid hat eindeutig zu viel Zeit im falschen Licht verbracht, aber ihr Hals ist eine Offenbarung und bringt Irv auf ganz neue Gedanken.

«Wie haben Sie mich eigentlich beim Target erwischt?», will Sigrid wissen.

«Ich hab Juliet bestochen. Die hat Sie verpfiffen, als Sie angerufen haben. Melinda sollte Sie sowieso ‹verlieren›, und Cory war hinter dem Gebäude postiert. Da hat er Sie gesehen. Aber: Melinda haben Sie tatsächlich abgeschüttelt. Die Ärmste ist vollkommen perplex deswegen.»

«Wie konnten Sie auf die Idee kommen, Juliet zu bestechen?», fragt Sigrid. «Sie konnten doch unmöglich wissen, dass ich mich an sie wenden würde.»

«Wusste ich auch nicht. Ich hatte sie schon bestochen, bevor Sie kamen, bei der Hausdurchsuchung. Hab ihr hundert Dollar für Infos über Marcus geboten, besonders falls er sich blicken lässt oder jemand nach ihm fragt. Lassen Sie mich raten: Sie haben ihr auch was gegeben?»

«Zweihundert.»

«Also hat sie erst Ihre zweihundert eingesackt und Sie dann für weitere hundert von mir verpfiffen.»

«Ein kriminelles Superhirn.»

«Tja ... das erspart ihr schon mal sechs Kaugummis.»

«Ich habe ein bisschen die Sorge», wechselt Sigrid das Thema, «dass Sie eine sehr genaue Vorstellung davon haben, was passiert ist, und nur noch nach Beweisen dafür suchen. Ermittler fixieren sich gerne auf eine Theorie, weil sie dann schwerer zu widerlegen sind.»

«Immer wieder toll, Ihnen beim Fachsimpeln zuzuhören», erwidert Irv.

«Darüber kann ich auf Englisch eben am besten reden.»

«Worüber können Sie denn am schlechtesten auf Englisch reden?»

«Das kann ich nicht sagen.»

«Guter Konter.»

«Zu Hause halte ich meine Leute immer dazu an, explorativ vorzugehen, statt sofort eine Hypothese aufzustellen und nur immer wieder anzupassen. Ermittlung ist keine experimentelle Wissenschaft. Einerseits ist das der falsche Zugang, andererseits sind Cops keine Wissenschaftler. Legt ein Ermittler sich zu schnell auf eine Hypothese fest, wird die erfahrungsgemäß ganz schnell eher zur bequemen Lösung als zu etwas, das man zu widerlegen versucht. Sagt Ihnen der Name Charles Peirce was?»

«Nein.»

«Der Begründer des Pragmatismus?»

«Ach der, na klar», schwindelt er.

«Peirce sprach von der ‹vorläufigen Annahme einer erklärenden Hypothese›. Das heißt, wir sollen an einer neuen Idee erst ganz locker festhalten und neuen Erkenntnissen erlauben, unser Verständnis zu bereichern, statt zu früh abschließend zu urteilen und dann danebenzuliegen. Das erfordert einen offenen Geist und entspannten Umgang mit Unklarheit, die den meisten Cops fehlen. Außerdem erfordert es Vorgesetzte, die einen nicht drängen, Fälle so schnell wie möglich abzuschließen.»

«Ich stehe nicht ganz oben in der Nahrungskette, Sigrid. Über mir gibt's eine Menge hohe, hungrige Tiere, für die ich aussehe wie ein Cupcake.»

«Sie müssen uns die Zeit verschaffen, ordentlich nachzuforschen und überlegt zu handeln.»

Irv schenkt Sigrid ein breites, unschuldiges Grinsen, das sie ihm zwar keine Sekunde abnimmt, das aber merkwürdigerweise dennoch Wirkung zeigt. Ja, er breitet sogar die Arme aus, als wollte er Sigrid in den Orbit seines Charismas ziehen. «Also», sagt er, «jetzt sollte ich wohl mit Ihnen diskutieren, den Harten spielen und Sie zurechtweisen, weil Sie ... na, weil Sie ‹nur› eine Frau sind. Das wird aber nicht passieren. Ich mag Frauen. Frauen sind spitze. Und ich habe kein Problem mit Unklarheit. Ich tummle mich darin wie ein Fisch im Wasser. Also brechen wir doch einfach mal mit den Erwartungen und halten fest, dass ich Sie für vernünftig und ausgesprochen eloquent halte. So verraten Sie mir, o Weise aus dem Hohen Norden: Wie sollen wir Ihrer Meinung nach eine Aussage auf Tonband verstehen, in der die Worte ‹Ich bin schuld› vorkommen?»

«Als Tatsache, für die wir noch keine Interpretationsgrundlage haben.»

«Das ... das klingt tatsächlich plausibel. Sie nehmen diesen Ermittlungskram wirklich ernst, was?»

«Ich bin eben eine Ermittlerin», erwidert sie.

«Tja, mein Schlamassel ist nur – und das hat weder was mit meiner Begeisterung für Frauen noch für Unordnung zu tun – mal ehrlich, das ist doch sowieso dasselbe –, also, mein Schlamassel ist, ich fürchte, Ihr Neo-Zen-Pragmatismus hält uns zu lange auf. Ich habe aber allen Grund, mich zu beeilen, und zwar nicht, weil ich ein Idiot bin.»

«Warum dann?»

«Einfach gesagt: Weil mir jemand im Nacken sitzt.»

«Was man richtig macht, geht meistens schneller.»

«Ja, manchmal stimmt das. Aber nicht immer. Es stimmt nämlich vor allem dann, wenn sich jemand dafür interessiert, was am Ende dabei rauskommt. Die meisten interessiert das aber nicht. Die interessiert nur, was man sieht, und es ist leichter, etwas zu sehen, das sich bewegt. Und schnelle Bewegung ist aufregender als langsame. Meine Sorge ist, dass diese Leute die Ergebnisse nur für sich selber wollen. Und sie wollen welche, bei denen sie gut wegkommen. Nicht alle wollen Gerechtigkeit. Definitiv nicht alle, für die ich arbeite.»

«Sie arbeiten doch für Ihre Wähler.»

Irv gibt keine Antwort, sieht sie nur ausdruckslos an.

Sigrid blickt auf das altertümliche grüne Telefon, als könnte es jeden Moment klingeln. Tut es aber nicht.

«Ich sag Ihnen, was ich tue», fährt Irv fort. «Ich gebe Ihnen zweiundsiebzig Stunden, während Frank Allman die Poster aushängt, und wir beten, dass Marcus nicht erschossen werden will und von sich hören lässt. Und jetzt ...» Er lehnt sich an die Gitterstäbe und legt die Beine übereinander. «Was wissen Sie über Ihren Bruder, das wir nicht wissen? So strategisch, wie Sie vorgehen, haben Sie bestimmt noch nicht alles verraten. Bitte, erzählen Sie's mir.»

«Ich weiß nichts Genaues», antwortet Sigrid. Ferdinand, den USB-Stick, lässt sie vorerst lieber unerwähnt. «Aber ich habe seine Briefe an meinen Vater aus dem vergangenen Jahr. Bisher hab ich sie nur grob durchgesehen, hoffe aber, daraus etwas über Marcus' Beziehung zu Lydia zu erfahren, wenigstens aus seiner Perspektive.»

«Das wird sicher helfen.»

«Da gibt's nur ein Problem», fügt sie grinsend hinzu. «Sie sind auf Norwegisch.»

WÄHREND des restlichen Donnerstags und eines großen Teils des Freitags lernt Sigrid, sich auf Melinda zu verlassen, die sich als ordentlich, fleißig und produktiv erweist. Und als gehorsam, obwohl Sigrid hier eigentlich nichts zu sagen hat. Einmal, als Melinda gerade mit ebenso mühsamen wie hilfreichen Recherchen fertig ist, grinst sie Sigrid verlegen an, und Sigrid muss – mal wieder – nachfragen, wieso.

«Ich hatte noch nie einen weiblichen Chef.»

Sigrid denkt an Melindas Alter. «Wie viele Chefs hatten Sie denn überhaupt schon?», fragt sie.

«Das ist es nicht», erklärt Melinda. «In New York gibt es zweiundsechzig Sheriffs, und in der dreihundertjährigen Geschichte des Staates saß nie eine Frau auf einem dieser Posten. Ein paar weibliche ‹Hilfssheriffs› gab's zwar, aber den Titel find ich eher peinlich.»

Melinda sitzt an Irvs Tisch in der Zelle, unter strikter Anweisung, nicht an sein Telefon zu gehen. Irv selbst ist vorn im Dienstzimmer und kümmert sich um ein paar Dinge, die er «seinen Job» nennt. Sigrid ist also allein mit Melinda und begreift langsam – bis zu einem gewissen Punkt –, wie die junge Frau tickt. Sie stellt sich Melindas Denkprozesse vor wie ein Kunstwerk. Eins von Jackson Pollock. Vielleicht nicht ganz so gekleckst, aber doch etwas wirr, abstrakt und unmöglich nachzuvollziehen, selbst wenn einem das Ergebnis zusagt.

«Melinda», mahnt sie mitfühlend, «Amerika steckt im Mittelalter fest. Sie sollten nicht so aufgeregt sein, nur weil Sie für mich arbeiten. Und sich nicht darüber freuen, dass Männer Sie vielleicht eines Tages dasselbe tun lassen, sofern Sie nur schön brav und doppelt so qualifiziert sind. Das ist das Rezept für einen Nervenzusammenbruch, nicht für ein erfülltes Leben. Schreiben Sie sich das über die Ohren!»

«Hinter.»

«Wie bitte?»

«Hinter die Ohren.»

«Nicht über?»

«Nein.»

Umgangssprache ist nicht das Einzige, was Sigrid von Melinda lernt. Irv ist offenbar für mehr zuständig, als Sigrid dachte. Abgesehen von Melinda, Cory und den anderen, denen sie bereits begegnet ist, hat er insgesamt sechsundzwanzig Deputys unter sich, von denen die meisten allerdings woanders arbeiten. Es gibt ein Rauschgiftdezernat, eine Patrouille an der kanadischen Grenze, eine Hundestaffel, eine schnelle Eingreiftruppe und einen Schulwachmann. Und mit den Sommergästen umfasst sein Zuständigkeitsbereich immerhin um die hunderttausend Menschen.

All das lenkt er mit derart leichter Hand, als trainierte er bloß eine Kinderfußballmannschaft. Sein primäres Interesse gilt jedoch diesem Fall. Lydias Tod und Marcus' Verschwinden sind offenbar von großer Wichtigkeit. Sigrid wüsste nur zu gern, weshalb.

Erschöpft von Melinda und neugierig, woher Irvs Engagement rührt, bittet sie ihn zu sich in die Zelle.

Irv hebt die Brauen wie ein Labrador, schickt jedoch ohne Widerworte Melinda an ihren Schreibtisch im Dienstzimmer und setzt sich zu Sigrid.

Sigrid sitzt Irv gegenüber und schirmt den Kopfhörer mit den Händen ab. Wieder und wieder hört sie die Aufnahme von Marcus' Notruf, lauscht angestrengt auf eine in den Pausen zwischen den Sätzen verborgene Wahrheit. Sie achtet auf Hintergrundgeräusche und notiert alles, was sie hört. Doch es nützt nichts. Sie hat auf eine schnelle Lösung gehofft, auf den entscheidenden Hinweis, der die Wende in der Ermittlung bringt, aber im Grunde weiß sie, dass derlei magisches Denken etwas für Kinder ist. Sicher, ab und zu findet man mal eine heiße Spur, aber meistens besteht Polizeiarbeit darin, eine plausible Geschichte zu konstruieren, hinter der man mit genügend Überzeugung stehen kann, um sie an die Staatsanwaltschaft abzugeben und zu deren Problem zu machen.

Beim ersten Hören hoffte sie noch auf ... na ja, nicht unbedingt eine alternative Erklärung, aber wenigstens auf ein besseres Argument, eines, das fast auf Tatsachen beruht. Doch nach dem gefühlt hundertsten Mal hat sie noch immer nichts. Nichts, was ihren Bruder entlastet oder andere Schlüsse nahelegt. Also ändert sie ihre Taktik. Wenn sie schon keine neue Lösung findet, kann sie vielleicht wenigstens die alte widerlegen.

Bei jedem Hören versucht sie, sich die Szene bildlich vorzustellen. Das Gebäude, die Straße, die Leiche, Marcus am Handy. Aus den Geräuschen setzt sie Bilder zusammen. Die sind natürlich alle falsch. Keine Farbe und kein Winkel stimmen, denn Sigrid ist nie vor Ort gewesen. Sie hat nie an derselben Stelle wie Chuck gestanden. Die Bilder, in die sie sich vertieft, entstammen nur ihrem Kopf. So kommt sie nicht weiter. Sie nimmt die Kopfhörer ab und lehnt sich zurück.

«Was ist?», fragt Irv.

«Nicht ansprechen. Ich denke.»

Vergessen wir mal Pausen und Geräusche, überlegt sie. Vergessen wir die Technik. Was ist mit dem menschlichen Aspekt? Warum würde Marcus gleich zweimal gestehen? *Ich bin schuld, ich bin schuld.* Das klingt doch eher wie ein Selbstgespräch. Weniger wie ein Geständnis als wie eine Einsicht. Eine Aussage über Ursache und Wirkung, so wie ein Kind ein Ereignis mit einem anderen verknüpft.

Ich bin schuld: Aber wie?

Ich bin schuld: Aber warum?

Ich bin schuld: *Und es tut mir leid.*

Er spricht Englisch, nicht Norwegisch.

Wieso?

Weil er zu Lydia spricht! Ihm ist klargeworden, was er, ohne es zu wollen, angerichtet hat. Und er gibt sich die Schuld. Das sind nicht die Gedanken von einem, der gerade jemand aus dem Fenster geworfen hat.

All das könnte nur Wunschdenken sein, ist aber eine Überlegung wert.

Während Irv auf seine Tastatur einhämmert, nimmt Sigrid Marcus' letzten Brief aus dem Umschlag und liest ihn noch einmal:

Lieber Pappa,
es ist wieder passiert. Beim ersten Mal meintest Du, ich würde es nicht begreifen. Würde alles falsch verstehen. Jetzt bin ich erwachsen, und es ist ein zweites Mal

passiert, und diesmal verstehe ich es nur zu gut. Mehr noch. Es zwingt mich, alles zu sehen. Aber nicht mit den Augen eines Erwachsenen, der über die Klarheit von Zeit und Alter verfügt, sondern mit denen eines Jungen, dessen Blick nicht von den Jahren, Ereignissen und Entscheidungen dazwischen verstellt ist. Was ich jetzt verstehe, ist, dass es meine Schuld war. Und Deine. Aber Dir verzeihe ich.

Dein Sohn

Marcus

Was hatte er *wieder getan*? Einem anderen Menschen gegenüber versagt? Jemanden aus dem Fenster geworfen hatte er jedenfalls noch nie.

«Darf ich Ihr Telefon benutzen?», fragt sie Irv.

Vielleicht kann ihr Vater helfen.

«Sie müssen die Neun vorwählen», sagt Irv, ohne sich von Lydias wissenschaftlichem Aufsatz abzuwenden, den er gerade liest. «Ein Ortsgespräch?»

«Norwegen.»

Irv blickt auf.

«Kommt nicht in Frage. Sie können von hier aus doch nicht nach Norwegen telefonieren. Was glauben Sie denn, wie groß mein Budget ist? Oder mein Einfluss? Skypen Sie gefälligst, wie jeder normale Mensch.»

Sigrid ruft nach dem Mittagessen an, am frühen Abend in Norwegen. Nach dem dritten Klingeln geht er ran.

Sie erklärt ihm ihr Problem. Das mit dem «wieder». Ihr Vater ist überfragt.

«Ich habe keine Ahnung. Tut mir leid. Ich hab den Brief auch nicht verstanden. Was hast du jetzt vor?»

Sigrid erzählt, was sie mit Irv verabredet hat, räumt aber ein, dass es nicht leicht wird, stillzusitzen, bis Marcus sich von selbst meldet. Der ganze Plan steht ohnehin auf tönernen Füßen. Vielleicht steckt Marcus in Wahrheit ganz woanders. Er könnte ebenso gut in Las Vegas sein.

Auf Norwegisch, sodass Irv sie nicht versteht, berichtet sie von den Dateien auf der Festplatte. Könnte es sein, dass Marcus eine Depression hat? «Ich versuche rauszufinden, was die Dateien für ihn bedeuten.»

«Eine Depression?», wiederholt ihr Vater. «Von Medikamenten hat er nie gesprochen. In den Briefen war er immer eher philosophisch. Dein Bruder gibt ungern viel über sich preis. Und nach allem, was du über Lydia erzählt hast ...» Eine Pause. «Klingt eher, als sei er traurig. Kann man nicht auch mal aus guten Gründen traurig sein?»

«Doch.»

«Finde ich auch. Darum verstehe ich auch nicht, wieso man dagegen Medikamente verschreibt, als wäre das Gehirn kaputt. Traurig sein ist normal. Auch wenn man es mal länger ist.»

«Ich wollte dich nicht beunruhigen», sagt Sigrid.

«Ich denke bloß an deine Mutter.»

«Ich weiß.»

«Das Schwierige, wenn man mit seinen Kindern diskutiert, ist, dass man sich früher oder später fragt, worum es wirklich geht. Selbst wenn dein Kind von Kierkegaard erzählt, denkst du als Vater irgendwann: ‹Die braucht eine Umarmung und ein Schläfchen.› Je älter ich werde, desto mehr glaube ich, das geht jedem so. Erstaunlich, was wir so alles denken, nur um uns vom Denken abzulenken.»

«Ich hab die Dateien über Depression durchsucht», sagt

Sigrid. «Das sind Hunderte. Ich kann die unmöglich alle lesen. Und auf Englisch lese ich viel zu langsam.»

«Vielleicht brauchst du Hilfe.»

«Ja, vielleicht.»

Am Nachmittag gibt Sigrid zu, dass sie Marcus' Festplatte hat, und lässt Melinda die dreihundert Dateien über Depression sichten. Die Aufgabe wirkt sich auf Melindas Laune allerdings nicht aus wie erwartet. Statt davon niedergedrückt zu werden – vom Thema und der schieren Masse an Material –, sprüht sie vor Arbeitseifer. Und das macht sie redselig.

«Also erst mal:», hebt sie an, indem sie sich mit einem gelben Klemmbrett neben Sigrid setzt. «Amerika ist komplett gaga. Ich hatte ja keinen Schimmer *wie* gaga. Das National Institute of Mental Health sagt, Zitat: ‹seelische Störungen sind überall in den USA verbreitet›. Wie weit? Etwa zwanzig Prozent aller Amerikaner sind betroffen. Jeder fünfte also. Jeder fünfte!» Sie hebt die Brauen. «Und das ist noch vorsichtig geschätzt. Jeder fünfte Autofahrer. Jeder fünfte, der eine Waffe hat, wählen geht oder Kinder großzieht. Jeder fünfte eben. Und jetzt kommt's. Jeder zwanzigste hat ein ernstes Problem – ernst im Sinne von geisteskrank. Auch nur vorsichtig geschätzt. Und das Interessante ist, fast dreißig Prozent der Befragten dieser Riesenstudie haben gar nicht alles beantwortet, die meisten, weil sie gar nicht erst teilnehmen wollten! Ich wage einfach mal die Behauptung, dass darunter mehr Bekloppte als Gesunde waren, also gibt es in Wahrheit bestimmt noch mehr. Und bei Kindern? Über zwanzig Prozent der Kinder haben entweder aktuell oder irgendwann in ihrem Leben – das kapier ich nicht, dann sind sie doch keine Kinder mehr, oder? Egal, über zwanzig Prozent hatten eine schwere seelische Störung. Oh, und zehn Prozent haben Persönlichkeitsstörungen! Jeder zehnte! Offenbar sind Frauen viel häufiger betroffen als Männer – kapier ich auch nicht, Männer benehmen sich doch eindeutig öfter völlig irre. Jede vierte Frau bekommt Medikamente gegen eine psychische Krankheit, aber nur fünfzehn Prozent der Männer. Und – das ist der Hammer – fast dreißig Prozent der Frauen nehmen Antidepressiva. Außerdem nehmen sie doppelt so viele Angstlöser. Das wiederum leuchtet mir ein, weil sie wahrscheinlich mit Männern verheiratet sind, die keine Medikamente nehmen und deshalb durchdrehen. Insgesamt steigt der Medikamentenverbrauch immer weiter.»

«Melinda?», fragt Sigrid, während Melinda Luft holt.

«Ja?»

«Wie entscheiden Sie, was Sie lesen?»

«Ich les einfach alles.»

«Das ist aber ganz schön viel.»

«Ich kann krass schnell lesen. Und mir fast alles merken.» Sie nimmt einen Kugelschreiber zwischen die Lippen und kaut auf der blauen Kappe herum.

«Hatten Sie in der Schule auch solche Klassenkameradinnen, die immer das ganze Buch unterstrichen haben?»

«Mhm.»

«Die konnten nicht gut unterscheiden, was wichtig ist und was nur interessant. Besser, wir machen das anders.»

«Kann ich Sie was fragen?», fragt Melinda.

«Okay.»

«Wie haben Sie das im Target gemacht?»

«Das haben Sie noch nicht rausgekriegt?»

«Ich hab drüber nachgedacht, aber ich komm nicht drauf.»

«Mutig, dass Sie das zugeben», lobt Sigrid.

«Irv weiß es.»

«Glaub ich sofort.»

«Ja, ja, Sie haben gewonnen, okay? Jetzt sagen Sie's halt.»

«Denken Sie's noch mal Stück für Stück durch. Ich bin in den Flur gegangen. Was ist am Ende des Flurs?»

«Die Toiletten.»

«Sagen Sie's noch mal.»

«Die Toiletten.»

«Einmal noch.»

«Die Toiletten.»

«Und wohin sind Sie gegangen?»

«Na, zu den Toiletten.»

«Nein, sind Sie nicht.»

Melinda stellt das Kauen ein. Die Stiftkappe ist inzwischen feucht und warm. «Ich bin in die Frauentoilette.»

«Genau.»

«Aber da waren Sie nicht.»

«Nein, da war ich nicht.»

«Weil Sie auf der Männertoilette waren.»

«So ist es.»

«Und als Sie hörten, wie ich Selbstgespräche geführt und die Kabinen durchsucht hab, sind Sie einfach in aller Ruhe vorne rausspaziert.»

«So war's.»

«Ich bin so blöd.»

«Nein, sind Sie nicht. Mir ist das selbst mal passiert. Nur kam die Frau damals nicht raus, weil mein Partner am Ende des Flurs gewartet hat. Sie blieb einfach drin, bis wir weg waren. Keiner von uns kam auf die Idee, auf dem Männerklo nachzusehen. Aber ich habe daraus gelernt, wie schwer es ist, die Welt mit anderen Augen zu sehen und alte Gewohnheiten abzulegen. In Ihrem Fall hatten Sie allein eigentlich keine Chance. Sie mussten sich für eine Toilette entscheiden. Nur natürlich, dass Sie zuerst zu den Frauen gingen. Sobald Sie drin waren, hatte ich gewonnen.»

«Verstehe», sagt Melinda. «Ich muss versuchen, die Dinge aus anderer Perspektive zu sehen.»

«Und manchmal braucht man einfach Hilfe. Ach, da fällt mir ein: Dieser Augenzeuge, Chuck, der meinte doch, er habe Marcus und Lydia vor dem Gebäude gesehen. Wieso stand er da eigentlich herum?»

«Keine Ahnung. Ich mein ... seine Story haut hin. Passt genau mit dem Notruf zusammen, wir fanden, das reicht.»

«Logisch tut es das auch. Rechtlich aber nicht. Das ist leider nicht dasselbe. Sie müssen rausfinden, was er an der Ecke gemacht hat. Sie müssen da dranbleiben, okay?»

«Gibt's in Norwegen eigentlich viele hochrangige Polizistinnen?», erkundigt sich Melinda.

«Ja.»

«Muss toll sein.»

«Fällt mir gar nicht weiter auf», erwidert Sigrid.

«Ich kann's mir nicht mal vorstellen.»

«Eins noch», sagt Sigrid. «Haben Sie in den Dateien irgendwas gefunden, das Ihnen bezüglich Marcus relevant vorkam?»

«Eigentlich eher im Gegenteil.»

«Sie haben etwas gefunden, das Ihnen bezüglich Marcus irrelevant vorkam?»

«Genau.»

«Und zwar?»

«Es geht hauptsächlich um Depressionen bei schwarzen Frauen.»

DR. Lydia Jones' beste Freundin war Gloria Dillane. Irv meinte, sie stehe auf seiner Liste, er habe sie aber noch nicht befragt, weil ihm das angesichts des Augenzeugen, des Notrufs und des Fehlens weiterer Zeugen zu unwichtig vorkam.

Sigrid dagegen will sie sofort sprechen. Irv ist skeptisch. Die beiden sitzen an seinem Schreibtisch und nippen Nescafé aus angeschlagenen Tassen.

«Wir wissen, dass Lydia durch den Sturz gestorben ist», erklärt Sigrid. «Wir wissen auch, dass Marcus da war, und ich glaube, er hielt sich für ...»

«Den Täter?»

«Nein, weniger.»

«Für schuldig?»

«Genau.»

«Schuldig kommt von Schuld. Man könnte auch sagen: der Schuldige. Oder der Täter. Merken Sie was?»

«Nur weil Sie das so hindrehen. Klar, irgendwas ist da passiert. Möglich, dass er sie gestoßen hat, aber ich glaube, er konnte bloß nicht verhindern, dass sie springt. Vielleicht hatte Jeffreys Tod mit Lydias etwas zu tun, in einer Weise, die wir nicht ganz durchschauen. Lydia hatte allen Grund, depressiv zu sein. Vielleicht neigte sie ohnehin dazu oder bekam schon Medikamente. Vielleicht war sie in Therapie. Das alles wäre bedeutsam. Ihre beste Freundin weiß das bestimmt. Für unwichtig konnten Sie das nur halten, weil Sie nicht gedacht haben wie Charles Peirce.»

«Sie können schon ein bisschen nerven.»

«Ich weiß.»

«Ich sage nicht, dass es nicht sein kann.»

«Super. Dann los.»

«Es ändert bloß nichts daran, womit ich mich rumschlagen muss.»

«Das ergibt keinen Sinn.»

«Das liegt daran, dass Sie nicht alle nötigen Informationen haben. Sie sind eben erst angekommen. Ich bin schon die ganze Zeit hier.»

«Ich warte im Auto.»

Irv fährt, Melinda sitzt neben ihm, Sigrid wurde auf die Rückbank verbannt. Angeblich ist es verboten, Zivilisten vorn mitfahren zu lassen, doch Sigrid ist ziemlich sicher, dass Irv sich das nur ausgedacht hat. Es stört sie aber nicht. Bei ihren Leuten hat sie oft dieselbe Taktik eingesetzt. Die Jüngeren glauben immer, die hochrangigeren Beamten wüssten alles. Tatsächlich wissen die aber nur, dass niemand alles weiß, weil die Regeln ständig geändert werden, ohne dass man es mitbekommt. Und sie erinnern sich daran, wie sie selbst jung waren und zu den alten Hasen aufsahen. Dieses Wissen nutzen sie dazu, sich Unsinn auszudenken, den die Jüngeren ihnen abkaufen. Das klappt jedes Mal.

Sigrid klopft gegen die kugelsichere Trennscheibe. Melinda entriegelt sie und lässt sie runter.

«Wozu ist die?», fragt Sigrid, als ob sie es nicht ahnte.

«Zu unserem Schutz.»

«Vor was?», bohrt Sigrid nach.

«Vor Irren auf der Rückbank. Haben Sie das in Norwegen nicht?»

«Nein.»

«Wieso nicht?»

«Aus dem gleichen Grund wie alles andere, was wir nicht haben: Wir brauchen es nicht.»

«Warum brauchen Sie's nicht?»

«Vermutlich, weil in Norwegen seit 1945 nicht mal fünfzig Polizisten getötet wurden. Keiner davon im Streifenwagen, soweit ich weiß.»

«Wow.»

Sigrid lehnt sich zurück. «Die Leute laufen eben nicht überall mit Waffen rum, um Polizisten Angst zu machen.»

«Die Leute haben keine Waffen?»

«Doch, jede Menge. In Norwegen wird viel gejagt. Aber es gibt fast keine Waffengewalt.»

«Was glauben Sie, woran das liegt?»

«Na ja», antwortet Sigrid, «vor allem wohl daran, dass wir uns nicht gegenseitig erschießen wollen.»

«Hm, da haben Sie den Nagel vermutlich auf den Kopf getroffen», sagt Melinda.

Gloria Dillane wohnt zwanzig Minuten vom Campus entfernt in einer kleinen, von alten Bäumen und zweckmäßigen Autos gesäumten Vorstadtstraße. Während der Streifenwagen die Straße entlangrollt und Irv mit zugekniffenen Augen nach den Hausnummern späht – «Auf den Briefkästen, Sheriff», sagt Melinda –, hängen sich ein paar Fahrräder in ihren Windschatten. Um mitzuhalten, holen die Kinder aus ihren Pedalzweitaktern alles heraus, was die Ketten hergeben.

Im Rückspiegel erkennt Sigrid, wie Irv einen kurzen

Blick auf die Verfolger wirft, dann schaltet er das Blaulicht an. Die Kinder johlen. Bevor Irv vor Ms. Dillanes Haus einparkt, stellt er die Lichter jedoch wieder aus. Das Haus ist dunkelgrau, nur das Giebeldach hat eine weiße Kante. Der kleine Rasen davor ist gut gepflegt. Neben der Einfahrt wachsen Farn und Prachtspieren. Alles verströmt die Beschaulichkeit der Mittelklasse. Gloria und ihr Mann haben sich hier vermutlich eingekauft, bevor die Gegend für Lehrer und Professoren unbezahlbar wurde, und investieren jetzt darin, den Wert zu erhalten. Die Beschaulichkeit kann allerdings auch täuschen. Falls Gloria wirklich Lydia und ihrer Familie nahestand, macht sie bestimmt Fürchterliches durch.

Gloria öffnet die Tür, noch ehe Sheriff Irving klopfen kann. Sie ist zart gebaut, das blonde Haar hängt ihr schlaff auf die Schultern. Ihr Mascara macht die Augen eher tiefer und trauriger als größer und aufregender. Irv nimmt den Hut ab und reicht ihr die Hand. Gloria schüttelt sie ohne jeden Anflug von Interesse oder Neugier.

«Ich bin Sheriff Irving Wylie. Das ist Deputy Melinda Powell. Und das ... ist Sigrid Odegard, die Schwester von Marcus. Er wird vermisst, und sie hilft uns bei der Suche.»

«Ødegård», sagt Sigrid und gibt Gloria die Hand. Ihr Händedruck ist schwach und trocken.

«Kommen Sie rein», antwortet sie.

Ähnlich wie Melindas ist auch dieses Haus sehr farbenfroh eingerichtet. Allerdings sind die Möbel hochwertiger, das Gefühl von Sesshaftigkeit ist deutlicher zu spüren, und es herrscht ein prekäres Gleichgewicht zwischen ästhetischen Vorlieben und den praktischen Lösungen, zu denen einen das Großziehen von Kindern zwingt.

Die Schuhe deuten auf zwei Jungs und ein kleines Mädchen hin, die Stille spricht eher dafür, dass sie nicht zu Hause sind.

Gloria führt sie nach rechts ins Wohnzimmer, das nicht für den Alltag eingerichtet wirkt, sondern um Gäste zu empfangen. Es sieht genauso aus, wie Wohnzimmer in amerikanischen Serien über wohlhabende Weiße. Ein Sofa steht zwei Sesseln gegenüber, dazwischen ein tiefer, breiter Kaffeetisch mit Büchern, die nicht zum Lesen gedacht sind. Über dem Kamin hängt ein Flachbildfernseher. Die Zimmerpflanzen sind für das hiesige Klima kaum geeignet.

In Oslo haben die meisten Leute Sofagarnituren, die sich an die Wand schmiegen und das Zimmer frei lassen. Die Möbel hier gleichen dem, was man in Skandinavien früher hatte: schwer, aus Holz und für die Ewigkeit gebaut. Heute ist in Skandinavien alles modular und wird wie moderne Kunst behandelt, obwohl das meiste darauf ausgelegt ist, billig und austauschbar zu sein.

Gloria nimmt auf einem Ohrensessel Platz und bedeutet auch den Gästen, Platz zu nehmen. Sigrid setzt sich zu Melinda auf das Sofa.

«Danke, dass Sie sich Zeit für uns nehmen, Professor Dillane», sagt der Sheriff.

«Ich habe letzten Monat schon eine Aussage gemacht, bei Officer Cory ... ich komme nicht mehr auf den Nachnamen. Auf dem Campus.»

«Ja», erwidert Melinda. «Das wissen wir. Wir wollten nur noch mal mit Ihnen reden.»

«Wie geht es Ihnen?», fragt Irv. Sein Handy surrt, bevor Gloria antworten kann. Er wirft einen kurzen Blick darauf und lehnt den Anruf ab.

«Furchtbar. Mir sagt ja nicht mal jemand, was passiert ist.

Ich wollte mit Lydias Eltern sprechen, aber die haben völlig zugemacht. Bei Reverend Green habe ich es auch versucht und ... Das ergibt einfach keinen Sinn.»

«Was ergibt keinen Sinn?», hakt Melinda ein.

«Nach Jeffreys Tod hat sich die schwarze Community geschlossen hinter die Simmons gestellt. Und auch viele von uns – von uns ... Weißen.» Sie hält inne. Auf ihrem Gesicht zeichnet sich ein einsamer Gedankengang ab. Dann findet sie den Weg zurück ins Gespräch. «Die Dozenten. Die Studierenden. Die Schwarzen aus der Stadt und aus Jeffreys Viertel. Alle kamen Jeffreys Familie zu Hilfe. Lydia war ... am Boden zerstört ... aber sie tat, was sie nur konnte. Reverend Fred Green ... von der First Baptist Church? Kennen Sie den?»

Irv nickt.

«Vor allem er hat damals die Leute mobilisiert. Zumindest vor dem Urteil. Und jetzt ... Lydia liegt tot auf der Straße, und nichts passiert. Keiner rührt sich. Lydias Eltern sprechen nicht mit den Medien, Reverend Green ist nirgendwo zu sehen, und niemand sucht den Mörder.» Sie blickt zu Irv. «Warum suchen Sie ihren Mörder nicht, Sheriff? Was tun Sie? Was ist ihr zugestoßen? Warum sind Sie hier?»

«Wir suchen Antworten», erklärt Irving, verbindlich, tief und ruhig. Den schelmischen Kindskopf erkennt Sigrid in diesen drei Worten nicht mehr wieder. Sie klingen nach einem Erwachsenen, der den Ernst der Lage kennt und bereit ist, Verantwortung zu übernehmen.

«War der Mörder schwarz?», fragt Gloria, fast im Flüsterton. «Verraten Sie darum nichts?» Sie drückt sich tiefer in den Sessel, wie um vor der Antwort zurückzuweichen.

Sigrid blickt aus dem Fenster. Draußen ist es unangemessen hell für dieses Gespräch.

«War es so? Wurde sie von einem Schwarzen umgebracht?», flüstert Gloria erneut.

«Wie kommen Sie darauf?», will Melinda wissen.

«Falls der Mörder schwarz war, würde das alle von Jeffrey ablenken. Es würde unseren Standpunkt untergraben. Das wiederum würde erklären, wieso die Schwarzen nichts mehr von sich hören lassen. Die Polizei würde sich bestätigt fühlen und Jeffreys Tod würde vergessen werden.»

«Nein, würde er nicht», wirft Sigrid ein.

«Doch», erwidert Gloria. «Die Leute suchen doch nur nach einem Grund, um zu rechtfertigen, dass die Polizei jemand erschossen hat. Oh, Entschuldigung, ich meine natürlich: dass die Polizei einen Schwarzen erschossen hat. Wird ein Weißer erschossen, ist das Geschrei groß. Aber ein Schwarzer? Der wird's schon verdient haben, sagen sie, oder zumindest hatte die Polizei begründete Angst. Und wenn jetzt ein Schwarzer Lydia in einer üblen Gegend gleich um die Ecke von einem Crackhaus umbringt? Traurig, das mit Jeffrey, werden sie sagen, aber Leute, die aussehen wie er, sind nun mal die Wurzel des Problems. Sieht man ja an seiner toten Tante. Alles wäre weggewischt. Genau wie bei den anderen. Wollen Mr. und Mrs. Jones darum den Mörder nicht finden? Schweigt deshalb auch Reverend Green?»

«Wir können zum Stand der Ermittlungen nichts sagen. Tut mir leid», sagt Irv.

Sigrid rechnet schon mit Tränen, doch Gloria hält sich zurück und wird sonderbar ruhig und ausdruckslos.

«Können Sie uns etwas über Lydia erzählen, das wir vielleicht noch nicht wissen?», fragt Irv. «Oder über Marcus?»

«Ich glaube, Lydia sah in Jeffrey den Sohn, den sie nie haben würde», antwortet Gloria. «Sie war vierzig und nicht dumm. Sie wusste, dass sie wahrscheinlich keine Kinder mehr kriegen würde. Jeffrey war für sie viel mehr als ein Neffe. Er war aber auch nicht bloß ein Ersatzsohn. Er war ein wundervoller Mensch, so neugierig, so sensibel. Er wollte alles wissen. Man hatte das Gefühl, aus ihm könnte mal alles Mögliche werden. Er interessierte sich für alles. Für Insekten. Dinosaurier. *Star Trek*. Videospiele. Wie man Glas schleift. Was schöne Dinge schön macht. Es war eine Freude, ihn aufwachsen zu sehen. Mitzuerleben, wie er sich für eine Sache nach der anderen begeisterte. Ich glaube, ich habe meine Jungs oft mit ihm verglichen. Das war wohl nicht fair. Als die Geschworenen diesen Mann einfach ohne Verhandlung gehen ließen, war Lydia ...»

«Depressiv?», schlägt Melinda vor.

Gleichzeitige Blicke von Irv und Sigrid bringen sie zum Schweigen.

«Ich wollte sagen: niedergeschlagen. Das habe ich doch ... Cory schon erklärt.»

«Ja, Ma'am», sagt Irv.

«Nach Jeffreys Tod war sie meistens mit Marcus zusammen. Aber nach der Entscheidung der Geschworenen war sie am Ende. Wir haben danach kaum geredet. Alles, was wir in Bewegung gesetzt hatten ... all der Schwung, den wir hätten fruchtbar machen können, für irgendwas, wodurch Jeffreys Tod eine Bedeutung hätte haben können, wenn schon keinen Sinn. All das war nach Lydias Tod mit einem Schlag vorbei. Und jetzt ist Marcus verschwunden?»

«Ja», sagt Sigrid.

«Das wundert mich nicht. Hier gibt es für ihn nichts mehr. Für viele von uns.»

EIN bernsteinfarbener Mond hängt wie eine Scheibe in der kurzen Nacht über den schwarzen Hügeln von Hedmark, doch Morten Ødegård hat jetzt keine Zeit für die Schönheiten des Kosmos; er muss diese Fotos finden. Irgendwo hier drin müssen sie sein.

Mit geschlossenen Augen sitzt er in der Küche und streift in Gedanken durchs Haus.

In eine Schachtel hat er sie getan, definitiv.

Vermutlich.

Kein Schuhkarton. Größer. Grau, würde er sagen. Kein neutrales Grau. Eher so ein Behördengrün. Wahrscheinlich keine kluge Wahl für eine Schachtel mit Erinnerungsstücken. Eine Tarnfarbe, eine, die beim Vergessen hilft. Ein schönes Sicherheitsgrün hätte er nehmen sollen – so wie das, das hier im Winter jeden Kinderwagen und jede Grundschulklasse schmückt, eine Farbe, die das Hirn nicht ignorieren kann. So bewahrt man etwas auf, das man früher oder später unbeschadet wiederfinden will.

Nieten waren auch darauf.

Nicht im Keller. Da bestimmt nicht. Der Keller ist unfertig und feucht. Kalt. Und finster. Kein guter Ort für Papier, ganz zu schweigen von Fotos einer verstorbenen Frau.

Er macht das nicht zum ersten Mal mit, diese forensische Innenschau. Man kann das Erinnern nennen, doch in

Wahrheit betrachtet er sich selbst. Anders funktioniert es nicht mehr. Das Gedächtnis erfüllt seinen Zweck nicht mehr, wenn man so lang an einem Ort gelebt hat wie Morton in diesem Bauernhaus. Jeder Gegenstand hat im Lauf der Jahre mal an jedem möglichen Ort gestanden. Und da sein Gedächtnis so gut ist, hat er sie alle noch vor Augen. All diese Erinnerungen zu ordnen, das ist es, was Verwirrung schafft. Denn der Geist verweigert sich jeder Chronologie. Er ist eine Maschine, die nach Mustern sucht, ständig Verbindungen bildet und Assoziationen vernetzt. Er lebt, bewegt, verändert sich. Er schöpft, verwandelt und erfindet.

Nicht ganz, was man sich von seinem Archiv wünscht.

Jedenfalls bleibt ihm daher nur noch übrig, sein früheres Selbst zu befragen, und zu hoffen, dass es ein vernünftiger, logisch denkender Mensch war. Wenn das gegenwärtige Selbst dem früheren trauen und das zukünftige einschätzen kann, können die drei sich über die Zeit hinweg zusammentun und gute Aufbewahrungsorte auswählen. Nein, mit Erinnern hat das nicht sehr viel zu tun, aber die Zusammenarbeit bringt den Körper an den richtigen Platz, in diesem Fall ...

«... i soverommet», ruft er aus.

Ins Schlafzimmer. Die Frau im Schlafzimmer. Natürlich ist die Frau im Schlafzimmer. «Was für ein dämliches Gespräch», brummt er. Da sieht man's mal wieder: Man kann seinem früheren Selbst mehr trauen als dem gegenwärtigen. Das kann doch nicht gut sein. Und genau da liegt das Problem, denkt er, während er die Treppe hochstapft. Wenn man nicht mehr richtig denken kann, ist's das Ende vom Lied, denn egal, wie hilfreich das frühere Selbst war oder was man sich für das zukünftige überlegt, am Ende bleibt die Arbeit immer am gegenwärtigen hängen.

Beim Eintreten versucht Morten, sich vom Schlafzimmer zu entfremden. Vertraut, wie es ist, fällt ihm das nicht leicht. Das Bett. Die Fenster. Die Kommode. Die Nachttischchen und Lampen. Der Teppich. Der Schrank. Alles, wo es zuletzt auch stand und so, wie es sein soll.

Der Schrank.

Er öffnet ihn.

Und schließt ihn wieder. Er weiß genau, was im Schrank ist, und seine Frau ist es nicht.

Er wendet sich zum Bett.

Sein Bett und das seiner Frau. Das, in dem sie starb.

Morten quält sich auf die Knie, dann auf alle viere und hinab in den Staub wie all die anderen niederen Geschöpfe. Da, ungefähr so, wie er dachte: keine Nieten, eher beige als grau, aber ... sie ist da.

Der bernsteinfarbene Mond ist mit Morten noch nicht fertig. Dort ist er, linst herein, lauert. Und als Morten allein auf dem Bett sitzend die Schachtel öffnet, legt er einen unerwünschten goldenen Glanz über Astrids Kissen und Mortens Erinnerung an ihren Blick in ihrer Hochzeitsnacht. Sie trug ein geliehenes weißes Kleid, das sie mit ihrem Glück noch überstrahlte – ein Strahlen, das die Schatten verjagte und die Musiker aufspielen ließ.

Die Hochzeit fand Anfang der Siebziger statt, doch es gab weder David Bowie noch Rock 'n' Roll. Zu ihrem ersten Tanz sang Ella Fitzgerald *It's Only a Paper Moon*. Und Ella hatte ganz recht: Es spielte keine Rolle, ob Mond und Ozean aus Pappe waren, solange sie nur einander hatten.

Seine rechte Hand glühte förmlich, als er sie ihr auf den Rücken legte und mit dem Daumen das Tal fand, das zu allem führte, was er jemals würde haben wollen. Diese Hand hielt sie ganz und gar fest, während sie wie schwerelos über den Boden glitt.

Er wäre ihr überallhin gefolgt. Und das tat er auch, bis er ihr nicht mehr weiter folgen konnte.

Morten schiebt die Fotos von der Hochzeit ganz unten in den Stapel und betrachtet andere, die bereits von selbst zu Gelb oder Bronze verblasst sind. Abgebildet ist darauf das Übliche, überraschend ist nur, wie viel Karo sie in all den Jahren anhatten. Da ist Marcus, dort Sigrid. Der Kater, schwarz mit weißer Brust. Astrid hatte ihn Julius getauft. Er hatte einen Wurf Nachkommen gezeugt, die Astrid «Julius' Legionen» nannte. Die Biester kratzten alles kaputt.

Morten muss daran denken, wie er sich einmal zu den Katzen setzte und ihnen erklärte, auf welche sieben Weisen man in Norwegen ganz legal Katzen töten durfte. Während er jede einzelne genau beschrieb, nahmen sie das Sofa auseinander. Sie wussten, dass er bluffte.

Weitere Fotos. Die Gesichter seiner Frau, seiner Kinder.

«Depression», hat Sigrid gesagt.

Nein, das war keine Depression, mit der sie es zu tun gehabt hatten. Es war das andere.

Seinen Kindern hat Morten versichert, der Tod ihrer Mutter sei nicht ihre Schuld. Marcus machte erst ihm Vorwürfe und dann sich selbst. Morten versuchte, beides zu zerstreuen, doch Kinder schaffen es sogar, sich die Schuld dafür zu geben, dass der Mond auf- oder untergeht, so überzeugt sind sie, dass sich die ganze Welt um sie dreht. Und sie geben auch ihren Eltern die Schuld dafür, so wenig begreifen sie den Unterschied zwischen Macht und Autorität.

Was könnte Marcus damit gemeint haben, es sei «wieder passiert»?

Morten legt die Fotos zurück in den Karton und schließt den Deckel. Der Anblick seiner Familie löste einen Sturm der Gefühle aus, aber keine Einsichten. Das ist nicht erstaunlich, denn Stürme sind nur selten produktiv; am besten, man lässt einfach den Deckel drauf. Er schiebt die Schachtel zurück unters Bett, genau auf die Stelle im Staub, wo sie zuvor gestanden hat.

DIE MEISTEN GEWALTTATEN

SIGRID, Irv und Melinda sitzen vor Gloria Dillanes Haus im Streifenwagen. Die Trennscheibe ist offen. Das schwarze Kunstleder verbrennt ihnen die Schenkel, und die stickige Luft erschwert das Atmen, bis Irv den Motor anlässt und kalte Luft aus dem Gebläse kommt.

«Wie war Ihr Kontakt zu Mr. und Mrs. Jones bisher?», erkundigt sich Sigrid. «Es ist doch seltsam, dass Lydias Tod – der zweite ungesühnte Todesfall in einer einzigen Familie – die Sache nicht verschlimmert hat. Und noch seltsamer, dass der Aufklärungsdruck so nachgelassen hat.»

«Der hat gar nicht nachgelassen», erwidert Irv. «Der Commissioner will, dass wir Marcus hinter Gitter bringen. Das wird den Aufruhr beruhigen, den Jeffrey verursacht hat.»

«Jeffrey hat gar nichts verursacht», sagt Sigrid. «Das war Roy.»

«Ich meine, den Jeffreys Tod verursacht hat.»

«Was Sie beschreiben, ist jedenfalls Druck von oben. Von Politikern. Ich meinte Druck von unten. Von den Bürgern. Ich verstehe nicht, wieso der Druck von unten nachgelassen hat. Wir müssen mit Mr. und Mrs. Jones sprechen, Lydias Eltern. Jeffreys Großeltern. Die stehen doch mittendrin.»

«Ich habe schon mit ihnen gesprochen», sagt Irv, fast übertönt von der Klimaanlage.

«Melinda und Sie stellen aber die falschen Fragen», wendet Sigrid ein. «Ich habe es ja gehört. Ich muss selbst mit den beiden sprechen. Nichts an diesem Fall passt zusammen. Lydias Tod ergibt keinen Sinn, Marcus' Schuldgefühle und Verschwinden ergeben keinen Sinn, das politische Drumherum ergibt keinen Sinn. Bitte, Melinda, rufen Sie dort an.» Sigrid wischt sich mit einer alten Serviette aus der Hosentasche über die Stirn.

Melinda wendet sich hilfesuchend an Irv, doch der sieht nur aus dem Fenster. Sigrid wiederholt ihre Bitte, und da Irv nicht widerspricht, ruft Melinda an.

Doch Sigrid ist mit Irv noch nicht fertig.

«Ist der Commissioner weiß?», fragt sie.

«Ja. Wieso?»

«Wurde er auch gewählt, so wie Sie?»

«Er ist ein ins Amt berufener Zivilist. Er wurde also nicht gewählt, gehört aber zur gewählten Regierung.»

«Also ist er ein Politiker. Wie Sie. Kein Berufspolizist wie ich.»

«Wenn Sie so wollen.»

«Also wollen weiße Politiker Marcus wegen Lydias Tod drankriegen. Die Schwarzen wollen das gar nicht.»

«Stimmt nicht ganz. Die wissen gar nichts von Marcus. Für den Rest der Welt – sofern überhaupt einer nach ihm fragt – wird er einfach vermisst. Wir haben ihn weder angeklagt noch sonst öffentlich mit der Sache in Verbindung gebracht. Es gibt keinen Grund, wieso irgendjemand außerhalb der Polizei ihn verdächtigen oder seine Verhaftung fordern sollte. Zumindest wenn Chuck nicht plappert, aber das wäre mir neu, und ich hab ihm gehörig Angst davor gemacht. Der Druck kommt derzeit also nur von innen, ja.»

«Wer genau ist eigentlich dieser Fred Green?», fragt Sigrid.

Melinda spricht leise in ihr Handy. Sigrid hört ein leises «Ja, Ma'am».

«Reverend Fred Green», sagt Irv. «Der Pastor von der First Baptist. Da gehen hauptsächlich Schwarze hin. Er hat Jeffrey beerdigt. Und Lydia. Steht den Jones und den Simmons ziemlich nahe.»

«Und Sie kennen ihn?»

«Flüchtig. Hab ihn im Wahlkampf kennengelernt. Ein Händeschütteln, eine kurze Unterhaltung. Glaube kaum, dass er mich gewählt hat.»

«Nach Jeffreys Tod haben Sie nicht mit ihm gesprochen?»

«Wie gesagt. Das war ein anderes County. Wir waren nicht zuständig. Da mische ich mich doch nicht ein und bringe alles durcheinander.»

«Hätten Sie aber sollen. Das war ein großer Fehler.»

«Okay. Alles klar. Danke.»

Melinda hat aufgelegt, beugt sich zum Gebläse vor und atmet tief ein.

«Warum sollten die keine Aufklärung wollen? Selbst wenn Lydia sich umge-»

«Dafür haben wir keinen Beweis», unterbricht Irv.

«-bracht hat, könnte die schwarze Community glaubhaft behaupten, das sei eine indirekte Folge davon, dass Roy Jeffrey getötet hat.»

«Behaupten kann man alles», erwidert Irv.

«Aber nicht glaubhaft. Und das fände ich absolut glaubhaft. Sie nicht?»

Irv schweigt.

«Ich glaube, jeder anständige Mensch sähe das genauso,

Gesetz hin oder her. Für die Schwarzen wäre es sinnvoll, weiter Gerechtigkeit zu fordern, weil Lydia de facto ein weiteres Opfer von Roy Carman und den Umständen ist, die jemanden wie ihn geschaffen haben.»

Melinda räuspert sich. Irv und Sigrid blicken sie an.

«Ich wollte nicht ... also ... ich versteh nicht, wieso das nur die Schwarzen interessiert», sagt Melinda. «Ich mein, hätten die Cops ein weißes Kind erschossen, würden alle am Rad drehen. Würde die Tante von einem weißen Kind tot auf der Straße liegen, wär das groß in der Zeitung. Aber wenn ein schwarzes Kind erschossen wird, rasten bloß die Schwarzen aus. Wieso? Ich kapier schon, wieso das *auch* 'ne Schwarzensache ist, aber warum ist's *nur* eine?»

«Da hat sie recht», stellt Sigrid fest. «Gute Frage.»

«Okay, Leute, wir sind hier nicht im Einführungskurs amerikanische Kultur. Du» – ausgestreckter Zeigefinger auf Melinda – «hast verkackt, weil du einer Befragten eine Suggestivfrage gestellt hast. Wie Tourette ist das bei dir. Und Sie» – zu Sigrid, während er den Motor anlässt – «Sie sind nicht der verdammte Alexis Tocqueville, okay? Sie sollen hier nicht unser Rechtssystem studieren. Und ich schlucke auch nicht einfach diese Selbstmordtheorie, die sie uns einreden wollen. Sie denken wohl, ich merk das nicht? Abgesehen davon, dass er offenbar ein solcher Goldschatz ist, haben wir immer noch allen Grund, Marcus zu verdächtigen. Auch nette Leute machen schlimme Sachen. Erwachsene sollten so was wissen.» Wieder surrt sein Handy, und er wirft einen schnellen Blick aufs Display. «Verdammtes Journalistenpack.»

«Meine Ausgabe von *Demokratie in Amerika* wurde leider gestohlen.»

«Wollen Sie mich vergackeiern?»

«Mein Vater hat es mir geschenkt. Ich wusste nicht, wovon es handelt.»

«Das ist ja ein wahres Minenfeld hier», brummt Irv.

«Also, ich sehe das so», sagt Sigrid. «Lydia Jones' Neffe wurde von der Polizei erschossen, ohne dass es rechtliche Konsequenzen hatte. Lydia war am Boden. Marcus versuchte vergeblich, ihr zu helfen – dafür gibt er sich die Schuld. Sie ist aus dem Fenster gesprungen. Beschämt und verletzt ist er in die Wälder geflohen.»

«Gute Story. Sauber und stimmig. Es gibt nur ein Problem: Das ist alles bloß Spekulation.»

Irv legt den Gang ein und bringt sie wie mit Rückenwind aus Glorias Viertel. Zehn schweigsame Minuten später fährt er über die Ausfahrt 12 auf eine Straße voller Kettenrestaurants, Filialgeschäfte, Pfandleiher und Läden, deren Neonschilder Vorschüsse auf Gehaltsschecks versprechen.

Sie biegen nach rechts in die Allard Road, vorbei an Holzhäusern in verschiedenen Verfallsstadien. Die Rasen sind hier wild und fleckig, statt Farn und Blumen begrenzt Maschendraht die Grundstücke. Es ist früher Nachmittag. Zwei Latinos beäugen von Gartenstühlen aus misstrauisch den Streifenwagen, der über die breite Straße rollt. Kein Kind winkt ihnen zu, während Irv versucht, die Hausnummern auf den Briefkästen zu entziffern.

Hinter einem himmelblauen 88er Oldsmobile Delta schaltet Irv auf Parken und lässt noch einen Augenblick das Gebläse laufen, ehe er den Motor abstellt. Das Haus ist braun mit beigefarbenen Fensterrahmen. Im Garten hängt eine ausgebleichte Plastikschaukel schief an ausgefransten Seilen.

Irv dreht sich um zu Sigrid und schlägt sich den Ellbogen

an der halb heruntergelassenen Trennscheibe an. Er zuckt zusammen, holt tief Luft und beginnt noch einmal.

«Wir sprechen uns besser ab, bevor's losgeht. Erstens: Wir treten keinem auf die Zehen. Keine Theorien. Keine Spekulationen. Keine Suggestivfragen» – das geht an Melindas Adresse – «und keine Versuche, die beiden aufs Kreuz zu legen, damit sie irgendwas sagen, was Marcus aus dem Schneider bringt. Wir sind hier, um die Lage zu peilen und rauszukriegen, wieso da manches nicht zusammenpasst. Vielleicht erfahren wir was, vielleicht auch nicht. Aber wir gehen's behutsam an. Vorsichtig. Mit Glacéhandschuhen. Kennen Sie den Ausdruck?»

«Nein», sagt Sigrid.

«Er bedeutet vorsichtig und behutsam.»

Sigrid schweigt.

«Und damit klar ist, wie ich die Sache momentan sehe: Ich bin alles andere als überzeugt, dass jemand, der über Rassenbeziehungen forscht, aus dem Fenster springt, wenn ein Familienmitglied von einem weißen Cop erschossen wird, statt auf die Barrikaden zu gehen. Jeder, der sich halbwegs mit der Geschichte der Bürgerrechte in diesem Land auskennt, weiß, durch welche Hölle die Leute gegangen sind, um so weit zu kommen, wie wir heute sind. Der einzige Hinweis auf ein medizinisches Problem sind diese Dateien von Marcus. Der hat aber keine Ahnung von Psychologie, und dass er einen Haufen Zeugs aus dem Internet gefischt hat, bedeutet vielleicht nur, dass er das Unfassbare fassen oder sogar absichtlich eine falsche Fährte legen wollte. Da müssten wir die ... Metadaten checken, oder wie das noch mal heißt, was die im Fernsehen immer machen.»

«Irving», protestiert Sigrid.

Irv hebt die Hand, um sie abzuwürgen. «Ich glaube nicht, dass es so war. Es geht nur ums Prinzip. Im Moment spricht alles dafür, dass Lydia und er sich in die Haare gekriegt haben, weil sie die Welt unterschiedlich sahen, und irgendetwas furchtbar außer Kontrolle geriet. Meiner Erfahrung nach sind die meisten Gewalttaten das Ergebnis davon, dass Schwierigkeiten zur Tragödie ausarten. Irgendwie ist er verantwortlich und weiß es, darum versteckt er sich im Wald und überlegt, was er jetzt tun soll. Was mir nicht in den Kopf will, ist, was zum Geier die beiden in einer Bauruine am Stadtrand verloren hatten.»

Melinda stopft ihr Hemd tiefer in die Hose und überlegt, an welche Tür des kleinen Hauses sie klopfen soll. Links von ihr befindet sich die eigentliche Haustür. Der Rasen ist den ganzen Sommer nicht gemäht worden, die Steinplatten sind völlig überwuchert. Die Blumentöpfe auf den Stufen sind leer und angeknackst, der Fußabtreter faulig und verwittert.

Zu ihrer Rechten führen ein paar Stufen von der Einfahrt zu einer Fliegengittertür. Die Farbe an den Kanten ist abgesplittert, von tausenden Schritten abgenutzt. Darunter kommt das weiche, ungeschützte Holz zum Vorschein.

Melinda dreht sich um, Irv nickt.

Sie betritt die Stufen, legt die Hand auf den Aluminiumgriff des Fliegengitters und will es aufziehen, um an die Holztür zu klopfen. Doch das Gitter wird fixiert durch einen kleinen Riegel. Es soll offenbar Schutz bieten.

Irv und Sigrid treten hinter Melinda auf die Stufen.

Melinda klopft so sanft an den Metallrahmen des Fliegengitters, als wolle sie zwar die Bewohner auf sich aufmerksam machen, aber keine bösen Geister wecken.

Die Tür geht auf, der Riegel wird zurückgeschoben und eine müde, abgehärmte schwarze Frau blickt heraus. Sie öffnet die äußere Tür nicht gleich, sondern mustert die drei weißen Gesichter durch das rostige Gitter. Cops vor ihrer Tür hatten noch nie etwas Gutes zu bedeuten. Ihre Miene ist wie aus Stein. Leere Worte und Artigkeiten, die sie früher vielleicht als freundlich und höflich empfand, bedeuten ihr offenbar nichts mehr. Irv nimmt den Hut ab, und die Frau öffnet ohne weitere Geste die Tür. Melinda tritt als Erste über die Schwelle, den Blick auf den Küchenboden gesenkt.

Sigrid tritt nach Melinda ein. Im Vorbeigehen blickt sie Mrs. Jones an. Ihre Blicke treffen sich, doch es entsteht keinerlei Verbindung. Kein Einverständnis. Auch in Oslo hatte Sigrid schon mit Hinterbliebenen zu tun, aber noch nie mit einer Frau, die in kurzer Folge einen Enkel und eine Tochter verloren hat. Die Luft in der Küche riecht säuerlich. Fast Food, künstlich und versalzen. Das Gesicht der Frau ist grau. Ihre Kleidung ist grau. Das Sonnenlicht, das durch Tür und Küchenfenster dringt, ist grau. Die Wahrheit dieser Welt hat alle Farben ausgesaugt.

Sie werden ins Wohnzimmer geführt. Die Luft ist staubig, geradezu anstaltshaft bedrückend. Der alte Zottelteppich ist fadenscheinig an den Stellen, wo er meistens überquert wird. Die Vorhänge sind geschlossen.

Leise flackert ein Fernseher, den niemand beachtet.

Auf einem Ahorntisch im Esszimmer nebenan stehen zwei Fotografien – eine von Jeffrey, an Weihnachten, und eine von Lydia in Talar und Doktorhut auf einer Bühne.

Sigrid kannte bisher zwei Fotos von Jeffrey. Eins von seiner Facebookseite, das auch durch die Medien ging, und eins von einer Geburtstagsfeier. Auf diesem hier blickt er nach unten auf ein Geschenk, das er gerade auspackt. Er trägt eine schwarze Hose und ein weißes Hemd, wirkt aber dennoch – wie alle Kinder – ein wenig unordentlich, weil das Hemd ihm aus der Hose gerutscht ist. Das Foto hat exakt den Augenblick erwischt, in dem er merkt, dass er bekommen hat, was er sich wünschte, oder sogar etwas Besseres. Was es ist, kann man wegen des Geschenkpapiers nicht sehen, doch das spielt auch keine Rolle: Es geht um ihn. Hinter ihm klatschen zwei Erwachsene in die Hände – seine Eltern vermutlich, Lydias Schwester und Schwager. Ihre Zuneigung ist offensichtlich. Sie freuen sich genauso wie er.

Auf dem anderen Foto steht Lydia an einem Mikrofon. Sie ist schmal, hat aber eine Hand fest in die Hüfte gestützt, während sie mit der anderen nachdrücklich gestikuliert. Sie lächelt, hebt leicht die Brauen, als lade sie ihr Publikum ein, ihr Argument zu akzeptieren. Es ist das Bild einer Person auf dem Zenit ihrer emotionalen und rhetorischen Kraft. Sie strahlt förmlich vor Entschlossenheit und Zuversicht.

Die Fotos sind umringt von brennenden Votivkerzen.

Abigail Jones bittet die Besucher, am Tisch Platz zu nehmen. Sigrid bemerkt, dass Charles, der Vater, nebenan im Flur steht. Er begrüßt weder Sigrid noch die Polizisten.

Sie setzen sich zu den Bildern der Verstorbenen. Sigrid betrachtet die Kerzen. Ob die wohl schon vor Melindas Anruf brannten?

«Ich dachte schon, ich würde Sie nie wiedersehen», sagt Mrs. Jones zu Irv.

«Wieso das denn, Ma'am?»

«Das wissen Sie so gut wie ich.»

Sigrid stupst Irv unter dem Tisch ans Bein. Er reagiert, wie Sigrid es gehofft hat: Vor lauter Überraschung vergisst er zu antworten.

«Reverend Green hat uns alles erklärt», fährt Mrs. Jones fort. Sie beugt sich vor und stützt die Unterarme auf das dunkle Holz. «Wie können Sie noch in den Spiegel schauen, Sheriff, wo Sie wissen, dass Sie und Ihre Leute die Macht hätten, alles besser zu machen, es aber nicht tun?»

Mit derlei Konfrontationen kennt Sigrid sich aus. Junge Beamte verstummen, erfahrene, aber törichte Kollegen werden defensiv. Sie glauben, ihre Ehre werde beleidigt, ihr Revier oder ihre Männlichkeit ... Egal, was, es bringt sie von der eigentlichen Aufgabe ab und wirft sie auf sich selbst zurück. Sie vergessen, wozu sie da sind. Erstaunlicherweise macht Irv diesen Fehler nicht.

«Was kann ich tun, um alles besser zu machen, Mrs. Jones?», fragt er.

Sie lehnt sich zurück und verschränkt die Arme. Die Antwort kommt von Charles Jones, aus dem Flur: «Sie wollen den Täter nicht finden.»

«Sir?»

«Den ‹Sir› können Sie sich sparen. Der Reverend sagt, Sie haben keinen Verdächtigen. Er sagt, Sie haben nichts in der Hand, und wir müssen die ganze Last Ihrer Unfähigkeit, Faulheit und Gleichgültigkeit – Ihrer Sünden! – tragen, so wie Jesus die unseren auf sich genommen hat. Er sagt, Gott legt einmal mehr die Last auf unsere Schultern, und nur die Stärke unserer Familie verhindert, dass diese Stadt ein zweites Watts oder Detroit oder L. A. wird. Und da muss ich mich doch fragen, Sheriff: Wieso rührt der zerbrechliche Frieden in Amerika immer nur daher, dass Schwarze ihre Wut bändigen? Die andere Wange hinhalten? James Baldwin hat gesagt, wenn man als Schwarzer in Amerika halbwegs politisch bewusst ist, ist man ständig wütend. Trotzdem ist hier nicht die Hölle los, weil wir sie nicht heiß machen. Wir kühlen sie ab. In der Kirche, auf Stadtversammlungen, überall zitieren wir Jesus und Martin Luther King. Mütter wischen sich die Tränen weg. Sie haben Gottes Wege studiert, Sheriff, sagen Sie's mir. Sagen Sie mir, wieso der Glaube der Schwarzen immer doppelt geprüft wird. Warum nimmt der Herr von uns und sagt, wir sollen nichts dagegen unternehmen? Warum macht er das nicht mit den Weißen? Hasst er uns im tiefsten Inneren etwa genauso stark, wie Amerika uns hasst?»

Abigail Jones dreht sich nicht nach ihrem Mann um, sie macht keine Anstalten, die Situation zu entschärfen.

«Was wollen Sie hier?», fragt sie. «Sie haben niemanden verhaftet. Sie haben keine Neuigkeiten. Sie wollen was von uns. Was?»

Irv legt die Hände auf den Tisch und verschränkt die Finger. Erst nach einer kurzen Pause gibt er eine Antwort.

«Ich versuche zu verstehen», erklärt er sanft, «was Lydia in dieser Bauruine gemacht hat. Das ist mir ein Rätsel.»

Charles Jones ist breitschultrig und Mitte sechzig. Äußerlich ist ihm das Alter noch nicht anzumerken. Er hat seine Körpermasse im Griff und könnte sie nach vorn verlagern, um seinen Worten Nachdruck zu verleihen.

Stattdessen richtet er sich eisenschwer an Ort und Stelle darin ein. «Sie wollen uns einreden, unsere Lydia sei schwach gewesen. Ich weiß, was Sie denken. Worauf Sie anspielen. Aber Sie war nicht schwach. Sie war eine starke, tapfere schwarze Frau. Das will Ihnen nicht in den Kopf. Darum stecken Sie sie in die einzige Schublade, die Ihnen für sie einfällt. Aber sogar im Tod sträubt sie sich noch dagegen. Schauen Sie!» Er deutet auf das Foto. «Sie war Professorin. Gebildet. Aus ein paar Worten aus einem Buch konnte sie ein ganzes Universum heraufbeschwören. Sie stand mit beiden Beinen auf Gedanken, wie andere Leute auf der Erde.»

Mr. Jones tritt ins Esszimmer und legt die Hände auf die Schultern seiner Frau.

«Egal, ob sie freiwillig dieses Gebäude betreten hat oder gezwungen wurde, Sie brauchen nur zu wissen, dass meine Tochter der aufrechteste Mensch war, der mir je untergekommen ist. Voller Leben. Und jetzt, so wahr ich hier stehe, ist sie im Himmel, weil der Herrgott wusste, dass Jeffrey jemanden braucht, der sich dort um ihn kümmert. Also hat Jesus uns die Tochter genommen, um den armen Jungen zu trösten, ohne noch mehr Schaden anzurichten. Jeffreys liebe Mutter konnte er ja nicht holen, weil die hier unten im Staub noch zwei andere Kinder großzuziehen hat.»

Charles Jones bringt sie zur Tür. Seine starre Miene hält im Zaum, was immer er als nächstes sagen könnte. Als Abigail die Hand an den Türgriff legt, zieht er sich ins Wohnzimmer zurück und überlässt seiner Frau den Abschied.

Der Fernseher wird lauter. Ein Anti-Obama-Spot, der ihn als Quotenschwarzen und falschen Messias beschimpft.

Abigail Jones nimmt Irvings Hand und flüstert: «Sie sind doch Christ, Sheriff? Unter all dem? Unter der Uniform, der Politik und der Hautfarbe? Das sind Sie doch, oder?»

«Ja, Ma'am, das bin ich.»

«Meine Kinder sind im Himmel, das verstehen Sie doch, oder? Meine Babys sind im Himmel, alle beide.»

«Ja, Ma'am», antwortet Irving. «Ganz bestimmt.»

«Dann lassen Sie sie dort. Zusammen. Bei Gott. Verstehen Sie?»

«Ja, Ma'am. Ich verstehe.»

Keine Kinderparade folgt dem Streifenwagen aus dem Viertel. Das Funkgerät knackt ohne Worte oder Neuigkeiten. Hinter den durchhängenden Dächern zeichnet sich die Innenstadt ab. Die Autos werden schneller, Irv fährt auf den Highway.

«Sheriff?», fragt Melinda.

«Hm?»

«Ich kapier nicht, wieso Mrs. Jones das mit dem Himmel gesagt hat.»

«Weil», antwortet Irv, «ihre Tochter, falls sie wirklich Selbstmord begangen hat, laut christlicher Lehre jetzt in der Hölle schmort.»

SIGRID ist am Verhungern, weshalb Irv zu einem Einkaufszentrum abbiegt und vor einem freistehenden Gebäude mit der Aufschrift Cheesecake Factory parkt. Es sieht so neu aus wie ein Kinderspielzeug und ist architektonisch beeinflusst von Griechenland, dem Sumerischen Reich, Art déco und Hasbro. So natürlich wie Las Vegas und so gastfreundlich wie ein Flughafen. In Norwegen gibt es diese Kette nicht.

«Käsekuchen ist Nachtisch», stellt Sigrid fest. «Ich brauche was Deftiges.»

«Der Laden heißt bloß so», erklärt Melinda, während sie den Wagen abschließen und über große Sandsteinplatten auf die Glastüren zusteuern.

Beim Eintreten bläst arktischer Wind durch Sigrids Haar und lässt ihr den Schweiß am Hals gefrieren. Eine fast furchterregend hilfsbereite junge Kellnerin führt sie zu einem runden Tisch mit Korbstühlen aus Plastik und reicht ihnen Karten mit zweihundert Speisen und Getränken.

«Ist das hier überall so?», fragt Sigrid mit einem Blick auf das Angebot.

«Auswahl ist Freiheit», antwortet Irv, setzt die Lesebrille auf und wirft selbst einen Blick ins Schlaraffenland.

«Von was?»

«Hm?», brummt Irv.

«Freiheit von was?»

«Wie meinen Sie das?» Er blickt von der Karte auf.

«Man kann nur frei *von* irgendwas sein. Freiheit ist ein relativer Begriff. Also ... wenn man zwischen Salat und Rippchen wählen kann, wovon ist man dann frei?»

«Von Tyrannei?», schlägt er vor.

«Das soll kein Ratespiel sein», sagt Sigrid. «Es interessiert mich wirklich. Irgendwie scheint das mit allem zusammenzuhängen, was hier bei euch los ist.»

Das Restaurant hat zwei Ebenen – zwei Stufen führen nach oben zu einem Sitzbereich vor einer Bar, ebenerdig stehen über dreißig Tische. An einem Viertel davon sitzen Familien. Kinder sind damit beschäftigt, Bilder auszumalen, zu essen, auf ihre Handys zu starren und Getränke zu verschütten. Die Erwachsenen unterhalten sich, kümmern sich um die Kinder oder blicken schwermütig in eine imaginäre Ferne, sehnen sich danach, dass eine neue Liebe oder notfalls auch der Tod sie aus all dem Glanz herausholt.

So gesehen ist es hier auch nicht anders als in Norwegen.

«Schauen Sie lieber, was Sie essen wollen, bevor die Bedienung kommt», mahnt Irv. «Service wird in Amerika großgeschrieben.»

«Das Servicepersonal ist dazu abgerichtet, die Schlagzahl an den Tischen künstlich zu erhöhen, um durch mehr Trinkgeld seinen miserablen Lohn auszugleichen. Und um den Profit zu erhöhen. Und ihr seid abgerichtet, für guten Service zu halten, was eigentlich nur grauenhaft unhöflich ist. Man kriegt die Rechnung ja schon, während man noch kaut.»

«Sie sind bestimmt eine von diesen Frauen mit niedrigem Blutzucker. Sehe ich gleich. Sie sind schließlich nicht mein erstes Date.»

«Irv.» Sigrid beugt sich vor, um nicht gehört zu werden.

«Von innen sieht man das wahrscheinlich nicht, aber der Rest der Welt findet Amerika ziemlich seltsam. Ihr habt auf alles vorgefertigte Antworten parat. Die meisten davon sind allerdings sinnlos, und die übrigen wurden von PR-Leuten gebastelt. Auswahl ist keine Freiheit. Klar, aus dem Angebot können Sie frei wählen, aber das wurde zuvor von jemand anderem festgelegt. Zum Beispiel stehen weder Kokain noch Nutten auf der Karte. Das steht Ihnen nicht frei.»

«Zumindest hier nicht», räumt er ein.

«Mal im Ernst, was habt ihr nur immer mit Freiheit? Im Fernsehen sehe ich ständig Republikaner, die sagen, sie wollen für Freiheit sorgen. Für die Freiheit Steuern senken. Für die Freiheit den Staat abschaffen. Für die Freiheit Obama besiegen. Ehrlich, ich versteh's nicht. Erklären Sie's mir.»

«Okay», stellt Irv sich der Herausforderung. «Ich bleibe bei der Tyranneiantwort. Wir wollen uns nichts aufzwingen lassen. *‹Don't Tread on Me›* und so weiter. Die Wahl zu haben, bedeutet, dass wir nicht in einer Tyrannei leben. Gut, vielleicht ist Auswahl nicht selbst Freiheit, aber sie ist ein Beleg dafür, weil sie zeigt, dass es keine tyrannischen Vorschriften gibt. Je mehr Auswahl, desto weniger Tyrannei.»

«Aber das ist doch ein Luftschloss! Auch ein Fisch im Glas kann nach rechts oder nach links schwimmen, aber aus dem Glas kommt er nicht raus. Gesetze, Richtlinien, Regeln, Vorschriften, Kultur und Sprache, der Einfluss von Geld und Gier – das alles bestimmt, was man haben kann und was nicht. Die Welt ist geprägt von Dingen, die größer sind als wir. Die Freiheit, für die ihr gekämpft habt, für die wir alle gekämpft haben, besteht darin, diese großen Dinge gemeinsam gestalten zu können. Nicht darin, sich von ihnen zu befreien. Wir haben nicht dafür gekämpft, Gemeinschaft loszuwerden, sondern dafür, eine zu bekommen. Aber ihr Amerikaner wählt zwischen Louisiana Chicken Pasta und dem Glamburger und haltet euch für Cowboys.»

Irv schüttelt den Kopf. «Das ist keine Wahl. Da *kann* man ja nur den Glamburger nehmen.»

Melinda nickt zustimmend.

Sigrid ignoriert sie beide. «Ihr habt eine so hohe Lebenserwartung und eine so niedrige Säuglingssterblichkeit, weil Leute hinter den Kulissen in mühevoller Kleinarbeit komplexe Systeme entwickelt haben, die euer Leben verbessern. Nicht, weil einer die Steuern gesenkt hat.»

«Das sagen Sie nur, weil Sie ein Kommi sind», erwidert Irv und setzt die Brille wieder auf. «Und weil Sie Hunger haben. Frauen sind eben so, wenn Sie hungrig sind. Das finden Sie jetzt vielleicht sexistisch, aber es bestätigt sich immer wieder. Nehmen Sie am besten den Burger. Vom Angusrind», fügt er hinzu und blickt wieder in die Karte.

«Ich bin mir nicht sicher, ob die amerikanische Kultur erschreckend simpel ist», entgegnet Sigrid, «oder überwältigend kompliziert.»

Mehr hat sie vorerst nicht zu sagen. Sie versteht Amerika zwar immer noch nicht besser, doch die inneren Widersprüche treten deutlicher zutage. Von der Speisekarte überfordert lässt sie den Blick zu dem Fernseher schweifen, der über der bestsortierten Bar hängt, die sie je gesehen hat. Auf dem riesigen Bildschirm läuft Sport.

Zwei Teams spielen Baseball. Die Trikots kennt Sigrid nicht, und die Logos sind aus der Ferne zu klein. Soweit sie das Spiel durchschaut, gefällt es ihr ganz gut. Es scheint Geduld und Können zu erfordern und von einer ländlichen Vergangenheit inspiriert zu sein. Vor gefühlt tausend Jahren hat sie sich mal *Feld der Träume* ausgeliehen: Kevin Costner inmitten eines Maisfelds. Merkwürdig heimelig war das. Ob Marcus in den letzten Jahren Gefallen an dem Spiel gefunden hat? In Norwegen ist es eher eine Randsportart.

«Okay.» Irv schlägt die Karte zu. «Was nehmen Sie?»

«Was ist denn Chipotle?», erkundigt sie sich.

«Das weiß keiner.»

«Ich glaube, ich nehme die Calamares als Vorspeise und dann einen Burger.»

Melinda lacht. «Das schaffen Sie nie!»

«Lass sie», sagt Irv. «Ist ja ihr Darm.»

Sie bestellen bei einem Mann, der offenbar niemals blinzelt. Kaum ist die Bestellung aufgenommen, verschwindet er wie mit der Rohrpost in der Küche.

Inzwischen kann Sigrid die Logos auf den Baseballtrikots besser erkennen. Die Cardinals gegen ... irgendwen. Cardinals sind Kardinalsvögel, die kennt sie aus dem Fernsehen. Ausgesprochen schöne Vögel mit fast schon tropischem Federkleid. In Skandinavien gibt es nichts Vergleichbares.

Melinda versteht die Flaute in der Unterhaltung als Aufforderung zum Sprechen.

«Glauben Sie das eigentlich auch?», wendet sie sich skeptisch an Irv. «Dass man für Selbstmord in die Hölle kommt?»

«Nein.»

«Aber viele andere Christen schon, oder?»

«Es ist umstritten, aber die offizielle Lehre sagt Ja.»

«Aber Sie glauben's nicht?»

«Nein.»

«Wieso nicht?»

«Aus demselben Grund, aus dem wir Christen an die Dreifaltigkeit glauben.»

Die Vorspeisen kommen so schnell, dass Sigrid misstrauisch wird.

«Ah ... und zwar?»

«So verstehe ich zumindest Jesus' Worte am Kreuz», sagt Irv und stibitzt Sigrid eine Calamari. «Sieben Worte hat er am Kreuz gesprochen. In Matthäus 27,46 und Markus 15,34 sagt er: ‹Mein Gott, mein Gott, warum hast du mich verlassen?› Das führte zur Dreifaltigkeit.» Er lutscht sich etwas Fett und Cocktailsauce von den Fingern. «Der Gedanke ist der: Wenn Jesus doch Gott war, mit wem hat er dann gesprochen? Doch wohl nicht mit sich selbst, außer ... na ja ...» Ein Stück Tintenfisch in der Hand lässt er den Zeigefinger neben der Schläfe kreisen. «Also sprach er vermutlich mit dem Vater oder dem Heiligen Geist. Damit grenzt er sich vom Ewigen ab und verkörpert zugleich alles Menschliche. Die ganze Angst, Trauer und Tragik. Die Sehnsucht. Das Gefühl, verraten worden zu sein. In diesem Augenblick erkennen wir in ihm nur noch den Sohn – und darum auch uns selbst. So, wie ich das verstehe, ist diese Verzweiflung keine Einladung an uns, ihn zu verspotten oder grausam zu ihm zu sein. Nein, wir sollen seinen Schmerz spüren. Wenn Jesus sagt: ‹Es ist vollbracht›, glaub ich nicht, dass er so was meint wie: ‹Auftrag ausgeführt.› Ich sehe da einen, der sich in sein Schicksal fügt. Der keine Hoffnung mehr hat. Der mit einem Bein schon im Jenseits steht. Und unser Mitleid wächst. Schließlich sagt er: ‹Vater, in deine Hände lege ich meinen Geist.› Das ist natürlich nicht das gleiche wie Selbstmord, aber jeder anständige, nachsichtige Christ muss doch wohl zugeben, dass wir da einen vor uns haben, der nicht mehr kämpfen kann. Man lehrt uns Mitgefühl mit dem Leid, das jemanden so weit bringen kann. Für mich folgt daraus nicht, dass wir einen, der an diesem Schmerz zugrunde geht, in alle Ewigkeit verachten sollen. Das glaube ich einfach nicht.»

Sigrid hört nicht mehr zu. So interessant es auch ist, einem Sheriff bei der Bibelexegese zu lauschen, ist es doch nichts im Vergleich zu dem Bild von ihr, das jetzt auf dem Breitbildfernseher erscheint. Es ist ohne irgendeinen Zweifel das schlimmste Bild von sich, das sie jemals gesehen hat.

Es handelt sich um eine bearbeitete Version des Fotos, das Irv in ihrem präkoffeinierten Dämmerzustand geknipst hatte. Die grellen Leuchtstoffröhren der Zelle hingen direkt über Sigrids gejetlagtem Gesicht und warfen ihr Fabriklicht auf die blonden Augenbrauen, sodass sie nun auf dem Fernsehbild aufleuchten wie Blitze. Leuchtende Augenbrauen wären ja schon Grund genug zum Gaffen, doch viel interessanter ist die Nasenspitze, die offenbar irgendwer blankpoliert hatte. Ohne der Nachrichtensprecherin zuzuhören, konzentriert Sigrid sich auf diese Nase und tatsächlich: Winzig klein spiegelt sich darin der Fotograf – ein Zwerg mit Sheriffhut. Schwarze Dreiecke machen sich unter ihren Augen breit, erst recht, da die Brauen alles Licht schlucken. Sigrid war noch nie besonders eitel, hat sich nie den Kopf über ihr Äußeres zerbrochen, abgesehen davon, sich zu pflegen und anständig zu kleiden. Auf diesem Bild aber wirkt sie weniger hässlich als ... böse. So böse wie jemand, der Kinder, Geburtstage und Piñatas hasst und in einer einsamen Hütte voller Fleischerhaken haust. Und ... was hat sie da eigentlich im Mundwinkel? Ein Stück Knorpel? Tollwutschaum? Die Überreste von Hänsel und Gretel?

«Oh, sehen Sie!», ruft Irv aus. «Sie sind im Fernsehen! Melinda, sag denen, sie sollen das lauter stellen, ja?»

Noch ehe Sigrid protestieren kann, bittet Melinda den Barkeeper mit der ganzen Autorität ihrer Uniform, die Lautstärke aufzudrehen, sodass der gesamte Laden sich nach der Hexe im Fernsehen umdreht und zuhört, als das Foto einem Video von Sigrid weicht:

«... die Schwester des vermissten Marcus Odd-Guard, der in Verbindung mit dem Tod der am dritten August blutüberströmt in der Brookmeyer Road aufgefundenen Dr. Lydia Jones von der Polizei gesucht wird. Ms. Odd-Guard hat offenbar Kontakt zur rechtsextremen Motorradgang ‹Vandals›, die behauptet, von den Vandalen abzustammen, einem Germanenstamm, der das späte Rom geplündert hat.»

Cut zu einem Interview mit Roger Mandel, von dem Sigrid und Melinda kein Wort verstehen, weil Irv augenblicklich in eine wüste Schimpftirade ausbricht. Auf Melindas mahnenden Blick hin beschränkt er sich auf ein konstantes Knurren, sodass die Frauen hören, wie Roger sagt:

«... Tipp von einer verlässlichen Quelle, die uns das Video zugespielt hat, auf dem man sieht, wie Ms. Sigrid Odd-Guard die berüchtigte Bar Inferno neben dem Target an der I-37 betritt. Laut dieser Quelle war Miss Odd-Guard auf der Suche nach einer – Zitat – ‹Mitfahrgelegenheit, um vor der Polizei abzuhauen›. Wie unsere Nachforschungen ergaben, wurde Ms. Odd-Guard kürzlich von der norwegischen Polizei suspendiert, nachdem sie einen unbewaffneten Migranten erschossen hatte. Ihr Aufenthaltsort und ihre Rolle im Fall Lydia Jones sind unbekannt, aber wir gehen sowohl der Verbindung zwischen den Odd-Guards und den Vandals nach, als auch Marcus Odd-Guards Beziehung zu Professor Jones zum Zeitpunkt ihres Todes. Eine Stellungnahme der Polizei konnten wir bislang nicht erhalten. Wir bleiben dran, bis wir Näheres wissen. Zurück zu dir, Alison.»

Sigrids Burger wird serviert.

«Melinda», sagt Irv mit einem Blick zu Sigrid. «Sag Alan, er soll umschalten.»

«Okay, Sheriff.»

Während Melinda ihren Auftrag ausführt, nimmt Irv von Sigrids unberührtem Teller eine Fritte und steckt sie sich in den Mund. «Okay, Juliet hat also erst Ihr Geld genommen und Sie dann für einen kleinen Bonus an uns verpfiffen. Und um noch mehr zu verdienen – ein Geniestreich, das muss ich schon zugeben –, hat sie uns hinterher beide an die Medien verkauft. Wüsste ja gern, was Roger ihr gezahlt hat.»

«Wieso redet der von einem Fall? Es gibt keinen Fall.»

«Als Sie sagten, bei Ihnen läuft nicht immer alles wie geplant, meinten Sie da eigentlich, dass ab und zu auch mal was klappt?»

«Das Foto haben Sie gemacht, Irving. Und dieser Journalist gehört ja wohl zu Ihrem Klüngel.»

«Stimmt nicht. Ich kann den Kerl nicht ausstehen. Aber Klüngel ist ein hübsches Wort.»

«Bringen Sie das in Ordnung.»

«Wird sofort erledigt.» Und tatsächlich kramt Irv umgehend sein Handy aus der Tasche, lehnt sich zurück, bis er an die Decke starrt, und wartet, dass Roger abnimmt.

«Sheriff!», ruft Roger. «Ich versuch schon den ganzen Tag, Sie zu erreichen.»

«Jetzt weiß ich auch, wieso», antwortet Irv und stellt das Handy für Sigrid und Melinda auf Lautsprecher.

«Nachrichten gesehen, hm?»

«Ach, Nachrichten nennen Sie das?»

«Ich wollte Sie ja interviewen, aber Deadlines muss man einhalten. Sagt schon das Wort. Dead-line. Eine Linie, nach der ...»

«Was haben sie der Gunstgewerblerin gezahlt?»

«Ich darf meine Quellen nicht offenlegen, Sheriff, dazu können Sie mich nicht zwi –»

«Von mir hat sie hundert Dollar für Infos bekommen.»

«Hundert? Von uns hat sie dreihundert gekriegt.»

«Die Frau gehört an die Wall Street. Und wann genau haben Sie mit ihr gesprochen? Der zeitliche Ablauf ergibt für mich keinen Sinn.»

«Kurz nachdem Sie den Fahndungsbefehl rausgegeben haben. Wir sind zu Marcus' Adresse, und da war sie. Mit rosa Lockenwicklern und so einer komischen grünen Gesichtsmaske wie aus alten Filmen. Wir haben ihr Geld für Infos über seinen Aufenthaltsort geboten. So was machen wir dauernd, keine große Sache. Viel erwartet habe ich nicht. Nicht, bis wir von der Affäre mit Dr. Jones erfuhren, durch ein paar Interviews im Elfenbeinturm, die wir nach ihrem Tod sowieso geführt hätten. Wir hatten also kurz nach dem Roy-Carman-Urteil eine heimliche, gemischtrassige Campusaffäre inklusive Mordfall in der Hand. Und jetzt kommt auch noch eine rassistische Motorradgang ins Spiel, mitsamt Beweisvideo! Wie ein Sozialkrimi auf Speed ist das, Sheriff! Garantierter Bestseller! Da wird noch 'ne Miniserie draus, warten Sie's nur ab.»

«Gemischtrassig? Wir haben 2008. Ein Schwarzer kandidiert als Präsident. Vor zehn Jahren hatten wir nen jüdischen Außenminister – aus meinem Heimatstaat Maine sogar –, der mit einer Schwarzen verheiratet war.»

«Ach, echt?»

«Ja, echt.»

«Aber jeder mag Campusmordgeschichten.»

«Hm, ja. Bloß ist da leider nichts dran.»

«Die Zutaten machen die Suppe, Sheriff.»

«Nein, das Rezept. Wirklich. Zum Beispiel könnte ich Ihnen aufgrund gründlicher Beobachtung und solider Polizeiarbeit sagen, dass Sigrid *Ødegård …*»

Sigrid hebt die Brauen angesichts von Irvs perfekter Aussprache ihres Namens, er zwinkert ihr zu. «… keineswegs eine flüchtige Kriminelle ist. Wir wissen sehr genau, wo sie sich aufhält und was sie vorhat.»

«Ach ja? Und wo steckt sie?»

«In der Cheesecake Factory beim Einkaufszentrum. Sie hat einen Factory Burger vor sich, medium rare, aber noch kaum einen Bissen genommen.»

«So, so.»

«Sie glauben mir nicht? Fragen Sie sie doch selbst.»

Irv reicht Sigrid das Handy.

«Ich mach Sie kalt, während Sie schlafen», sagt sie.

Irv nimmt das Handy wieder.

«Ihr Englisch wird immer besser. Die Sache ist: Sie arbeitet mit uns zusammen. Wir bezahlen sogar ihren Burger. Ihr Bruder wird tatsächlich vermisst, und sie kam voller Sorge zu uns ins Land der Freiheit, um ihn zu suchen. Weiter nichts. Alles Weitere haben Sie sich selbst zusammengesponnen.»

«Und das Video von ihr bei den Vandals?»

«Sie ist Expertin für internationalen Drogenschmuggel

und den Einfluss ...» – ein Blick auf den kugelrunden Burger – «... der Globalisierung. Genau. Für den Einfluss der Globalisierung auf organisiertes Verbrechen.» Er zeigt Sigrid den erhobenen Daumen. «Wo sie schon mal hier ist, erklärt sie uns netterweise ein paar Dinge. Skandinavien ist ja so fortschrittlich, und wir müssen uns mit diesen infamen Kanadiern rumärgern. Meine Leute waren auch beim Inferno und haben fleißig mitgeschrieben.»

«Und wie kommt unsere Schöne der Nacht Juliet McKenna mit ihrem körnigen Handyvideo da ins Spiel?»

«Ach ja, das Video. Klar. Gefilmt aus der dunklen Ecke bei den Mülltonnen. Ich glaube ja, das ist von Ihnen. Ich glaube, Sie haben Juliet für eine Runde ‹Mehr erwarten, weniger zahlen› hinterm Target getroffen – dass Sie ihr Geld gegeben haben, sagten Sie ja schon. Dann haben Sie was Seltsames gesehen und lieber das gefilmt als Ihre eigenen Sperenzchen – was ich übrigens sowieso ziemlich eklig finde. Zugegeben, das alles *weiß* ich nicht, sondern glaube es nur, aber meiner Ansicht nach bringt Glaube die Menschen zusammen. Und ich könnte mir denken, dass es Spaß macht, Ihrer Frau von meinem Glauben zu erzählen.»

«Jetzt machen Sie mal halblang, Sher...»

«Wiederhören, Roger.»

Irv steckt das Handy weg und grinst Sigrid stolz an. Zu seiner Überraschung ist die allerdings gar nicht begeistert.

«Sie hätten ihm die Lösung präsentieren sollen», seufzt sie, tief im Stuhl versunken. «Wenn Sie ihm nur sagen, er soll das in Ordnung bringen, sind Sie seinen eigenen Ideen ausgeliefert. Sagen Sie ihm dagegen, *wie* er es tun soll, müssen Sie ihn nur noch beaufsichtigen.»

«Sie haben ein interessantes Problem, Sigrid», erwidert

Irv. «Sie haben immer recht, aber das hat niemals Konsequenzen. So wie dieses Dingens aus den griechischen Sagen, ich komm grade nicht auf den Namen.»

«Mann, sind Sie anstrengend», stöhnt Sigrid.

«Essen Sie lieber was. Amerikanisches Rindfleisch. Da geht's Ihnen im Handumdrehen besser.»

VON seinem Plätzchen auf einem flachen Felsen aus blickt Marcus Ødegård nach Westen, wo die Sonne golden im See versinkt. Er gräbt die Füße tiefer in den sandigen Grund des Lake Flower bei Saranac.

Trotz aller Weite und romantischen Lyrik über die unberührte Natur ist Amerika doch von Menschen erbaut, die ein feines Gespür für Grundbesitz und keine Angst vor dem Alleinsein haben. Jedes Stückchen Land, von dem aus man Berge oder Wasser sehen kann, ist hierzulande Gold wert, und irgendjemand erhebt immer darauf Anspruch.

Die amerikanische Seele findet Gott in der Natur. Hier draußen kann man sitzen und der Schlacht beim Toben zusehen, der äußeren wie auch der inneren.

Wie Marcus seinen Studenten immer erklärt hat, ist das sogenannte Wildcampen in den Adirondacks legal. Nicht, dass ihn das interessiert. Der Park ist groß und wild genug – solange er kein Feuer macht und die Taschenlampe auslässt, bekommt ihn womöglich niemals jemand zu Gesicht. Das Problem ist allerdings sein Drang, die Schönheiten des Tages zu bestaunen, die ihn an die besten Aussichtsplätze locken wie eine zarte Melodie. Und er ist nicht der Einzige, der diese Melodie hört. Überall lässt sie die Menschen sich einfach so auf Straßen und Boulevards versammeln, wenn der Tag sich neigt – und eine Schlacht geschlagen ist. Wie

Untote flanieren wir frohlockend Richtung Sonnenuntergang.

Er hätte es besser wissen müssen. Dennoch hat er dem Drang nachgegeben, den Sonnenuntergang von diesem Felsen aus zu sehen. Und jetzt treten drei junge Männer aus dem Wald, offenbar angezogen von derselben Macht wie er.

Sie sind höflich. Auch sie kampieren hier ganz in der Nähe, am Pine Pond. Ob er allein da sei, wollen sie wissen – ja, ist er. Tut uns leid, wenn wir stören. Nein, kein Problem, ringt er sich ab. Schöner Abend, nicht? Ja. Und so weiter. Smalltalk, wie man ihn eben in der Wildnis treibt, wo man sich weder aus dem Weg gehen noch wie auf einer Party einfach zu einem anderen Grüppchen wechseln kann.

Um den aufgehenden Mond sind Lichter zu sehen. Keine Sterne, sondern Planeten.

Die drei sind jung und ausgelassen, genießen ihr Beisammensein. Sie wollen Marcus einbeziehen. «Kennen Sie das schon?», fragt einer namens Jacob. Er hat sein Handy in der Hand. Das gespenstisch blaue Licht des Displays auf seinem Gesicht hebt ihn heraus aus der Natur, es bildet einen Kontrast zu der simplen Erhabenheit des Sonnenuntergangs. Noch einmal lacht er über das Bild auf dem Handy. Die anderen scharen sich um ihn und lachen mit. Einer dieser Menschen, die immer online sind und kribblig werden, sobald das mal nicht geht. Marcus kennt das von einigen seiner Studenten. Je mehr sie durch diese Geräte ihre Einzigartigkeit ausdrücken wollen, desto angepasster werden sie.

Jacob und seine Freunde sprechen über Meme, Viren und davon, das Internet «durchzuspielen». Sie reiten auf dem Kamm einer endlosen Welle aus Gekicher, das sich beständig erneuert und sofort wieder vergessen wird.

Man hält Marcus das Handy hin. Das Foto einer Frau. Er stellt den Blick scharf – der Bildschirm ist zu nah –, und schon wird er hineingesaugt wie in ein Wurmloch.

Jacob nutzt einen Dienst, der alles anzeigt, was in der Nähe seines Handys gerade «trendet», sodass er stets am Puls der Zeit seiner Umgebung ist. Der Witz des Tages stammt von einem lokalen Fernsehsender.

Vor sich sieht Marcus ein Foto von Sigrid, entstellt von Pennälerhumor und Photoshop. Die Camper finden das zum Totlachen. Nennen sie Mrs. Hagrid. Hat er das schon gesehen? Nein? So geil!

Marcus lacht nicht, denn er findet es gar nicht lustig, Sigrid hier zu sehen. Allerdings grinst er genug, um Jacob bitten zu können, ihm das Telefon zu leihen. Zum Foto gehören je ein Link zum Sender und zu einem Artikel. Der Artikel enthält ein zweites Bild: Sigrid auf einem Flyer, getackert an einen Telefonmast an einer Straßenecke, die ihm bekannt vorkommt. Dieses Bild ist nicht bearbeitet. Unten auf dem Flyer steht eine Telefonnummer.

«Kann ich kurz mal telefonieren?», fragt er.

Gemütlich eingerichtet an ihrem Arbeitsplatz in der Zelle kann Melinda endlich ungestört ihrem frisch geweckten Interesse an Selbstmord frönen. Sigrid hört nur das Klicken und Scrollen der raucherzahngelben Uraltmaus. Melinda sucht manisch und findet eklektisch, kommt aber erstaunlich schnell voran – wie das eben so ist, wenn man einen Berg hinabstürzt.

Sigrid will erst abwarten, bis die Schwerkraft Melindas Schwung ein wenig bremst, ehe sie ihn in produktivere Bahnen lenkt.

Allerdings – wie immer bei Melinda – ist der Weg zu diesem Punkt kein stummer.

«Laut Weltgesundheitsorganisation», verkündet sie, «ist Selbstmord weltweit die dritthäufigste Todesursache in der Altersgruppe fünfzehn bis vierundvierzig. Hauptsächlich Männer, aber Frauen versuchen's auch oft. Meistens wegen einer Depression. Zumindest in Amerika greifen Männer zur Schusswaffe und Frauen nehmen Gift. Aber wenn man nach den Gründen fragt, wird's unübersichtlich. Hey, das ist ja cool!» Melinda nimmt einen Schluck Nescafé. «Scheinbar wurde die moderne Soziologie von einem Typ namens Émile Durkheim begründet, und sein erstes Forschungsobjekt war ... tada! ... Selbstmord! Das Buch hieß *Le Suicide*.» Den französischen Akzent hat sie offenbar aus einem Zeichentrickfilm. «Er meinte, Selbstmord sei das Einzige, was man tun kann, ohne einen Vorteil draus zu ziehen. Deshalb dürfte er eigentlich keine sozialen Ursachen haben. Trotzdem fand er Muster. Damit war die Soziologie geboren. Ich hab mich immer gefragt, mit was sich Soziologen eigentlich beschäftigen. Mit Sozialem, wie's aussieht.»

Auch Sigrid ist all das neu. Zwar bringen Melindas Ergebnisse sie nicht weiter, doch es ist tröstlich, dass ihre Verwirrung offenbar einen ehrwürdigen Stammbaum hat.

«Vielleicht machen Sie besser erst mal eine Pause», schlägt sie Melinda vor. Die versteht den Wink und geht hinaus, gerade, als Irv hereinkommt. Er setzt sich auf sein Lieblingsplätzchen in der Zelle.

«Immer noch nichts gegessen?», fragt er und nickt in Richtung der Styroporschachtel neben Sigrid.

«Das Wort *doggy bag* macht nicht gerade Appetit.»

Irv erklärt, dass es dabei zwar früher wirklich nur um

ein paar Bissen für den Hund ging, viele Amerikaner aber heutzutage Essen aus dem Restaurant mit nach Hause nehmen, weil man die riesigen Portionen unmöglich auf einmal verputzen kann – auch wenn viele es versuchen. Sigrid fragt, wieso die Restaurants nicht einfach kleinere Portionen für weniger Geld anbieten. Irv antwortet, mehr von etwas Gutem sei immer besser als weniger. Sigrid sieht das anders.

«*Dance Me to the End of Love* von Leonard Cohen ist ein toller Song», sagt sie, «er wäre aber nicht besser, wenn er ewig dauern würde. Eigentlich wäre er dann sogar sinnlos.»

«Ich hab mit Howard telefoniert», wechselt Irv das Thema. Er legt die Füße hoch und verschränkt die Hände hinterm Kopf, um Sigrid mitzuteilen, was die sich ohnehin schon denken kann. Sie hat den gleichen Vortrag selbst schon nach Gesprächen mit Politikern gehalten.

«Der feine Herr hat meine Eier im Schraubstock. Wissen Sie, was ein Schraubstock ist? Damit quetscht man Gegenstände fest, damit sie nicht verrutschen. Oder man quetscht sie einfach nur. In meinem Fall stecke ich zwischen den Weißen, die wollen, dass ich Ihren Bruder einsperre, weil er eine Schwarze umgebracht hat, und den Schwarzen, die wollen, dass ich stillhalte und die Frau in Frieden ruhen lasse. Die Welt steht Kopf, aber Fakt ist: Was ich auch tue, eine Menge Leute werden mir an die Gurgel wollen. Ich hasse diesen Fall.»

«Und was haben Sie vor?»

«Hm? Ach, ich will doch nur ein bisschen jammern. Ich weiß genau, was ich tun werde.»

«Und ... das ist?»

«Ich kümmere mich persönlich darum, dass die richtigen Seelen in den Himmel kommen. Nicht übel, oder?»

«Wie wär's, wenn wir den Fall einfach lösen und den Rest dem Gericht überlassen?»

«Hab ich das nicht grade gesagt?»

«Nein.»

«Oh, ich dachte, das hätte ich.»

Ein schrilles Fiepen unterbricht die beiden. Es klingt, als wäre ein Vogel mit ihnen in der Zelle gefangen. Irv und Sigrid blicken sich irritiert um.

«Ich glaub, das kommt aus Ihrer Tasche», sagt Irv schließlich. «Ist das Ihr Handy?»

«Nein, so klingt das nicht.»

«Vielleicht ist's das andere.»

«Welches andere?»

«Na das, das Sie extra für Anrufe von Marcus gekauft haben, Frau Chefinspektorin.»

«Oh. Stimmt.» Sigrid kramt das Samsunghandy aus der Tasche und drückt auf die grüne Taste.

«Hallo?»

«Du hättest nicht kommen sollen, Sigrid.»

VON seinem Felsen blickt Marcus auf den dunkler werdenden See hinaus und weiß nicht recht, ob er sich freuen soll, Sigrids Stimme zu hören. Das macht alles nur komplizierter. Doch da er seine Schwester liebt, muss er sie nach Hause schicken.

«Marcus», sagt sie. «Pappa meinte, du seist verschwunden. Ich wollte dich suchen.»

«Wäre nicht nötig gewesen», antwortet er.

Sie sprechen Norwegisch. Die Sprache ist wie ein Schutzschild, hinter dem sie sich zu zweit verkriechen.

«Nach dir wird gefahndet. Die Polizei glaubt, du hättest Lydia aus dem Fenster gestoßen. Es gibt einen Augenzeugen, aber der versteht eindeutig falsch, was er gesehen hat. Ich weiß genau, dass du's nicht warst.»

«Woher willst du das wissen?»

«Ich kenne dich. Die Umstände mögen uns fordern, aber sie verändern uns nicht. Außerdem hab ich deine Dateien gefunden. Ich weiß von Lydias Depression.» Pause. «Ich hab mit ihren Eltern gesprochen. Ihre Mutter fürchtet, es war Selbstmord, will es sich aber nicht eingestehen. Die halten das für eine Todsünde, die Garantie für ewige Verdammnis. Aber wenn sie's weiter abstreiten, kann der Fall nicht abgeschlossen werden. Die Polizei sucht einen Mörder, den es gar nicht gibt.»

«Die Polizei sucht nach mir.»

«Das ist nicht dasselbe. Noch nicht. Hier gibt's einen Journalisten – na ja, so was Ähnliches – namens Roger Mandel, der dein Verschwinden mit Lydias Tod verknüpft hat. Der Sheriff hatte bislang vermieden, dass die Öffentlichkeit davon Wind bekommt, aber das geht jetzt nicht mehr. Die gute Nachricht ist: Irving, der Sheriff, ist von deiner Schuld nicht überzeugt. Er ist ein vernünftiger Kerl – auf seine labile amerikanische Weise –, aber er braucht Argumente. Wir wissen von Jeffrey und wie Lydia das zugesetzt hat. Du musst denen erklären, dass es Selbstmord war, dass du sie aufhalten wolltest und dummer-, aber verständlicherweise abgehauen bist, weil du's nicht geschafft hast. Es tut mir leid, Marcus, ehrlich. Lass mich dich abholen. Wir klären das, und dann fahren wir nach Hause. Pappa kann deine Hilfe brauchen. Und wir alle eine Pause. Ich auch.»

«Hab gehört, du hast jemanden getötet», sagt er.

«Ja, habe ich.»

«Ich auch», antwortet Marcus und legt auf.

Während Sigrid mit Marcus in dieser sonderbaren Elfensprache spricht, öffnet Irv den Fotoordner seines Laptops und klickt auf das Bild, das er von ihr gemacht hat.

«Saukerle», sagt er, laut genug, um gehört zu werden.

Sigrid zeigt keine Reaktion.

«Saukerle!», wiederholt er etwas lauter.

Das Telefon am Ohr sieht Sigrid ihn genauso an wie früher seine Ex, deren Blick wiederum dem seiner Mutter glich, wenn sie wusste, dass er bloß Aufmerksamkeit wollte. Oh, und Frauen in der Bar, die sehen ihn auch so an. Ziemlich viele Frauen sehen ihn so an, wenn man es recht bedenkt.

Irv wendet sich wieder dem morgendlichen Porträt von Sigrid zu.

Na gut, dass es nicht unbedingt schmeichelhaft ist, war ihm schon klar, als er es Frank Allman schickte, und ja, das war eben die übliche Stichelei unter Cops, die einander gerade besser kennenlernen. Aber *so* schlimm ist es nun auch wieder nicht. Hätte sie darauf wirklich eine so glänzende Nase und so gruselige Augen wie im Fernsehen ... na, dann hätte er es bestimmt nicht abgeschickt.

Irv vergleicht die beiden Fotos.

Nein, auf dem Original sieht sie völlig okay aus. Trotz allem. Ihr Hals gleicht immer noch dem einer Königin und geht elegant in die Schultern über. Auf dem Bild kommt das sogar noch besser raus, weil er genauer hinsehen kann.

«Sehen Sie?», sagt er, kaum dass Sigrid das Handy vom Ohr nimmt. «So schlimm war's gar nicht. Die haben daran rumgedoktert. Von mir aus können Sie kaltmachen, wen Sie wollen. Wenn nur eine einzige Frau auf der Geschworenenbank sitzt, kann Ihnen nichts passieren.»

Sie verzieht keine Miene.

«Was ist?», fragt er.

Sigrid senkt den Blick auf das Handy in ihrem Schoß.

«Sagen Sie schon. Was ist los?»

«Das war Marcus.»

«Das dachte ich mir, wegen der Sprache. Und?»

«Er ... ach ...»

«Was?»

«Er hat sich nicht grade gefreut, mich zu sprechen.»

«Tut mir leid. Wo ist er, wo treffen wir ihn?»

«Keine Ahnung.»

«Das geht so aber nicht. Geben Sie mir das Handy.»

Irv ruft die Anrufliste auf und wählt die einzige darin verzeichnete Nummer. Nach viermal Klingeln wird abgenommen. «Hi, hier ist Sheriff Irving Wylie. Sie haben gerade jemandem Ihr Handy geliehen. Wo sind Sie? ... Mhm, okay. Was ist das für ein Handy? ... Okay. Öffnen Sie das Navidingens und geben Sie mir Ihre GPS-Koordinaten durch ... Ja? ... Alles klar. Wenn er weiterzieht, schreiben Sie mir bitte eine Nachricht an diese Nummer, okay? Er ist in Ordnung, aber er steckt in der Klemme, und wir wollen ihn im Auge behalten.»

Irv legt auf, und Melinda kommt herein. «Es gibt ein Problem, Sheriff.»

«Was denn jetzt schon wieder?»

«Ein Haufen Schwarze ... ähm, Afroamerikaner ... hat ... ähm ... einen Haufen gebildet. Vor dem Inferno. Ich glaub, da braut sich was zusammen.»

«Wegen diesem Quatsch von Roger und dem verdammten Video?»

«Kann schon sein.»

«Die geben wohl jetzt der Gang die Schuld wegen Lydia und meinen, Sie müssten unsere Arbeit machen, was?»

«Da will ich nicht spekulieren, Sheriff.»

Irv steht auf und rückt Waffe, Gürtel, Eier und Stiefel zurecht.

«Deputy Rhineheart soll Roger abholen», befiehlt er. «Wenn nötig, soll er ihn an den Hammelbeinen mitschleifen und zum Parkplatz vor dem Target bringen. Roger wird von ‹seinen Rechten› faseln, aber das können wir ignorieren.» Er zeigt auf Sigrid. «Und Sie bleiben schön hier. Ich mein's ernst. Wenn Sie da aufkreuzen, bringen die Sie um, weil sie glauben, Sie hätten mit dem Mord an Lydia zu tun. Dann bringen die Biker Sie um, weil sie glauben, Sie hätten sie verraten. Und dann bringen die Cops Sie noch mal um, weil sie glauben, Sie seien eine flüchtige Straftäterin. Obendrein hassen die Schwarzen die Weißen, die Weißen die Schwarzen und alle zusammen die Cops. Die wiederum hassen sowieso jeden, ganz allgemein. Das wird also ein heikles Dreieck des Verderbens, und Sie stehen mittendrin. Deshalb werden Sie hierbleiben. Verstehen wir uns?»

«Ja», sagt Sigrid.

«Wie konnte es nur so weit kommen?», fragt er rhetorisch.

«Sie haben geblinzelt», antwortet Sigrid.

«Es geht immer nur um Politik, oder?»

Sigrid schweigt.

«Ist das bei Ihnen auch so?»

«Ich hab Urlaub.»

«Wo zum Geier ist Cory?», brüllt er.

Cory winkt wie ein kleiner Junge, der einen verlorenen Baseball wiedergefunden hat.

«Ruf Frank Allman an, und gib ihm diese Koordinaten durch.» Er reicht Cory seinen Zettel. «Sag ihm, dort findet er Marcus. Vermutlich weder bewaffnet noch gefährlich, aber er soll trotzdem aufpassen. Dann rufst du – Gott steh mir bei – Joe von der Eingreiftruppe an und sagst ihm, es gibt Ärger beim Inferno. Sag ihm, das ist keine Übung, aber ich will kein Geballer. Ach, und er soll auf keinen Fall das Wort *target* in den Mund nehmen. Von *Zielen* zu sprechen, macht nur unnötig die Gäule scheu. Wie kommt man überhaupt auf die Idee, einen Laden so zu nennen?»

Irv vergewissert sich, dass sein Revolver geladen ist, und steckt ihn zurück ins Halfter – nur um ihn gleich wieder herauszuziehen, in die Schublade zu legen und diese abzuschließen.

«Was machen Sie da?», fragt Sigrid.

«Mit der Waffe kriege ich das nicht in den Griff. Wahrscheinlich würde ich nur Joe über den Haufen schießen. Melinda?» Er blickt sich um. «Wo ist die denn schon wieder?»

«Hier, Sheriff», ertönt Melindas Stimme rechts von ihm. Sie ist ein gutes Stück kleiner als er und steht immer zu dicht bei ihm. Er glaubt, sie schleicht sich absichtlich so an.

«Ich kann das nicht haben, wenn du dich da versteckst. Zieh dir eine Schutzweste an.»

«Aber Sheriff ...»

«Gibt's an dieser Anweisung was auszusetzen?», blafft er. Stille im Raum, während Irv sie eindringlich ansieht.

«Im Kofferraum, richtig?», fragt sie in festerem Ton.

Irv nimmt sie am Arm und führt sie sanft zur Tür.

«Wir fahren zuerst bei Reverend Green vorbei», sagt er auf dem Weg zum Auto. «Bei der First Baptist an der I-37. Ich fahre, du rufst ihn an.»

«Ist das die Kirche mit dem großen weißen Schild, das bei Regen immer so flackert?», fragt sie.

«Genau. Ruf ihn an und sag ihm, ich muss mit ihm reden.» Irv lässt den Motor an. «Nein, sag ihm, wir holen ihn ab. Und er soll sich in Schale werfen.»

Mit Blaulicht, aber ohne Sirene, steuert Irv auf die Straße und gibt Vollgas Richtung I-37.

Melinda stellt den Polizeifunk an, und – Macht der Gewohnheit – auch das Radio. Es läuft *Bohemian Rhapsody* von Queen, Freddy jault aus voller Kehle vom Beelzebub. Irv befiehlt ihr auszuschalten.

MATTHÄUS 5, 9

SILBRIG nieselt es auf die schwarze Motorhaube des vor der First-Baptist-Church geparkten Streifenwagens. Die Kirche ist ein Betonklotz hinter einem dreißig Meter breiten Schotterparkplatz, über den jeden Sonntag eine vorwiegend afroamerikanische Gemeinde in glänzendem Lackleder zu den drei Stufen vor der grauen Pforte geht. Irv ist zum zweiten Mal hier. Das erste Mal war vor sechs Jahren, im Wahlkampf. Seine Wahlkampfmanagerin Frida Larkin hatte beharrt, wenn er schon so «offen mit seinem Glauben» umgehe, solle er das doch nutzen, um Afroamerikaner für sich zu gewinnen, die sonst eher Demokraten wählen, aber sich über die religiöse Schiene einwickeln lassen könnten.

«Offen mit meinem Glauben?», hatte er gefragt.

«Sie stehen doch dazu.»

«Das gibt's auch nichts zu verheimlichen. Ich hab doch keine Läuse.»

«Nein, Sie sind gläubig. Für Demokraten ist das schlimmer als Läuse. Weil, na ja, Läuse kann man loswerden.»

«Ich glaube kaum, dass Glaube was mit Parteien zu tun hat. Genauso wenig wie Moral. Bleiben wir einfach bei dem Slogan, den ich geschrieben habe, und seien wir nett zu den Leuten, okay?»

«Ihr Slogan ist zu lang.»

«Er ist perfekt.»

Im Kofferraum hatte Irv einen Stapel Gartenschilder. Darauf stand: IRV WIRD EIN GUTER SHERIFF SEIN.

Damals hat Irv auch Fred Green getroffen, doch daran kann er sich kaum erinnern. Es gab Muffins, das weiß er noch.

Eigentlich soll Fred rauskommen und sie auf dem Parkplatz treffen. Doch die Pforte ist noch zu, und weder Irv noch Melinda ist danach, den Reverend zu hetzen und nasser zu werden als unbedingt nötig.

Bei ausgeschaltetem Funk sieht Irv zu, wie die Regentropfen auf die Motorhaube platschen.

Vor Jahren hat er mal ein Buch von George Smoot gelesen, über kosmische Strahlung. Das sind Strahlungsrückstände jenes Feuerballs, mit dem das Universum vor etwa 13,7 Milliarden Jahren seinen Anfang nahm. Zur Ergänzung seines Theologiestudiums hat Irv sich auch etwas mit Kosmologie beschäftigt. Über beide Bereiche nachzudenken, fand er nicht etwa kontraproduktiv, sondern ausgewogen und bereichernd.

Selbst im nahezu perfekten thermalen Gleichgewicht zum Zeitpunkt der Schöpfung gab es primordiale Fluktuationen in der Verteilung von Energie und Masse, minimale Dichteschwankungen statt vollkommener Symmetrie. Mit der Zeit, als das Universum sich aufblähte wie ein Luftballon, wuchs auch die Bedeutung dieser Unregelmäßigkeiten, und die dichteren Bereiche zogen Masse an, aus der bald ganze Galaxien wurden. Auch unser Sonnensystem. Und die Erde.

Das war jedoch nicht das Ende der Geschichte. Nein, die Unregelmäßigkeiten blieben und ergaben schließlich genau das Ungleichgewicht, das jetzt im Hintergrund der Regentropfen wirkt, die hier auf der Motorhaube des Streifenwagens tanzen und auch auf den Parkplatz des Targets prasseln, wo man Irvs Meditation über die schiere Unwahrscheinlichkeit des Daseins kaum teilen wird. Angesichts der Kräfte, mit denen diese Leute regelmäßig ringen, denken sie wohl eher über Zwangsläufigkeiten nach.

Es gibt eben keine einheitliche Feldtheorie. Definitiv nicht.

Irv blickt zu Melinda, die ebenfalls nach draußen starrt. In wenigen Augenblicken werden er – Irving Wylie, Master in Theologie und Sheriff von Jefferson County in der zweiten Amtszeit – und sie – Melinda Powell, Kleinstadtkind mit großem Herz – die Expansion des Universums umkehren und dafür sorgen, dass alle wieder zueinanderfinden.

Melinda wirkt besorgt, sie ist ungewöhnlich still in ihrer Schutzweste.

«Alles okay?», fragt er.

Melinda sagt nichts. Möglich, dass sie ihn nicht gehört hat, aber er glaubt, dass schon.

«Ich hab dir doch gesagt, du sollst die Finger von *The Wire* lassen.»

«Ich kann nicht aufhören.»

«Diese Serie setzt dir bloß Motten in den Kopf.»

Reverend Fred Green kommt mit einem riesigen Regenschirm mit dem rot-blauen Logo von Costco aus der Kirche. Er hält ihn mit beiden Händen fest und legt die Ellbogen an, als trüge der Schirm ihn, statt umgekehrt. Im schweren Regen wirkt er, als kämpfte er gegen das Ertrinken. Er trägt Regenüberzieher über seinen Halbschuhen und blickt so ernst, als hätte er nie zu lächeln gelernt. Seine feuchten Augen glänzen im Blaulicht, als er sich zu Melindas Seitenfenster hinabbeugt. Sie lässt die Scheibe runter, er stützt die Hand auf die Tür. Wasser rinnt von seinem Regenschirm und spritzt auf das Armaturenbrett und Melindas Hose.

«Machen Sie bitte das Blaulicht aus», sagt er.

Irv kommt der Bitte nach.

«Eine bessere Idee haben Sie nicht?», fragt der Pfarrer.

«Ehrlich gesagt, es ist die einzige.»

Reverend Green blickt zu der Baumreihe zwischen dem Parkplatz und der Baugrube daneben, die sich im Regen anfüllt wie ein Baggersee. Irv betrachtet Greens Augen, doch die verraten nichts über die Kriterien, Überlegungen, politischen Überzeugungen oder Erfahrungen, die den Pfarrer bei seiner Entscheidung leiten. Ohne sich noch einmal zu Irv umzudrehen, schließt Green den Regenschirm, schüttelt ihn aus und nimmt auf dem Rücksitz Platz. Die zuschlagende Tür verkündet seine Entscheidung.

Irv fährt an. Die Regentropfen auf der schwarzen Motorhaube fangen jedes noch so kleine Flimmern der Neonlichter ein, doch deren Aussagen werden verzerrt und bleiben ungewiss.

Ein paar Blocks von der Kirche entfernt stellt Irv das Blaulicht wieder an.

Lange sagt der Reverend kein Wort. Im Rückspiegel sieht Irv, wie er stumm auf die nassen Bäume hinausstarrt.

«Danke schon mal für Ihre Hilfe, Reverend», bricht Irv das Schweigen.

Die Hände im Schoß wie auf der Kirchenbank, beugt Fred Green sich zu dem Sprechschlitz in der Trennscheibe.

«Ich saß noch nie hinten in einem Polizeiauto», sagt er leise.

«Wie gefällt's Ihnen so weit?» Beim Dairy Queen biegt Irv rechts in die Lancaster Road. Auf dem Parkplatz findet ein Oldtimertreffen statt. Irocs, Corvettes und Camaros glänzen im Regen. Bestimmt hatten die sich das anders vorgestellt.

«Man weiß erst, wie sich das anfühlt, wenn man wirklich drinsitzt», antwortet der Pfarrer.

Auf dem Parkplatz des Targets ist mächtig was los. Die weißen Linien der Parklücken sind zu Grau verblasst, stumpf wie die Wolken am Himmel. Die gelben Laternen schimmern durch Dunstschleier. Am Rand des Platzes, vor dem Inferno, tobt eine wütende Menge.

Der letzte Protest, um den Irv sich kümmern musste, war eine friedliche Demo nach Jeffreys Tod. Vom Campus ging es acht Kilometer durch die Stadt, die Teilnehmer waren Familien, die für Einigkeit und Gerechtigkeit eintraten. Auf halber Strecke wurden Reden gehalten, bei denen man Schutz vor Polizeigewalt und mehr Transparenz forderte und zum Kampf gegen Rassismus aufrief.

Cory sollte dabei den Verkehr regeln, was er auch ganz prima hinbekam.

Sechs Stunden später hatte das einzige Drama aus einer Vierundsechzigjährigen mit Überhitzung und der Festnahme dreier Teenager bestanden, die auf Skateboards durch die Menge geflitzt waren und iPhones geklaut hatten.

Die Leute, die jetzt vor dem Inferno versammelt sind, haben ihre Familien nicht dabei. Einigkeit ist ihnen egal. Sie demonstrieren weder vor einem Regierungsgebäude, noch stören sie eine Vorlesung oder einen Gottesdienst. Sie sind verbitterte, falsch informierte Menschen, die den Rassisten, die ihre Harleys mit Südstaatenflaggen schmücken, die kalten Herzen aus den Leibern reißen wollen.

Plakate hält niemand hoch.

Irv schätzt die Menge auf dreißig bis vierzig Menschen und beurteilt die Stimmung als grimmig. Keine Kinder, kaum Frauen. In drei Reihen stehen sie etwa hundert Meter vor der Bar. Wahrscheinlich wären sie schon näher gekommen, wenn die Eingreiftruppe ihnen nicht den Weg versperrt hätte.

Die Biker stehen vor ihren Harleys, zeigen mit den Fingern auf die Demonstranten und brüllen hinter dem Schutzwall aus fünfzehn schwerbewaffneten weißen Polizisten erlesene Obszönitäten und die üblichen rassistischen Sprüche.

Zu Irvs Überraschung ist die Eingreiftruppe in voller Kampfausrüstung mit schweren Maschinenpistolen angetreten, als wollte sie an ein paar Haustüren in Bogotá klopfen. Irv hat das nicht angeordnet, doch es gibt Standardprozeduren, die er noch nicht im Kopf hat – einerseits, weil es als Sheriff dermaßen viel zu lernen gibt, und andererseits ... na ja, weil so etwas nicht jeden Tag passiert.

Vielleicht ist es aber gar keine Standardprozedur, sondern die Paramilitärnummer ist auf Pinkertons Mist gewachsen.

Joe Pinkerton: Machowürstchen und Leiter der Eingreiftruppe.

Irv hat Pinkerton noch nie über den Weg getraut. Der Mann ist in einer üblen Gegend von Brooklyn aufgewachsen, von wo man ihn zur Navy geschickt hat, um ihn auf den Pfad der Tugend zu bringen. Pinkerton ging zu den SEALs, wo er statt Tugend alles lernte, was er so brauchte, um ein reinrassiges Arschloch zu werden. Seine Dienstzeit dort war ungewöhnlich schnell vorbei, doch da Irv keine volle Akteneinsicht hat, kennt er den Grund nicht. Vermutlich konnten die anderen ihn nicht leiden und wollten im Fall des Falles weder für ihn da sein, noch sich auf ihn verlassen müssen, weil ... na ja, weil er ein reinrassiges Arschloch ist.

In den sechs Jahren, die Irv ihn bereits kennt, hat Joe Pinkerton immer für irgendwas trainiert: für einen Marathon, einen Triathlon oder eine dieser Ironmangeschichten. Allerdings tut er das nicht im Stillen, nein, alle müssen es mitbekommen. Nach jedem Lauf ließ er sich seine Zeit auf den Arm tätowieren – wo sie jeder sehen und danach fragen kann. Wie die meisten Narzissten hat er einen unstillbaren Appetit auf irgendwas, das er aus Menschenmengen zieht. Irv würde ihn am liebsten feuern, aber Joe ist in der Gewerkschaft, also geht das erst, wenn er wirklich was verbockt. Hoffentlich ist es dann nicht schon zu spät.

Schwungvoll legt Irv den Arm auf die Beifahrerlehne – und knallt erneut mit dem Ellbogen an die Trennscheibe.

«Himmelherrgott!»

Der Reverend verzieht keine Miene.

«Also, Folgendes: Die Nazi-Biker-Ärsche da drüben sind's nicht gewesen. Was Lydia auch zugestoßen ist, sie haben nichts damit zu tun. Die Frau aus den Nachrichten, die mit dem Verbrecherfoto, ist eine norwegische Polizistin. Und in Wahrheit sieht sie gar nicht so aus. Eigentlich ist sie sogar ... Egal. Ich habe ihren Ausweis gesehen, ich kenne sie und ich vertraue ihr. Im Großen und Ganzen wenigstens. Der Punkt ist: Dieser ganze Zirkus hier ...» Er nickt in Richtung des Patts bei den Motorrädern. «... kommt nur von den Medien. Das ist nicht echt. Also jetzt natürlich schon, aber das hätte es nicht sein müssen. Die neue Wirklichkeit ist eben auf Sand gebaut. Was ich nicht kapiere, ist, wieso Sachen, die auf Sand gebaut sind, irgendwie nicht mehr versinken. Die Zeichen der Zeit vermutlich. Aber gut. Wir beide müssen jetzt dafür sorgen, dass das nicht böse endet.»

«Sie haben wirklich keine Ahnung, was hier los ist, oder», sagt Fred Green. Es ist keine Frage.

«Ich hab's doch grade haarklein beschrieben. Ich brauche Ihre Hilfe, um die Lage zu beruhigen. Ein bisschen Teamwork. Kirche und Staat, Hand in Hand.»

«Sie glauben, diese Leute sind wütend wegen eines Nachrichtenberichts?»

«Ich glaube, brennbare Dinge brennen, wenn man sie anzündet, also ... ja.»

«Ihr habt ein schwarzes Kind ermordet, weil es schwarz war. Erinnern Sie sich, Sheriff. Miami nach Arthur McDuffie. L.A. nach Rodney King. St. Petersburg nach TyRon Lewis. Cincinnati nach Timothy Thomas. Und jetzt der kleine Jeffrey Simmons. Hier bei uns. Wie viel sollen vernünftige Menschen noch aushalten? Würden schwarze Cops Weiße umbringen – sie totprügeln, erwürgen, unbewaffnet niederschießen –, wie lang würde es dann wohl dauern, bis die Weißen reagieren? Hätten Sie da auch gesagt, irgendwas sei auf Sand gebaut? Von einer Wirklichkeit gesprochen, die auf Lügen beruht? Da habe ich meine Zweifel.»

«Ich hab niemanden umgebracht», erwidert Irv, «und ich will hier keinem wehtun. Im Gegenteil. Ich will vermeiden, dass wir der nächste Punkt auf der Liste von Katastrophengebieten werden, die Sie grade aufgezählt haben. Und Sie werden mir dabei helfen.»

«Ich soll den Leuten – nur den Schwarzen natürlich – also

sagen, Gewalt sei keine Lösung. Was meinen Sie, wie lange das noch jemand glaubt?»

«Reverend, wir haben hier ein akutes Problem, gleich da drüben –»

Fred Green hebt eine Hand. «Die Polizei hat Jeffrey Simmons ermordet. Ob diese Biker damit zu tun hatten, das weiß ich nicht, und es ist mir auch egal. Was ich weiß, ist: Da drüben stehen Cops mit Gewehren einer Gruppe Schwarzer gegenüber und beschützen diese ...» Green lässt das Wort im Ungewissen. «Diese Schwarzen dort sind amerikanische Staatsbürger, Sheriff. Ihre Steuern haben die Patronen dieser Polizisten bezahlt. Ein paar haben Sie sogar gewählt. Was meinen Sie, wieso?»

«Das ist hier kein Spiel, Fred. Lassen Sie uns endlich gehen.»

Der Reverend rührt sich nicht.

Irv reißt sich zusammen, doch die zitternde Stimme verrät seine Wut. «Bitte, Fred. Die protestieren hier nicht gegen Polizeigewalt. Die wollen an diesen Bikern Rache üben, weil Roger Mandel berichtet hat, Sigrid sei rechtsextrem und ihr Bruder habe vielleicht Lydia ermordet. In Wahrheit ist sie eine norwegische Polizistin auf der Suche nach ihrem verzweifelten Bruder, der Lydia höchstwahrscheinlich nichts getan und definitiv nichts mit dieser Gang zu tun hat. Ich versteh schon, was Sie meinen, aber wir können jetzt nicht von oben über das ganze Land richten. Wir sind hier unten, wo die Menschen sind. Also lassen Sie uns diese Menschen beruhigen. Verschaffen wir uns Gehör, klären das Missverständnis und werfen wir ihnen Roger Mandel zum Fraß vor. Wenn sie erst satt sind, werden sie schon ruhig.»

«Und dann?», fragt Fred Green.

«Dann schicken wir Melinda vor, um die Versammlung aufzulösen.»

«Hey, Moment mal! Wieso mich?», wird Melinda schlagartig aufmerksam.

«Weil die einer Frau nicht so schnell was tun.»

«Und warum trag ich dann die Schutzweste?»

«Falls ich mich irre. Okay, Leute: Showtime!»

Irv öffnet die Fahrertür, doch bevor er aussteigen kann, hält Fred Green ihn an der Schulter fest. Überrascht blickt Irv erst auf die Hand und dann den Arm entlang. Der Reverend musste sich so weit strecken, dass er mit der Wange an der Scheibe klebt, was seine Worte ein wenig entstellt. «Nach Jeffrey ... und Lydia ...», sagt er.

«Ich weiß», antwortet Irv und will sich losreißen, doch Green greift fester zu.

«Nach Jeffrey und Lydia ... Wenn die Polizei jetzt einen Schwarzen erschießt, um eine weiße Gang zu schützen – egal, unter welchen Umständen ...»

«Schon klar, Reverend. Und jetzt, wo Sie wissen, dass Marcus verdächtigt wird – obwohl er es wahrscheinlich nicht war –, werden Sie sicher wollen, dass ich ihn finde. Die Sache aufkläre. Auch daran arbeite ich.»

«Nein, Sheriff, ich will nicht, dass Sie ihn finden. Oder verhaften.»

«Versteh ich nicht. Wieso?»

«Weil verlorene Gerechtigkeit besser ist als verweigerte.»

Melinda steigt aus und führt den Reverend zur Menge.

Irving folgt ihnen nicht. Stattdessen geht er schnurstracks auf Pinkerton zu, der vor Selbstzufriedenheit strotzend telefoniert und eindeutig scharf darauf ist, seine Führungs- und

Knüppelqualitäten unter Beweis zu stellen. Zum Gruß hebt Pinkerton das Kinn. Der finster dreinblickende Irv ist jetzt zwischen den Demonstranten und der Eingreiftruppe, und aller Augen ruhen auf ihm.

Jemand schreit: *«No justice, no peace!»* Es klingt weniger nach einer Zustandsbeschreibung als nach einem Versprechen.

«Hallo, Joe», sagt Irv.

«Tag, Sheriff. Howard will Sie sprechen.»

«Erschießen Sie bloß keinen, während ich telefoniere. Und drehen Sie ein paar Ihrer Leute zu den Bikernazis um.»

«Ich glaub nicht, dass die Nazis sind, Sheriff», erwidert Pinkerton. «Die sind bloß rechtsextrem.»

«So was nennt man eine Unterscheidung ohne Unterschied. Und jetzt richten Sie ein paar Knarren auf die Weißen. Südstaatenflaggen waren schon immer prima Zielscheiben. Das ist ein Befehl.»

Irv blickt hinauf in den grün leuchtenden Himmel. Der Sprühregen verschafft ihm keine Kühlung. Er stellt sich vor, wie die sauren Tropfen ihn bei lebendigem Leib auffressen. Mit geschlossenen Augen nimmt er Pinkerton das Handy ab.

«Howard, Howard, Howard. Warum hab ich Sie bloß dauernd um die Ohren?»

«Wie sieht's aus?»

«Regelbar», lügt Irv.

«Im Wahlkampf haben Sie versprochen, hart gegen Verbrecher vorzugehen.»

«Ich hab versprochen, *smart* gegen Verbrecher vorzugehen, worunter alle verstanden, was sie wollten. So hab ich gewonnen. Sie verschwenden meine Zeit, Howard, darum lege ich jetzt auf.»

«Ich weiß – der Commissioner weiß – von Ihrem Mitgefühl mit der Familie Simmons und auch, dass Sie mit dem Carmanurteil nicht einverstanden sind. Tja ... Pech gehabt. So ist das Gesetz, und Sie sind der Gesetzeshüter. Wenn irgendwer aus dieser Meute da bei Ihnen dieses Gesetz bricht, verhaften Sie ihn gefälligst und bringen die Lage unter Kontrolle. Das Gesetz ist farbenblind. Keine Ausnahmen.»

Irv legt lieber auf, bevor er etwas sagt, das er zwar gern sagen, aber hinterher bereuen würde.

Er holt tief Luft und wendet sich den vierzig aufgebrachten Menschen zu, die – wider Erwarten – weder ihn noch die anderen Cops ansehen. Stattdessen gilt ihre Aufmerksamkeit Reverend Green, der sie mit leisen Gesten zu sich ruft wie ein Reiseleiter, der seiner Gruppe eine Ruine zeigen will. Seine Miene unter dem enormen Regenschirm ist gelassen, und als die Menge sich um ihn schart, schüttelt er Hände und stellt sich denen vor, die er nicht kennt.

Irv steht zu weit weg, um ihn zu hören. Allerdings sieht er, dass Fred Green selbst nicht viel redet. Er politisiert nicht, schwingt keine Reden. Nein, vor allem hört er zu. Und jetzt, wo sich jemand für sie interessiert, reden die Leute. Einer nach dem anderen, gestikulierend, fassungslos.

Irv wendet sich an Pinkerton. «Ihre Leute sollen die Waffen schultern, die Helme abnehmen und sich die Nägel feilen. Wir deeskalieren.»

«Das ist nicht klug.»

«Das ist ein Befehl. Außerdem will ich, dass Sie persönlich in diese Bar gehen und jemanden verhaften.»

«Wegen was?»

«Am besten wegen was Illegalem, aber darauf kommt's nicht an. Notfalls fangen Sie jemanden und lassen ihn später wieder frei. Erst mal ... fangen Sie wen. Ich will in den Abendnachrichten bärtige Gesichter fluchen sehen wie Bierkutscher.»

«Aber wegen was denn?»

Keine Phantasie, dieser Kerl. Null.

«Kennen Sie Popeye Doyle, aus *French Connection*? Machen Sie's wie er. Gehen Sie da rein und nehmen Sie jemanden hops. Wegen unerlaubtem Waffenbesitz, Drogen, Trunkenheit, oder weil er Karos und Tarnfarben kombiniert oder sich mal in Poughkeepsie die Schweißfüße gekratzt hat. Ist mir Jacke wie Hose. Von mir aus können Sie sich auch von jemandem eine reinhauen lassen, dann haben alle was davon. So oder so, in fünf Minuten will ich einen Weißen in Handschellen sehen.»

«Ich dachte, wir sind hier die Gesetzeshüter?»

«Da hat Amerika eben seine Ursprünge vergessen, Pinkerton. Zum Glück kenn ich sie noch. Wir sind nicht bloß Gesetzeshüter, wir sind Friedensstifter. *Peacemaker*, wie die alten Colts. Wir sind nicht bloß da, um Strafzettel zu schreiben. Wir sind die Werkzeuge Gottes. Denn der Herr sprach: ‹Selig sind die Friedensstifter, denn sie werden Gottes Kinder heißen.› Matthäus 5,9. Und jetzt los! Wandeln Sie auf dem Pfad Gottes. Stiften Sie Frieden. Sofort!»

ZWEI Monate ist es her, da hat Marcus Lydia zu einem langen Wochenende in Montreal eingeladen, in der Absicht, sowohl ihren Geist als auch ihren Körper möglichst gründlich zu erforschen. Montreal war nur anderthalb Autostunden entfernt, doch gemessen an den Feldwegen und schlammigen Gräben neben der Interstate auf dem Weg dorthin, hätte es ebenso gut Paris sein können.

Ein ganzes Wochenende in Montreal? In einem Hotel? Mit einem Bett?

«Ja», hatte sie gesagt.

Marcus hatte sich rasiert und seinen einzigen Anzug reinigen, seine Hemden waschen und bügeln und seine Haare schneiden lassen. Er gab sechzig Dollar für ein Eau de Cologne aus, an das er vorher nicht im Traum gedacht hätte. Am Freitagmorgen zog er sich vor dem Spiegel an, der an den Rändern noch beschlagen war. Er war glatt rasiert, adrett gekleidet und roch wie ein Tag am Meer.

«Ja», hatte sie gesagt.

«Okay», sagte er zu sich und lächelte.

Sie nahmen seinen Saab 900 mit dem Riss im Fahrersitz. Mit quietschenden Reifen überholten sie Sattelzüge auf dem Weg nach Norden und hörten Kulturradio, bis sie das Land verließen. Nördlich vom Brasher Falls State Forest überquerten sie den Sankt-Lorenz-Strom, die Grenze und die kanadische Flussinsel Cornwall Island. Der Grenzbeamte wünschte ihnen einen schönen Aufenthalt.

Marcus bog rechts ab auf die 401 nach Osten, dann ging es schnurgeradeaus bis Montreal. Das Abbiegen fühlte sich an, als wären sie so gut wie da, als hätte die Stadt sie schon mit einem Traktorstrahl erfasst.

Lydia legte eine Kassette ein, die sie im Handschuhfach gefunden hatte. «Also», sagte sie, während Modern English *I Melt with You* anstimmten.

Marcus hob die Brauen. «Yup.»

«Was ist der Plan?», fragte sie.

«Einchecken, frischmachen, losziehen.»

«So schnell?»

Er hatte einen Tisch in einem hervorragend bewerteten Restaurant reserviert. Die Fotos auf der Website zeigten einen stilvollen, modernen Raum, in dem schöne Menschen sich angeregt und bester Laune über faszinierende Dinge unterhielten. Fast hätte er einen Rückzieher gemacht, weil er sich nicht an einem dieser Tische vorstellen konnte. Lydia konnte er sich dort allerdings sehr wohl vorstellen. Er malte sich aus, wie der Raum sich in ihren Augen spiegelt. Das wollte er unbedingt sehen.

Also rief er von zu Hause aus an. Jemand meldete sich auf Französisch, er antwortete auf Englisch. Dann buchstabierte er dem Mann am Telefon seinen Nachnamen. Von sieben der Buchstaben kommen zwei im englischen Alphabet nicht vor. Achtundzwanzig Prozent seiner selbst gingen in der Übersetzung verloren.

Ødegård.

Der Name kommt von einem norwegischen Wort für

Bauernhöfe, deren Bewohner vom Schwarzen Tod der Jahre 1349/50 dahingerafft worden waren. Noch sieben Jahrhunderte später klingt fürchterliches Elend darin an. In einem Restaurant in Montreal, mit einem so lebhaften Menschen wie Lydia, hat dieser Name nichts verloren.

Kurz machte ihm dieser Gedanke Angst. Den Blick starr auf die Straße gerichtet, vergaß er ihre Frage und stellte selbst eine: «Was hast du zum Anziehen mit?»

Lydia lächelte. Offenbar hatte sie etwas anderes als den Schwarzen Tod der Jahre 1349/50 im Kopf, denn sie sagte: «Erinnerst du dich an den Catsuit, den Halle Berry in *Catwoman* anhatte?»

Das Auto folgte Marcus' Gedanken auf die Überholspur. Lydia räusperte sich, und Marcus lenkte widerwillig zurück.

Lydia schüttelte den Kopf. «Was habt ihr weißen Kerle nur mit diesem Catsuit?»

Marcus blickte kurz auf ihre Unterarme, dann auf ihre Wangen. Ihre Haut hatte einen leichten Kupferstich, sie hielt die Sonne fest. Er wollte etwas erwidern, doch ihm fiel nichts ein.

Lydia warf die Kassette aus, stellte einen französischsprachigen Radiosender mit amerikanischer Musik ein und legte die nackten Füße aufs Armaturenbrett.

Nach zehn Minuten des Schweigens erklärte Marcus: «Bisher war ich nie ein weißer Kerl.»

«Wie meinst du das?», fragte sie.

«Ich hab mich nie als weiß gesehen. Ich war einfach nur ich.»

«Das ist das eigentliche Privileg der Weißen.»

«Ich weiß nicht. Ich bin kein Amerikaner. Ich bin Norweger. Wir haben eine andere Geschichte. Bei uns gab es nie jemanden, gegen den man sich hätte abgrenzen können, außer den Dänen und Schweden, die uns besetzt haben. Ich meine ... schon klar, wir sind verschieden. Aber ich bin damit nicht aufgewachsen wie die Leute hier.»

Lydia lächelte ihn an. «Könnte der Grund sein, weshalb das hier funktioniert.» Dann legte sie den Kopf zur Seite. «Warten wir's ab.»

Das Hotel war elegant, an der Rezeption leuchtete Lavendel. Ein perfekt frisierter Marokkaner Ende zwanzig lächelte sie über den Tresen an, nahm ihre Pässe entgegen und tippte lässig wie Art Tatum auf die Tastatur.

Lydia trug Jeans, eine taubenblaue Bluse und eine ausgebleichte Cordjacke aus einem Secondhandladen. Sie sah aus wie ein urlaubendes Model aus dem Jahr 1978. In Marcus' Erinnerung an diesen Tag drehte sich die ganze Welt so dicht um sie, dass sie überall perfekt hineinpasste.

Sie bekamen zwei Schlüsselkarten. Ein grünes Licht, ein Druck auf die Klinke, schon waren sie drin.

Lydias Koffer war ein handgepäckgroßer Kleidersack mit Rollen. Marcus hatte eine lederne Sporttasche dabei. Hinter ihm verschwand Lydia wortlos im Badezimmer, während er den Kofferständer ausklappte und seine Tasche daraufstellte, nur um festzustellen, dass sie zwischen den Nylonriemen durchhing. Also klappte er den Ständer wieder zu, stellte ihn weg und sah sich nach einer Alternative um.

In diesem Augenblick kam Lydia aus dem Bad. Sie roch nach Ivory-Seife und trug nichts außer einem blauen Schlüpfer aus Satin. Wie eine Prinzessin glitt sie zwischen die weiß gebleichten Laken, drehte sich auf den Bauch und warf ihm einen verführerischen Blick zu.

Kanada war nicht der Mars, und auch keine Paralleldimension am anderen Ende des Universums. Abgesehen vom vielen Französisch war Montreal eindeutig nordamerikanisch – keineswegs so europäisch, wie viele taten. Trotzdem, die Landesgrenze überquert zu haben, war ein Statement – ja, sogar eine Art Leistung. Es bedeutete, auf dem Boden einer anderen Geschichte zu stehen. An einem Ort, an dem alles anders war. In einem anderen Leben. Hier herrschte eine andere Ordnung, das Erleben von Ursache und Wirkung, ja selbst die Erinnerung an Kontinuität und Wandel waren anders. Nicht alles, was anders war, war auch besser. Doch das Bewusstsein, dass es Unterschiede gab – dass Unterschiede möglich waren –, bedeutete eine Art Freiheit. Eine Freiheit, die ihm Kraft verlieh. Ihn erregte. Ihm das Selbstvertrauen gab, all die Ängste abzulegen, die er während des vergangenen Monats in sich herangezüchtet hatte.

Bevor dieses Gefühl verfliegen konnte, kroch er zu ihr zwischen die Laken. Seine Hand auf ihrem Rücken kam ihm riesig vor. Seine Daumen fanden Halt in den Grübchen neben ihrer Wirbelsäule. Je länger sein Blick sich in ihrer Haut versenkte, desto unbegreiflicher war ihm, wieso Menschen – «seine» Menschen – je aus Afrika in den hohen Norden gezogen waren; derart chronisch unzufriedene Menschen, dass sie auf direktem Weg im Protestantismus landeten.

«Woran denkst du?», fragte sie.

«An Glück.»

Hinterher verschwand Lydia erneut im Bad und kam mit einem «Reißverschluss, bitte» in einem klassischen schwarzen Kleid wieder heraus. Er versuchte, in seinem lässigen dunkelblauen Anzug und den braunen Schuhen mitzuhalten.

Die ersten drei Blocks zum Restaurant gingen sie zu Fuß, dann, weil Lydias neue Schuhe zu sehr drückten, winkten sie ein Taxi herbei. Lydia hatte während ihres Promotionsstudiums einen Französischkurs belegen müssen. Ihr Akzent war fehlerhaft, ihre Phrasen altmodisch. Trotzdem waren die Quebecer entzückt, dass eine Amerikanerin es überhaupt versuchte.

Das Restaurant war größer, als Marcus erwartet hatte. Eine Art umgebaute Fabrikhalle. Die Decke war gewölbt, die Säulen aus Beton und quadratisch. Kühne, geometrische Formen aus festem Stoff kontrastierten mit glänzenden Stahlflächen. Hinter der Bar stand eine umwerfende Brünette in einem ärmellosen schwarzen Kleid, ausgeschnitten bis zum Brustbein. Ihrem Gesichtsausdruck nach zu urteilen, war ihre Schönheit ihr vollkommen egal.

Lydia und Marcus bestellten beide die Lammhüfte.

Sie wählte einen Brunello di Montalcino und als Vorspeise Carpaccio mit Rucola, Parmesan und Kapern. Als sie den Teller vor sich hatte, pickte sie die Kapern heraus und bediente sich an Marcus' Zitrone.

Das Brot war hausgemacht und noch warm. Als sie die Kruste abrissen, stieg Dampf zwischen ihnen auf.

In diesen Erinnerungen schwelgt Marcus am Saranac Lake. Die anderen Männer haben ein paar hundert Meter entfernt am Ufer ein Feuer gemacht. Das einzige weit und breit. Marcus sieht zu, wie der Rauch aufsteigt und das orangefarbene Licht sich flackernd auf dem stillen See spiegelt. Er konzentriert sich auf den Punkt, wo der Rauch verfliegt und sich im endlosen Nichts darüber verliert; gleichzeitig Auflösung und Verschmelzung mit der Unendlichkeit. Die großen Kinder am Feuer schmoren Marshmallows und packen sie zwischen Kekse, grillen Würstchen, die gefährlich an den Enden dünner Stöcke wippen. Ein Ritual aus ihrer Kindheit, das genauen Regeln folgt und wohlvertraute Ergebnisse liefert. Gleichzeitig trotzen sie der Tradition – ja der Kultur als Ganzem –, indem sie Süßes und Herzhaftes gleichzeitig essen. Auch Rebellion gehört zur amerikanischen Naturerfahrung.

Marcus sitzt an einen Baum gelehnt im Dunkeln. Die Wolken im Westen sind mattschwarz. Irgendwo wird gerade jemand nass. Jemand, den er kennt, vielleicht.

Der Wald hier in den Adirondacks ist ein bisschen wie zu Hause, wo Sigrid ihm immer hinterherdackelte, wenn seine Freunde zu Besuch waren und sie zusammen durchs Unterholz streiften, schwimmen gingen, Langlauf machten oder Schlitten fuhren. Er hatte seine kleine Schwester lieber im Schlepptau, als er zugab. Als ihre Mutter Krebs bekam, war es damit aus. Sigrid war zu klein, um zu begreifen, was passiert war. Erst fünf. Er selbst war damals elf. Es ärgerte ihn, dass sie nicht dasselbe wie er fühlte. Mit der Zeit wuchs dieses Gefühl – und damit die Distanz zwischen ihnen.

«Sie ist nicht sehr traurig», sagte er einmal zu seinem Vater, an einem für Astrid besonders schlimmen Vormittag.

«Nein, das ist sie nicht.»

Sigrid plauderte da gerade mit einem Plüschkamel. Sie wirkte ganz normal, und Marcus fragte sich, ob mit ihm oder mit ihr etwas nicht stimmte.

«Das ist, weil sie noch nicht weiß, was Liebe ist», erklärte er.

Sein Vater nahm ihn fester in den Arm, doch keiner der beiden hatte noch mehr zu sagen.

Innerhalb eines Jahres war Astrid gestorben. Der Kampf

war verloren. Er hatte nicht das Richtige gesagt. Bei Lydia wollte er es besser machen. Am Anfang ihrer Freundschaft wollte er das so sehr, dass er am liebsten die Klausurfragen geklaut und geschummelt hätte. Nach ihrem ersten Kuss – eher eine Willenserklärung als ein Akt der Leidenschaft – steigerte Marcus sich richtig in die Sache hinein. Er wollte sie verstehen, sie verdienen, diese kluge, schöne, lebendige, getriebene Frau, die samstagabends Bücher las. Die gern durch den Wald wanderte. Die stundenlang über Gedanken und Geschichte reden konnte. Die zugleich für Gerechtigkeit brannte und stets zur Versöhnung bereit war. Diese Frau, die – wie er bald erfuhr – eine Stoffserviette in ein Huhn verwandeln konnte, das sang «If you want my body, and you think I'm sexy» ...

Am Tag nach dem Kuss besorgte Marcus sich all ihre Veröffentlichungen aus der Bibliothek und machte sich daran, diesen Teil ihres Innenlebens zu ergründen. Das balzende Huhn noch frisch im Kopf, staunte er darüber, wie tief pessimistisch ihre Analyse des amerikanischen Lebens war. Der Großteil ihrer Arbeit richtete sich in Fachzeitschriften an andere Akademiker. Marcus versuchte, aus den Zitaten und gelehrten Schlagworten schlau zu werden, doch der Kontext war ihm zu fremd. Hilfreich war jedoch ein Interview, das ein Student für die Campuszeitung mit Lydia geführt hatte. Zuvor war ein Artikel von ihr im *Daedalus* erschienen, der Zeitschrift der American Academy of Arts and Sciences. Barack Obama lag in den Umfragen immer weiter vorn, und der Journalist, ein Neunzehnjähriger namens Darren Farley, wollte verstehen, wieso Lydias zentrale These in diesem Artikel so quer zum allgemeinen Optimismus stand.

DARREN FARLEY: Professor Jones, Ihre zentrale These lautet, dass Amerika den Rassismus weniger ignoriert, als grundsätzlich unfähig ist, damit umzugehen. Wie kann ein Land grundsätzlich unfähig zu irgendwas sein?

LYDIA JONES: An die Formulierung «grundsätzlich unfähig» erinnere ich mich nicht, aber was ich gesagt habe, ist, dass die strukturellen Motive amerikanischer Identität – die Stützpfeiler unserer Kultur – uns davon abhalten, uns mit Rassismus auseinanderzusetzen. Das ist nicht ganz dasselbe, weil es die Möglichkeit offenlässt, es besser zu machen. Aber für die meisten Menschen fühlt es sich gleich an.

DF: Was genau hält uns davon ab? Ich meine ... die meisten Leute würden doch sagen, dass Freiheit, Gerechtigkeit, Gleichheit, Bürgerrechte und all diese Superheldenwerte gerade die «amerikanischsten» sind. Ist das falsch?

LJ: Meiner Meinung nach beruhen all diese wunderbaren Werte auf etwas anderem. Wir halten sie für den Kern, aber das sind sie nicht. Wenn Sie all diese Wörter nehmen – all diese Superheldenwerte, wie Sie sagen – und sie wie eine kleine Galaxie auf der Tafel anordnen, können Sie eine hilfreiche Frage stellen, nämlich: «Was ist das Gravitationszentrum, um das all diese Werte kreisen?» Anders gesagt: Welches Organisationsprinzip hält sie zusammen? Wenn Sie sich das mal näher anschauen, drängt sich als Antwort der «Individualismus» auf, der Wert des Einzelnen. Einerseits eine wunderbare Sache. Andererseits aber auch ziemlich unflexibel. Wenn man sich nur noch auf das Individuum konzentriert, wird man blind für andere Aspekte. Konservative – und generell viele Weiße – klammern sich an die Vorstellung, heute seien doch alle Rassen frei und gleich, und es gebe nichts mehr zu tun. Manche sagen das, weil sie Rassisten sind. Aber ich glaube, viele sind gar nicht rassistisch. Sie sagen das nur, weil sie so gern an den amerikanischen Individualismus glauben. Wenn Linksliberale oder *People of Color* über Rassismus sprechen, klingt das für Konservative, Libertäre und Individualisten, als wollten wir Menschen in Schubladen stecken, statt ihnen herauszuhelfen. Sie behaupten, ihnen ginge es um Einigkeit. Auf verdrehte Weise glauben sie, sich mit Rassismus zu beschäftigen sei selbst rassistisch, weil es Individuen in Gruppen zwängt.

DF: Also ist der Individualismus das Problem?

LJ: Eher ein Paradox, finden Sie nicht? Er ist sowohl das Problem als auch die Lösung. Wir stehen heute einem Konservatismus gegenüber, der auf einem Verständnis von Amerikanischsein beruht, laut dem jede Aufmerksamkeit für Probleme bestimmter Gruppen, jeder Versuch, Diversität durch angemessene Repräsentation zu fördern – oder Diskriminierung durch Quoten zu bekämpfen –, selbstentzweiend und diskriminierend sind. Darum beschimpft man Linksliberale auch als «unamerikanisch». Jedes Augenmerk auf die Sorgen und Nöte bestimmter Gruppen ist nach Meinung dieser Konservativen spalterisch. Wir *People of Color* schreien auf, weil wir leiden, und sie bestreiten unser Leid, sagen, es sei das Leid von Einzelnen, nicht das einer Gruppe. Sie sehen die ganze Welt durch ein «Prisma des Individualismus» – so nenne ich das zumindest in meinem Artikel. Dieses Prisma verhindert jede Diskussion über Rasse und Rassismus. Wenn Sie mich fragen, ist diese Sichtweise übermächtig und vielleicht unüberwindbar. Das geht tiefer als Rasse. Tiefer als Politik. Es ist ein kulturelles Organisationssystem. Dadurch werden wir amerikanisch. Dadurch *machen* wir uns zu Amerikanern. Das funktioniert performativ. Wenn das aber zutrifft, dann kann Amerika zwar vor Gericht mal eine Schlacht gegen den Rassismus gewinnen oder neue Gesetze erlassen, aber nie den Krieg gegen die Geschichte und die Verhältnisse, weil die Leute dafür die Welt mit anderen Augen sehen müssten; mit Augen, die sie zwingen würden, ihr Amerikanertum aufzudröseln und neu zu definieren. Und genau das können wir nicht tun, weil dieses Amerikanertum das Einzige ist, was uns alle verbindet. Man kann sich des Eindrucks nicht erwehren, dass Amerika in seiner Geschichte stets Gruppen versklavt, aber nur Individuen befreit.

Marcus hat das Gelesene wochenlang gehütet wie ein schmutziges Geheimnis – als hätte er einen heimlichen Blick in Lydias Tagebuch geworfen und wüsste jetzt mehr von ihr, als sie ihm je erzählt hätte. Es kam ihm vor, als würde jeder Blick in diese Richtung, jedes Eingeständnis der Richtigkeit ihrer Schlussfolgerungen – jede Aufmerksamkeit dafür, dass sie schwarz und er weiß war – sie beide aus einem Traum reißen oder einen Zauber bannen. Die tiefe Verbundenheit mit Lydia war nicht bloß eingebildet, doch er musste einen Weg finden, die mögliche Ursache ihrer künftigen Trennung zu beseitigen. Das Ironische daran war allerdings nicht zu übersehen: Er wollte ihre Einzigartigkeit betonen, indem er genau die Geschichte ausstrich, die laut Lydia wesentlich bestimmte, wer sie beide waren.

Aber ... er war doch Norweger. Galten diese amerikanischen Probleme auch für ihn? War Weißsein ansteckend?

«Alles in Ordnung?», hatte der kanadische Kellner gefragt.

Marcus gab keine Antwort. Er sah zu, wie Lydia grobes Salz auf ein Stück Brot streute.

«Alles bestens, danke», antwortete sie.

In diesem Augenblick klingelte ihr Handy. Ein altmodischer Klingelton, wie ein altes Festnetztelefon. Die Hauptgerichte waren noch nicht gekommen. Der Kellner räumte die Vorspeisenteller ab, Lydia warf einen Blick aufs Display.

«Das ist Karen», flüsterte sie. Das Kerzenlicht spiegelte sich in ihren Augen und auf dem Telefon.

Ihre Schwester. Da musste sie rangehen.

Jeffrey, gegen den Marcus zweimal Schach gespielt und verloren, gegen den er einmal Schiffeversenken gespielt und gewonnen hatte, war von der Polizei erschossen worden. Er war tot.

Marcus konnte hören, wie Karen am anderen Ende der Leitung an ihrer Trauer erstickte. Vorsprachliche, vormenschliche Geräusche. Reine Seelenpein.

Lydias erster Impuls war, Karen zu trösten. Doch als sie den Mund öffnete, drang dieselbe Sprachlosigkeit auch in sie ein. Leise schwoll sie in ihr an. Tränen schossen ihr in die Augen, und ihre freie Hand bewegte sich nicht etwa zu Marcus, sondern an ihren Hals. Als sie endlich nach Luft schnappte, klang das, als öffnete sich ein Ventil. Kalter Wind brauste in sie hinein, füllte sie an und kam nicht mehr heraus.

Wie gelähmt nahmen sie ein Taxi zurück zum Hotel. Marcus führte sie zum Parkplatz. Im Auto – gerade rechtzeitig, als der Motor ansprang und das Geräusch übertönte – schluchzte sie los. Marcus hob die Hand, um sie zu berühren, doch er wagte es nicht.

Im Dunkeln, duftend nach edlem Parfüm und Eau de Cologne, der Sprache vollständig beraubt, fuhren sie zurück nach Amerika, über die Grenze, wo die Beamten erneut fragten, ob sie etwas zu verzollen hätten.

Die Jungs mit den geschmolzenen Marshmallows wollen morgen wieder abreisen, haben sie gesagt. Umso besser. Es ist nur eine Frage der Zeit, bis die Polizei hier ist; bis die schwarzen Hubschrauber aus den Regenwolken auftauchen und die Nacht mit roten und grünen Blinklichtern durchschneiden – orangefarbenes Leuchten aus den Cockpits, Piloten, die übers Wasser gleiten wie mystische Halbgötter, Rotorblätter wie wirbelnde Schwerter göttlicher Gerechtigkeit, aber ohne Sinn für deren Wert.

Besser, wenn Sigrid nicht dabei ist, denkt Marcus, während er die Trommel seines Taurus-.38er-Revolvers ausklappt und die Patronen zählt. Sie braucht das nicht mitanzusehen. Er weiß, wie es ist, wenn eine Geschichte zu Ende geht, versteht, dass die einzelnen Figuren ihre dramatischen Versprechen einlösen müssen. Lydias Eltern brauchen ein Ende, das keinen Zweifel lässt. Die Polizei braucht einen Bösewicht. Die Schwarzen auch. Und das ist in Ordnung so. Er hat das verdient. Damals schon und heute auch. Es ist besser so.

Trotzdem. Am besten erfährt Sigrid alles erst hinterher. Wie beim ersten Mal.

DIESES Motel, so muss Sigrid feststellen, hat nicht mal eine Eismaschine. Es duckt sich in den Wald hinter einer schwarz im Regen glänzenden Asphaltfläche, aus der Öl quillt und die vom Dach gespiegelten Buchstaben verzerrt – L-E-T-O-M.

Bei der kurzen Internetrecherche in der Wache wirkte der Ort eigentlich recht hübsch. Das Motel war auf den Fotos allerdings nicht zu sehen.

Das Fenster ist offen, Sigrid sitzt auf der Bettkante. Die Farben im Zimmer sind warm, aber nicht einladend. Das Rotbraun der Tagesdecke. Das Gelb der alten Glühbirnen. Das Rot des Teppichs, an der Tür bis zu den weißen Fäden abgewetzt. Außer Sigrid verbringt die Nacht hier heute nur der Dicke, der hinter der Rezeption sitzt und eine Spielshow kuckt.

Hierherzufinden war leichter, als erwartet. Irvs Leute sind ausgesprochen hilfreich, aber ihre Bereitschaft, sie ohne sein Okay hier rauszufahren, bestätigte Sigrids Verdacht, dass sie außerdem viel zu diensteifrig und autoritätshörig sind – egal, ob die Autorität nun echt oder nur eingebildet ist. Wäre das ihr Team, würde sie mehr kritisches Denken einfordern.

Im Hauptraum der Wache gibt es einen Fernseher auf einem Schwenkarm, den Sigrid von der Zelle aus hatte sehen können. Die Ereignisse auf dem Parkplatz des Targets wurden live übertragen. Ein gut gekleideter Schwarzer mit buntem Regenschirm sprach mit der Menge, Melinda stieg aus dem Streifenwagen. Im Ticker stand etwas von Deeskalation.

Mehr Drama gab es nicht und damit auch keinen Grund mehr für sie, noch länger in der Wache herumzusitzen. Es war Zeit weiterzuziehen.

Allein in die Adirondacks aufzubrechen, fühlte sich richtig an. Irv konnte ja nachkommen. Oder auch nicht. Das Wichtigste war jetzt, Marcus zu finden.

Doch auch wenn sie ohne Irv zurechtkam, einen Fahrer brauchte sie. Noch mal vorsätzlich in einen amerikanischen Bus zu steigen, kam nicht in Frage. Dieser Geruch nach gammligem Formfleisch und kaltem Zigarettenrauch, der Urindunst auf dem Bussteig, die Abgase, die Schweißfüße auf den Armlehnen ... Nein, da musste eine andere Lösung her.

Im Hauptraum der Wache saß ein junger Deputy namens Eddie Caldwell. Irgendwas an seiner Miene sagte Sigrid, dass ihm noch nie etwas Schlimmes zugestoßen war.

«Irv sagt, Sie sollen mich nach Saranac Lake fahren», log sie. «Jetzt gleich. Sie wissen, wer ich bin, oder?»

Eddie wirkte skeptisch, aber auch leicht zu beeindrucken, also setzte Sigrid noch eins drauf. «Ich bin Chefinspektorin Sigrid Ødegård. Und wir sind spät dran. Macht also nichts, wenn Sie sich ein bisschen sputen.»

Eddie schnappte sich seine Jacke, ließ eine Frau namens Alice wissen, er sei in ein paar Stunden zurück, und schon waren sie unterwegs.

Sigrids erste Nacht in einem Motel hat sie mit zwei Fläschchen zweitklassigem Whiskey und einem riesigen Eimer voll Eiswürfeln verbracht. Und damit, ihren Zehen beim Wackeln zuzusehen. Diesmal soll das besser werden.

Morgen will sie zu Frank Allman, dem hiesigen Sheriff – gleich um neun, wenn die Wache öffnet. Allman wird dann wohl schon da sein, Irv aber noch nicht. Sie sollte also ausreichend Zeit haben, Allmans Sicht der Lage einzuschätzen und zu sehen, ob er zu überlegtem Vorgehen tendiert oder lieber wie dieser Joe Pinkerton den ganzen Wald abfackeln will, um Marcus zu finden. In letzterem Fall müsste Sigrid auf ihren neuen Plan zurückgreifen.

Im Gegensatz zum Fehlschlag mit der Motorradgang wird der auch funktionieren. Alles, was sie dafür braucht, sind eine Landkarte, Marcus' GPS-Koordinaten und – falls es hart auf hart kommt – eine große Menge Alkohol. Das hat sie im Handumdrehen beisammen.

Sie nimmt den Schlüssel und geht.

Das Motel ist zwar eine miese Absteige, hat aber den Vorteil, ganz in der Nähe eines rund um die Uhr geöffneten Schnapsladens zu liegen. Auf dem Trampelpfad im Gras neben der Straße atmet Sigrid den abendlichen Duft warmen Asphalts und frischen Regens ein, dann betritt sie den erstaunlich gut sortierten Laden in einer Art Garage. Elektronisches Bimmeln kündigt ihre Ankunft an, wofür sich aber niemand interessiert. Sie schnappt sich einen Plastikkorb, hängt ihn sich an den Arm und pfeift einen neuen Song von Maria Mena.

In Norwegen kann man Alkohol nur in den Filialen des *Vinmonopolet* kaufen, einer staatlichen Kette mit astronomischen Steuern. Selbst der billigste vergorene Klärschlamm aus Österreich kostet dort umgerechnet etwa siebzehn Dollar. Hier dagegen ... oh, hier ist das ganz anders. Hier muss ein guter Plan nicht teuer werden.

Als Sigrid und Marcus noch klein waren, fanden sie oft leere Limonade- und Bierflaschen in dem Bach, der mitten durch das Dorf floss. Sie spülten sie aus, befreiten sie von den Etiketten und hielten sie – wenn es ganz, ganz dunkel war, lange nach acht Uhr – über umgedrehte Taschenlampen. Das tauchte das Zimmer in ein so gruseliges grünes Licht, als würde ihr gemütliches Zuhause von einer leuchtenden Atomwolke erfüllt. In dieser Giftwolke erzählten sie einander Gespenstergeschichten, bis einer von ihnen – meistens Marcus – es mit der Angst zu tun bekam.

All diese Flaschen gibt es auch hier. Und die billigen Blended Whiskeys, für alle, die sich die Single Malts in Gang drei nicht leisten können oder sie nicht zu schätzen wissen. Und ja, da sind auch ihre Freunde von der Isle of Skye und aus den Highlands, dazu ein paar aus den Lowlands, und – oh! – fast richtig geformte Whiskeygläser im Angebot!

Aber Whiskey braucht Sigrid nicht. Zuerst mal braucht sie Klaren. Den gibt es in Gang zwei, wo sie vier Flaschen Wodka in ihren Korb lädt. Ein pseudorussischer Name, abgefüllt in New Jersey, aber das Zeug hat fünfzig Umdrehungen – da kriegt man was für sein Geld.

Für den Eigenbedarf möchte sie aber lieber Rum.

In Oslo ist Rum nicht sehr beliebt. Der hochwertige Ron Zacapa 23 hat die Weltherrschaft inzwischen so gut wie errungen und kolonisiert nun auch die oberen Regalfächer der *Vinmonopolets*. Die unteren überlässt er Bacardi, der sich weniger zum Trinken eignet als zum Verschütten in miesen Clubs. Hier allerdings gibt es auch einen Rum, den sie mal im Duty-Free-Shop in Brüssel gekauft hat. El Dorado 21. Für läppische einhundert Dollar.

In Oslo würde dieselbe Flasche über dreihundert kosten.

«Entschuldigung», sagt Sigrid zu dem Mann an der Kasse, der aussieht wie ein Bär in Lederkluft. «Ich hätte gern den El Dorado 21. Der ist in der verschlossenen Vitrine.»

Es ist zehn Uhr abends. Keine Musik im Laden. Hinter dem Mann tickt eine Uhr.

«Der kostet hundert Eier, plus Steuer. Ist Ihnen schon klar, oder?»

«Ein Schnäppchen, glauben Sie mir. Müssen Sie unbedingt mal probieren.»

Der Mann schnaubt in sein Fell. «Kann ich mir nicht leisten.» Er kramt den Schlüssel hervor, der an ein riesiges Stück Treibholz angekettet ist – wohl, damit er nicht gestohlen, verloren oder von einem Nichtbären verschleppt wird.

Als er mit dem Rum zurückkommt und die Preise eintippt, blickt er auf den Wodka, den sie aufgeschichtet hat wie Artilleriegranaten.

«Fiese Plörre, wissen Sie, oder? Da ist ja sogar Royal Gate noch besser.»

«Für meine Zwecke genau das Richtige.»

Während der Mann ihre Kreditkarte belastet, streift Sigrids Blick zu dem stummen Fernseher über ihm. Eine korpulente, mittelalte Frau steht am Rand einer Plattform vor vier riesigen roten Bällen, die über einem Schwimmbecken montiert sind. Sigrid fragt sich gerade, was das soll, da schwingt von hinten ein großer roter Hammer ins Bild und schleudert die Frau über den ersten Ball. Kopfüber stürzt sie in die Lücke zwischen Ball eins und zwei, prallt vom einen zum anderen und platscht dann ins Wasser.

«Was ist das denn?», fragt sie den Mann, als der ihr die Kreditkarte zurückgibt.

«Wipeout.»

«Warum tun die Leute sich das an?»

«Zum Spaß. Und für die Kohle.»

«Auf welchem Sender läuft das?»

Zurück im Motel, auf dem Bett vor dem Fernseher, schenkt Sigrid einen ordentlichen Schluck Rum in einen der Zahnputzbecher ein. Schuhe aus, Zehen in die Höh', dann schließt sie die Augen und riecht, lässt sich vom Duft an Orte voller kräftiger Primärfarben entführen, wo das Meer türkis und weiß ist und der Sonnenuntergang abendliche Wärme bringt, in Gesellschaft von Menschen, die stundenlang über Forensik, Ermittlungstaktik und Methoden der Gewaltvermeidung reden können. Gute Musik läuft dort natürlich auch.

Sie führt das Glas an die Lippen und nippt ganz vorsichtig daran.

Das Handy klingelt. Sie ignoriert es.

Jetzt ein größerer, genüsslicherer Schluck. Zwei, drei, vier Klingeltöne lang lässt sie den Rum ihre Zunge umspielen, bevor sie ihn herunterschluckt. Erfüllt von karibischer Wärme ist sie einen kurzen Augenblick lang jung, optimistisch und womöglich ein völlig anderer Mensch.

Dann geht sie ans Telefon.

«Hallo?»

Durch die Leitung bläst bitterkalter Wind. Er kommt aus dem Mund von Sheriff Irving Wylie.

Sein Ton sagt ohnehin alles, also dreht Sigrid das Handy weg. Was immer er da zetert, aus einer Armlänge Entfernung klingt es wie ein Hummelehepaar beim Scheidungsrichter.

Als er Luft holt, nimmt Sigrid das Handy wieder ans Ohr. «Irving, alle wissen, wo ich bin», sagt sie. «Ich wollte morgen nur ganz früh mit der Suche anfangen. Kurz allein mit Allman sprechen. Was dachten Sie denn? Also ehrlich. Ich bin extra aus Norwegen hergeflogen. Ich sitze doch nicht in Ihrer Zelle rum, bis Sie mal einen Moment Zeit haben.»

Irv grummelt irgendwas, möglicherweise auf Hebräisch, Latein oder Griechisch.

«Wie lief's beim Inferno?», fragt sie und schenkt sich Rum nach.

Irv knurrt irgendwas von wegen keiner sei erschossen worden.

«Ach, kommen Sie schon. Was haben Sie mit den Demonstranten gemacht?»

«Das war eine mit Mistgabeln bewaffnete Meute auf Monsterjagd. Bloß, dass die Monster unschuldig waren.»

«Und entsprechend haben Sie sie angepackt?»

«Nein. Ich hab sie behandelt wie zu Recht verärgerte Mitbürger und Wähler, die verdienen, dass man sie versteht. In der Hoffnung, dass sich die Lage dadurch entspannt.»

«Sie haben mit denen gesprochen?»

«Nein. Ich hab den Pfarrer vorgeschickt. Oder besser gesagt, ich hab ihn um Hilfe gebeten und er hat zähneknirschend zugestimmt.»

«Das war entweder sehr feige oder sehr klug», findet Sigrid.

«Vielleicht auch beides.»

«Wieso klingen Sie dann, als wäre Ihr Hund gestorben?»

«Sind Sie allein?», fragt er zurück.

Wieso will er das wissen? «Ja», sagt sie.

«Ich glaube inzwischen auch, dass Lydia womöglich Selbstmord begangen hat und Marcus ... keine Ahnung, sie nicht aufhalten konnte oder so. Das Ding ist, Fred Green will nicht, dass wir Marcus festnehmen.»

«Wieso nicht?»

«Weil wir ihn wieder freilassen könnten.»

«Vielleicht liegt's an der Uhrzeit, und getrunken habe ich auch was, aber ich kann Ihnen leider nicht folgen.»

«Ich denke pausenlos darüber nach und komme immer wieder zum selben Ergebnis: Schlimmer, als Marcus gar nicht zu verhaften, wäre nur, ihn zu verhaften und dann wieder freizulassen.»

«Aber die Alternative zu Mord wäre Selbstmord, und das wäre auch ein schlechter Ausgang.»

«Richtig. Bloß: Ein unaufgeklärtes Verbrechen ist besser als ein aufgeklärtes, aber nicht gesühntes. Im ersten Fall stünde die Polizei bloß als gleichgültig oder unfähig da. Im zweiten als explizit rassistisch. Marcus laufen zu lassen, sähe genau danach aus. *Falls* wir ihn laufen lassen würden. Was nicht sicher ist. Mir schwirrt der Kopf.»

«Ist die Sache wirklich so verfahren?»

«Ein paar Leute scheinen das jedenfalls zu glauben.»

«Vielleicht gab es gar kein Verbrechen, Irv. Wie Sie schon sagten.»

«Ja, und dann quälen Lydias Eltern sich für immer mit der Vorstellung von ihrer Tochter in der Hölle.»

«Religion ist grausam.»

«Laut Vorschrift muss ich Marcus vernehmen. Das wissen Sie so gut wie ich. Der Notruf, der Zeuge, sein Verschwinden, das goldene Dreieck von Motiv, Mittel und Möglichkeit ...»

«Wir haben kein Motiv.»

«Es ging um Liebe, Sigrid. Da findet man immer ein Motiv. Es ist nur wenige Blocks von Marcus' Haus passiert. Er war dabei. Es ist was passiert, und es war aufwühlend. So viel ist sicher. Aber ... lassen Sie mich ausreden.»

Sigrid hört, wie er die Hand wechselt, und nutzt die Gelegenheit zu einem weiteren Schluck Karibik.

Irv fährt fort: «Kopfzerbrechen macht mir Folgendes: Wenn Sie recht haben mit dem Selbstmord, ist Marcus nur ein guter Kerl, der zur falschen Zeit am falschen Ort war. Weggelaufen ist er dann bloß vor der Trauer und den Schuldgefühlen. Wir schnappen ihn und lassen ihn wieder frei. So will es das Gesetz. Aber so wird's nicht aussehen. Von außen sehen wir nämlich nur die schwarze Professorin und Tante von Jeffrey Simmons, ermordet von einem Weißen mit Kontakt zu Rechtsextremen, den die Polizei sofort wieder freigesetzt hat – im Nachbarcounty von dem, wo die Geschworenen Roy Carman entlastet haben. Sie merken selber, Sigrid, dass die inneren Stimmen nicht so klingen wie die äußeren und die gleichen Tatsachen sehr unterschiedlich aussehen, je nachdem, was man hervorhebt.»

«Tatsache bleibt Tatsache», entgegnet Sigrid, «egal, wie sie aussieht, egal, in welcher Sprache. Ich sehe ein, dass Sie ein Problem mit der Kommunikation und der Politik haben. Aber nicht mit den Beweisen. Ich lasse Sie doch nicht Marcus einfach wegsperren, bloß weil Ihr Land nicht weiß, wo ihm der Kopf steht. Ihr Job ist, diesen Fall aufzuklären, nicht Amerika zu retten.»

«Kann schon sein, aber niederbrennen will ich's auch nicht. Ich lebe nun mal hier.»

Sigrid schenkt nach, und Irvs für dieses Geräusch hochsensibles Ohr lässt ihn fragen, was sie trinkt.

«Einen einundzwanzig Jahre alten Rum. Die Sorte hatte ich seit vier Jahren nirgendwo gesehen.»

«Ist noch was übrig?»

«Wieso fragen Sie?»

«Aus demselben Grund, aus dem ich wissen will, wie viele Gläser Sie haben.»

«Im Bad ist noch ein unbenutztes.»

«Haben Sie damit schon Pläne?»

«Normalerweise reicht mir eins.»

«Ich bin gleich da.»

«Ich habe Sie nicht eingeladen.»

«Ich klopfe.»

Als Irv ankommt, schläft Sigrid bereits. Wie angekündigt, klopft er leise an, und sie schlurft barfuß über den fadenscheinigen Teppich zur Tür. Den Hut in den Händen steht er da, noch jungenhafter, als sie ihn in Erinnerung hatte.

«Sie sind wirklich den weiten Weg hierhergefahren?», nuschelt sie. «Um diese Zeit?»

«Wie Sie schon sagten, wir müssen früh los. Und morgens kann ich nicht trinken.»

«Ist leichter, als man denkt», erwidert sie.

«Ich hab noch was Hochprozentiges im Auto. Soll ich's holen?»

«Warum haben Sie sich scheiden lassen?», fragt sie, die Hand an der Tür, und pult sich den Schlaf aus den Augen.

«Wir hatten uns nichts mehr zu fragen. Warum sind Sie nicht verheiratet?»

«Früher dachte ich, das liegt an mir. Später dachte ich, es liegt an den Männern. Dann dachte ich gar nicht mehr darüber nach.»

«Was ist mit dem Drink?», fragt er.

«Sie schlafen auf dem Sofa, Irv.»

«Da drin gibt's ein Sofa?»

«Bei Ihnen läuft auch nicht immer alles wie geplant, hm?»

Sigrid hält die Tür auf, Irv schlüpft mit gesenktem Kopf hinein und legt den Hut auf die Kommode gegenüber vom Bett. Sigrid lässt die Tür los und den Naturgesetzen ihren Lauf.

ES war ein Ovarialkarzinom. Sigrids Mutter Astrid war nicht mal fünfunddreißig und eigentlich bei bester Gesundheit, weshalb die Diagnose erst spät kam, im dritten Stadium. Die Chance auf fünf weitere Jahre lag nur noch bei neunundzwanzig Prozent. So etwas lag bei ihr nicht in der Familie, es gab keine genetische Veranlagung, die sie hätte warnen können. Der Krebs war von den Eierstöcken bereits ins Bauchfell gewuchert. Morten erfuhr als Erster davon, und behielt es somit auch als Erster für sich. Astrid und er bezogen an zwei Fronten gleichzeitig Stellung: Erstens kämpften sie gegen den Krebs, zweitens versuchten sie, Astrids Verfall vor den Kindern zu verbergen.

Ihrem Mann erzählte Astrid alles. Sie redeten nur im Schlafzimmer darüber – um die Krankheit einzudämmen, und damit der Ort, wo Leben geschaffen, wo die Kinder gezeugt worden waren, dem Tod Paroli bieten konnte. Sie sprachen das nie aus. Worte waren sinnlos geworden. In stillem Einverständnis hegten sie das Thema ein gegen den Rest der Welt.

Astrids Arzt hieß Gunnar Nilsen. Ein ruhiger, sachlicher Mann Anfang fünfzig, dem jede Begabung fehlte, Astrid oder irgendjemand sonst die Angst zu nehmen. Von seiner Sekretärin Hilde erfuhr Astrid später, dass der Doktor die Nase voll hatte von all den unschuldig Leidenden. Sein Vater hatte ihm zur Architektur geraten, die viel besser zu ihm passen würde. In den Augen des Vaters war die Arbeit eines Architekten kreativ, einsam und emotional weniger fordernd. Aus Trotz wurde Gunnar Onkologe, verfluchte jedoch insgeheim seinen Erfolg. Astrid fragte Hilde, ob sie dann nicht besser zu einem anderen gehen solle. «Nein», wehrte die ab. «Er ist sehr gut. Sein Trotz sitzt tief.»

Astrid traf ihn in diversen Untersuchungsräumen. Sie pinkelte in Becher, gab Blutproben und wartete auf eine menschliche Regung, die jedoch niemals kam.

Eines Dienstags saß sie auf dem raschelnden Schutzpapier der Praxisliege und baumelte mit den Beinen wie ein Kind, als Doktor Nilsen eintrat. Er lächelte müde, setzte sich, ohne ihr die Hand zu geben, und schlug eine braune Akte auf. Dann erklärte er ihr, was das dritte Stadium bedeutete, wie das vierte aussah und wie es sich ungefähr anfühlen würde.

Morten erfuhr später, dass es zahlreiche Studien, Debatten und Verhaltenscodes dazu gab, in welchem Ton und Ausmaß ein Arzt seinen Patienten auf die Frage nach der Lebenserwartung antworten sollte. Die meisten propagierten eine Art kontrolliertes Unwissen. «Ach, da gibt es so viele Faktoren», redete man sich gern heraus. «So viel, was wir noch nicht wissen. Ernährung, Gewicht, persönliche Einstellung, Krankengeschichte, Alter, lebenserhaltende Maßnahmen und schieres Glück – beziehungsweise Wunder, wenn Sie so wollen. Da kommt einiges zusammen, und vieles ist möglich. Was Sie betrifft ... das ist schwer zu sagen, also konzentrieren wir uns auf die Behandlung.» So lief das meistens ab. Bei Doktor Nilsen nicht.

«Frau Ødegård», sagte er. «Sie haben eine neunundzwanzigprozentige Chance, noch fünf Jahre zu leben. In diesen fünf Jahren werden sie kontinuierlich abbauen. Das wird schwer für Sie und Ihre Angehörigen.»

Und dann – weil sein Sohn Drogen nahm und seine Frau und er emotional kurz vor dem Kollaps standen, da sie nicht glauben konnten, dass es ihnen trotz aller Bildung und Erfahrung auch nicht besser gehen sollte als anderen, und auch weil sein Scheitern seinem Vater recht zu geben schien – ging er weiter, als nötig oder hilfreich gewesen wäre. Üblich wäre ohnehin gewesen, zuerst mit Astrids Mann zu sprechen. Doch das tat er nicht: «Ihre Familie reagiert wahrscheinlich auf eine von zwei Weisen», sagte er. «Entweder gehen sie auf Distanz, erst unbewusst und unmerklich, aber doch immer mehr, um sich selbst vor dem bevorstehenden Verlust zu schützen. Oder ihre Liebe zu Ihnen wird noch stärker, was Ihren Tod am Ende umso qualvoller für sie macht. Wenn Sie Ihre Familie lieben, sollten Sie darüber mal nachdenken.»

Das erzählte Astrid abends Morten, im Schlafzimmer, als die Kinder schliefen. Sie tranken Weißwein, kalt und trocken. Wie er schmeckte, weiß Morten heute nicht mehr.

Es gab nicht etwa neunundzwanzig Prozent Hoffnung auf Genesung. Oder darauf, alt zu werden. Es gab nur eine neunundzwanzigprozentige Chance, noch fünf Jahre zu überstehen.

«Dein Problem ist dein Weitblick», sagte er.

«Das sagen wir doch immer über Marcus», antwortete sie. Ihre Stimme war schwach.

«Er stellt große Fragen», entgegnete Morten.

«Das tun alle Kinder.»

«Stimmt. Aber nicht alle liegen deshalb nachts wach. Er schon.»

«Ich muss sterben, Morten.»

«Ich weiß», sagte er. Sie machten sich nichts vor.

«Ich glaube, ich weiß schon, wie es wird.» Es war dunkel. Sie trug einen Bademantel aus Flanell, blau und schwarz. Kreuzgerippt und kastenförmig. Beim Schlafen trug sie häufig einen Schal. Morten hatte ihr einen aus Kaschmir geschenkt. Der speicherte ihre Wärme sehr viel länger.

«Erzähl», sagte er.

Sie blickte aus dem Fenster. Der Mond nahm zu. Eine dünne Sichel am Rand einer schwarzen Kugel.

«Wo war ich, bevor ich auf die Welt kam?», fragte sie. «Das wollen doch alle wissen.»

«Wer?»

«Kinder. Erwachsene. Wir alle. Wo war ich vorher? Bevor es ein Wo gab. Bevor es ein Ich gab. Das kann man sich einfach nicht vorstellen, dass es weder ein Selbst gibt, noch einen Ort dafür. So wird es sein. Als fiele man rücklings in ein Stück Raum, das sich zusammenzieht und verschwindet.»

Er schweigt.

«Wo bin ich jetzt, Morten?»

«Hier bei mir.»

«Gibt's da einen Unterschied?»

«Zwischen etwas und nichts? Das will ich doch meinen.»

«Das ist aber nicht genug, oder?», fragte sie.

«Doch, ist es.» Er stemmte sich auf einem Ellbogen hoch. «Weißt du, was der Trick beim Sterben ist?»

Da musste sie lächeln. Er hatte sie zum Lächeln gebracht. Daran erinnert er sich noch.

«Du wirst es mir sicher gleich verraten», witzelte sie.

«Man muss es rückwärts machen.»

«Was soll das heißen?»

«Man darf nicht nach vorn ins Leere blicken. Da gibt es nichts zu sehen. Man muss sich umdrehen. Das Leben im Auge behalten. Wie einen Hut, aus dem gleich ein Kaninchen kommt. Man muss genau hinschauen, bis – zack – auf einmal Schluss ist mit Sehen. Das ist der Trick.»

«Und wieso kennst du dich damit so gut aus?»

«Weil ich *dich* nie aus den Augen gelassen habe.»

Sie schwieg.

«Weißt du noch, unser Lied?», fragte er.

«Ja», sagte sie. Den Titel nannte sie allerdings nicht. Stattdessen blickte sie durch das Fenster hinaus zum Mond. «Die Kinder», sagte sie schließlich. «Marcus schafft das nicht. Mein Tod ... wird ihn verändern. Aber mein Sterben, mein langsames Sterben, das macht ihn kaputt. Das müssen wir verhindern. Wir müssen das mit dem Dahinsterben vermeiden. Tust du das für mich?»

«Ja», sagte er.

Astrid nickte, als wäre das Gespräch hiermit beendet.

Aus dem Luftschacht über ihrem Bett drang ein Scharren, wie von einem gefangenen Tier. Eine Maus, ein Vogel oder ein Eichhörnchen. Alles, was irgendwie in den Kamin passte, hatte irgendwann schon einmal darin festgesteckt. Dieses Geräusch war meist das erste Anzeichen dafür. Die beiden blickten einander an, und noch bevor Morten etwas sagen konnte, krachte es irgendwo im Haus.

Morten sprang aus dem Bett und lief ins Kinderzimmer. Sigrid schlief, ihr Plüschkamel im Arm, Marcus war nicht zu sehen.

«Marcus?», rief er.

«Hier», ertönte eine kleine Stimme, die mit den Tränen rang.

Im unteren Bad kniete Marcus auf dem Boden wie ein Embryo und hielt sich den linken Arm. Er trug die Hose seines roten Schlafanzugs und das Oberteil des kurzen blauen – beide waren ihm zu klein. Schmerzenstränen strömten ihm übers Gesicht, doch er biss sich auf die Zunge. Nach Luft schnappend wiegte er sich auf dem grauen Schiefer hin und her, presste die Stirn auf den Stein und winselte über das, was sich bald als gebrochener Arm erweisen sollte.

Marcus ging oft hier unten aufs Klo, wenn oben das Papier aus war. Wie er sich dabei den Arm brechen konnte, war Morten allerdings ein Rätsel. Er nahm sich vor, das später aufzuklären, sollte das jedoch nie tun.

«Das wird schon wieder, Marcus. Das wird schon wieder», sagte er, kniete sich neben seinen Sohn und nahm ihn in den Arm. «Es wird alles wieder gut.»

Doch da lag er falsch.

Er brachte Marcus ins Krankenhaus, wo man eine Radiusfraktur diagnostizierte und ihm einen Gips verpasste. Das Ding ging bis über den Ellbogen, ließ die Finger zum Glück aber frei. «Sechs Wochen, dann sehen wir uns wieder», sagte der Arzt und schickte sie nach Hause.

Astrid hatte daheim bei ihrer schlafenden Tochter bleiben müssen. Sie kroch zu ihr ins Bett und legte der Kleinen die Hand auf die Brust. Das Fenster stand einen Spaltbreit auf, weil es im Zimmer nach Acrylfarbe roch. In einer Zeitschrift hatte Astrid ein Bild von einem roten Baum mit Schmetterlingen gesehen und beschlossen, das Zimmer mit etwas Farbe aufzupeppen. Draußen raschelten die Bäume im Wind, drin atmete langsam und friedlich ihre Tochter. Ihr Körper strahlte herrliche, lebendige Wärme aus, die Arme hatte sie ulkig zur Seite gestreckt. Astrid lag einfach da, genoss Sigrids Jugend und Gesundheit und versuchte, nicht zu denken. Die Jungs würden bald wiederkommen. Marcus würde fix und alle sein. Sicher würde er auf der Heimfahrt schon im Auto einschlafen. Morten würde ihn hereintragen und unten aufs Sofa legen, um die Treppe zu vermeiden. Auf dem Sofa lagen ein Kissen und eine Decke. Er würde dort gut schlafen.

Bald setzte ein wohltuender Sommerregen ein, und Astrid lauschte den Tropfen auf Dach und Fenstern; schwerere Tropfen fielen von der Rinne in sich unten sammelnde Pfützen. Es war tröstlich, dass auch ihre Kinder dieses Geräusch noch oft hören würden. Ihre Aufgabe, ihre Pflicht war es jetzt, das Schiff der beiden so weit wie möglich ins offene Meer hinauszuschieben, ohne sich selbst zu lange daran festzuklammern und ihre Reise aufzuhalten.

Nachdem Morten gestern Abend die Fotos wieder in die Schachtel geräumt hatte, fand er eine Flasche hervorragenden Whiskey und trank, bis er keine Lust mehr hatte. Am nächsten Morgen aß er Eier, Würstchen und Toast und trank zwei Tassen Kaffee, was er nur selten tut. Danach fuhr er zur Kirche.

Die Kirche ist klein und weiß und steht inmitten einer Wiese. Sie ist schmucklos, wie im protestantischen Norden üblich, aber nicht abweisend. Die Pforte ist an diesem Vormittag verschlossen; außer Morten ist niemand da.

Astrids Grab hat er seit ... ja, wohl seit etwa vier Monaten nicht mehr besucht. Das letzte Mal war im April, als vom Schnee nur noch kleine Fleckchen übrig waren, die wie Sahnehäubchen in den braunen Senken auf der Schattenseite der Hügel lagen. Die Tage wurden da schon merklich länger, und das harte Eis auf dem Pfad zwischen den Grabsteinen war geschmolzen. Zurück blieben Millionen Kieselsteinchen, die die Gemeinde hatte streuen lassen, damit die Trauernden nicht ausrutschten. Jetzt, ohne Schnee, graben sich die Steinchen in seine weichen Ledersohlen. Sich schick anzuziehen, hat hierzulande einfach keinen Zweck. Die Leute erwarten es nicht, das Wetter erlaubt es nicht. Auch das ist bedauernswert. Dennoch stapft er stur und trotzig vorwärts, in angemessener Kleidung und mit guten Schuhen.

Bei Astrid geht Morten in die Hocke und stellt den kleinen Blumenstrauß in die Vase auf dem Grab.

Astrid wollte, dass man sie verbrennt und ihre Asche in den Hügeln verstreut, doch Morten hat sie angefleht, das nicht zu tun. Es war zu viel. «Den Gedanken an Feuer ertrage ich nicht. Bitte ... erspar mir das. Ein Ort – irgendwo, wo ich hingehen kann. Gesteh mir das zu.»

«Ich werde dort nicht sein, das weißt du», sagte sie.

«Ja, aber ich schon.»

Getreu dieser Worte ist er nun hier. Der Augustwind frischt auf, die Luft riecht bereits etwas nach Herbst. «Wo die Kinder sind, ist es wärmer», erklärt er ihr. Morten fühlt sich Astrid hier weder näher, noch kommt er selber mehr zur Ruhe, doch das Grab ist immerhin etwas, um das er sich kümmern kann. Etwas zum Umsorgen.

Morten holt ein weißes Tüchlein aus der Tasche, wickelt es sich um den Finger und fährt die Buchstaben ihres Namens nach, bis sie wieder strahlend weiß sind.

«Ich dachte, vielleicht können die zwei füreinander da sein», fährt er fort. «Ich wusste ja nicht, dass Lydia tot ist. Das hat er nicht erzählt. Ich hab Sigrid zu ihm geschickt, weil ich dachte, er könnte ihr helfen. Die beiden standen sich so nahe. Ich weiß noch, wie du ihnen zugesehen hast, damals beim Frühstück – du weißt schon, welches ich meine –, als sie mit Wasserfarben gemalt haben und dir klar wurde, dass sie einander lieber haben als uns. Ich war ein bisschen eifersüchtig, zugegeben, aber du meintest, so sei es besser, weil sie voneinander am längsten etwas haben würden. Da hab ich zum ersten Mal verstanden, dass wir beide zusammen etwas geschaffen haben. Die Kinder, klar, aber eben auch zwei Wesen, die einander völlig unabhängig von uns lieb hatten. Als würde man zwei Luftballons zusehen, die zusammen in die Wolken hinauftanzen.»

Morten verstummt und vergewissert sich, dass er wirklich immer noch allein ist.

«Ballons», schnaubt er, entsetzt über sich selbst. «Inzwischen rede ich sogar mit Enten. Mit Ferdinand. Nach der Katze hatten wir kein Haustier mehr. Ich dachte, das sei sinnlos. Aber ehrlich gesagt, bin ich ein bisschen einsam.

Astrid, ich bin aus einem bestimmten Grund hier. Mit Marcus stimmt was nicht. Nach deinem Tod ist er zerbrochen. Schlimmer, als wir es hätten ahnen können. Er war nur noch ein Schatten seiner selbst. Du weißt das sicher sowieso schon, aber ich muss es trotzdem loswerden. Ich glaube, seither versucht er irgendwie, den Zauber dieser Tage mit den Wasserfarben wiederzufinden. Als er bei uns noch sicher war und tief verbunden mit seiner Schwester. Ohne Ablenkung. Jetzt ... streift er durch die Welt und sucht etwas, das ihm ständig entgeht oder verwehrt wird.

So sehr ich Marcus verloren habe, habe ich Sigrid gewonnen – mehr, als mir zusteht. Es kommt mir vor, als hätte ich ihre Zuneigung gar nicht verdient, sondern bloß alle verloren oder vergrault, die sie sonst noch hätte liebhaben können. Jetzt stehen wir uns sehr nahe, und das bedeutet mir so viel, dass ich mich schuldig fühle. Ich glaube, es ist zu eng. Ich klammere zu sehr. Wir nehmen den ganzen Raum ein, in den jemand anderes gehören könnte. Sie hat keinen Mann. Ich dachte, wenn ich sie zu Marcus schicke, kommt er vielleicht zurück. So, dass wir alle im richtigen Moment wieder vereint wären. Aber die Zeit scheint knapp zu werden. Sigrid und ich albern herum, aber ich mache mir Sorgen.»

Morten durchstöbert seine Taschen nach seiner Pfeife, doch die ist nicht da.

«Er hat mir einen Brief geschrieben. Da stand drin, es sei wieder passiert. Erst wusste ich nicht, was er meinte. Aber jetzt ... jetzt frage ich mich, ob das was mit dir zu tun hatte.»

ALS Sigrid aufwacht, grölt Irv unter der Dusche einen Song, den sie noch nie gehört hat. Er handelt davon, dass irgendwer anklopft und Irv nicht weiß, ob er ihn reinlassen soll. Dann kommt irgendwas mit dem Teufel und Blue Jeans.

Irv singt aus voller Kehle.

Dass Sigrid so mit jemandem eine Flasche geteilt und stundenlang geredet hat, war lange her. Nach dem Horowitzfall hat sie es einmal mit ihrer Freundin Eli, dem Ambienfan, versucht, doch das hat nicht funktioniert. Bedauerlicherweise ist Eli keine gute Trinkerin. Sie begreift nicht, dass die Flasche mit der Zeit nicht etwa leerer wird, sondern sich mit dem Zimmer um sie anfüllt; all die herumschwirrenden Gefühle und Stimmungen vermischen sich mit dem, was noch in der Flasche ist, sodass jeder weitere Tropfen tiefere Wahrheiten und größere Schönheit mit sich bringt.

Allerdings nur, wenn man eine Ader dafür hat. Und die hat die arme Eli leider nicht.

Irving dagegen schon.

Nun singt er, und Sigrid steckt unter der warmen Decke, das Kissen im Rücken. Draußen rollen die ersten Autos über den taunassen Asphalt. An der Wand stehen der alte Röhrenfernseher und ein cremefarbenes Tastentelefon, das wirkt wie ein Museumsstück. Das Zimmer ist nicht in die Achtziger zurückgefallen, es hat sie nie verlassen. Alles ist zwar schäbig, doch auch angenehm vertraut.

In Oslo wohnt Sigrid allein. Sie ist Einsamkeit gewöhnt. Und doch fühlt die sich hier in Amerika anders an – hier hat sie weniger mit Alleinsein zu tun als damit, außerhalb der Zeit zu stehen. Als wäre die Zeit ein Fluss, den man vom Ufer aus vorüberströmen sieht. In Norwegen spürt Sigrid stets die Stadt um sich, das Land, den Staat, die großen politischen Debatten Europas. Selbst in der Einsamkeit fühlt sie sich dort mit ihrer Umwelt verbunden – vielleicht nicht im Herzen, aber doch in der Sache. Da spielt die Gemeinsamkeit mit den anderen immer eine Rolle.

Hier aber nicht. Nicht in diesem Motel jenseits des Stroms der Zeit. Hier ist sie ein Individuum. Rockklassiker im Radio klingen brandneu, Cowboystiefel sind die Mode von morgen, nicht von gestern. Und anders als in Europa fühlt sie sich hier ... einzeln. Je nach Laune kann sie hier spurlos verschwinden oder auf einem Hausdach ihre Kleider in Stücke reißen und die Aufmerksamkeit der ganzen Welt einfordern. Es liegt allein bei ihr.

Bislang hat sie Amerikas mangelndes Interesse an Europa und dem Rest der Welt immer für ignorant gehalten. Doch jetzt, wo sie hier liegt, befällt sie ein unerwartetes Gefühl der *Bestimmung*; so, als gäbe es nichts außer dem Hier, als gehöre sie genau hierher. Dieses Hier ist weder großartig noch auch nur besonders. Aber es ist so gegenwärtig und lebendig, wie ihr die Welt als Kind erschien.

Durch den Fernseher auf der Kommode erreichen sie Geschichten über das Leben jenseits der Küsten Amerikas. Doch was dort geschieht, kommt ihr weit weg und abstrakt vor, in sicherer Entfernung. Nicht, als wäre sie abgeschnitten vom

Rest der Welt, sondern eher, als gäbe es den Rest gar nicht wirklich. Fühlt man sich so als Amerikaner?

Der Gesang ist vorbei, die Dusche aus. Jetzt pfeift er. Grauenhaft. Aus dem Pfeifen wird ein Summen, während er sich die Zähne putzt und – erstaunlicherweise – die Haare föhnt. Dann taucht er in der Tür auf, ein Handtuch um die Hüften, und stolziert grinsend ins Zimmer, als hätte er gerade einen Preis für etwas bekommen, das er in der Garage zusammengeschweißt hat.

«Howdy», ruft er.

«Okay.»

«Wird ein guter Tag heute. Das hab ich im Urin.» Schwungvoll befreit er sich vom Handtuch und zieht sich an, als wären Sigrid und er verheiratet. «Wir mieten ein Kanu, paddeln raus in die Sonne und watscheln zu deinem Bruder, der vor Freude, dich zu sehen, feuchte Augen kriegt, und dann überredest du ihn, mitzukommen und uns die ganze Story zu erzählen, und wir setzen uns mit allen Beteiligten an diesem Albtraum zusammen und tüfteln aus, wie wir am besten eine Neuauflage der bekannten Rassenunruhen vermeiden – genau so machen wir's. Und später, wenn Präsident McCain mir die Medal of Freedom an die Brust heftet, werde ich sie mit aller Demut in Empfang nehmen, die mein Amt verlangt ...»

«Meine Güte, Irving. Wieso müsst ihr Amerikaner bloß immer so viel quatschen?»

«Ich fühl mich heute Morgen so dynamisch wie dieses kleine rosa Häschen.»

«Wir haben doch nicht mal miteinander geschlafen.»

«Und trotzdem fühl ich mich, als hätten wir. Toll, oder?»

Irv macht seinen Gürtel zu, Sigrid geht in Schlüpfer

und Marcus' T-Shirt in das dampfende Badezimmer. Als sie geduscht wieder herauskommt, ist Irv verschwunden. Sie schminkt sich kräftiger als üblich – teils, damit man ihr den vielen Alkohol und wenigen Schlaf der letzten Nacht nicht ansieht, teils, weil sie noch allzu gut ihr Bild aus dem Fernseher vor Augen hat.

Zwanzig Minuten später kommt Irv mit drei Lokalzeitungen und einer Tüte Muffins zurück. Außerdem balanciert er zwei Becher Kaffee in einem Papphalter, entworfen für ein Land auf Achse.

«Es ist sieben Uhr», stellt er fest, reicht ihr den Kaffee und plumpst in den Sessel am Fenster. «Du warst zuerst hier, du entscheidest, aber ich würde vorschlagen, wir schauen erst mal bei Frank Allman vorbei, peilen die Lage und finden raus, ob die Polizei hier ein Boot hat. Würde ich wetten. Wir haben hier zwar nichts zu melden, aber die haben sicher nichts dagegen, wenn wir uns mal umsehen. Ich hab Marcus einen Blaubeermuffin mitgebracht. Mag er Blaubeeren?»

«Die amerikanischen Blaubeeren sind anders als die norwegischen.»

«Inwiefern?»

«Unsere sind kleiner und innen blau. Eure sind größer, aber nicht blau.»

«Unsere Blaubeeren sind dir nicht blau genug?»

«Nein.»

«Lass das bloß nicht die Leute in Maine hören.»

«Es ist lieb von dir, dass du meinem Bruder einen eurer minderwertigen Muffins mitgebracht hast.»

«Wie gesagt, das wird alles laufen wie geschmiert.»

Gegen neun Uhr morgens hatten die drei jungen Camper Marcus zum Abschied zugewinkt, ihr Kanu beladen und nichts hinterlassen als ein paar plattgedrückte Disteln und etwas schwarze Asche. Endlich wieder allein geht Marcus zwischen Steinen und heruntergefallenen Marshmallows umher und bleibt an der Stelle stehen, wo sie gestern Abend lachten. Die Hände in den Taschen sucht er Zuflucht in diesem abwesenden Geräusch.

In der Nähe balgen sich zwei Krähen um die Reste eines dreckverkrusteten Würstchens. Der Fleischschlauch zerreißt in zwei ungleiche Stücke, und die beiden Vögel fliegen mit ihrem jeweiligen Anteil auf.

Mit dem Fuß scharrt Marcus durch das Laub und die Nadeln auf dem Boden. Die drei mögen ja laut gewesen sein, haben aber nichts zurückgelassen, das nicht biologisch abbaubar ist. Alles in allem waren sie schon in Ordnung.

Zart wie eine Beichte kräuselt der See sich in der Brise. Wasservögel wippen auf den Wellen, die trockenen Rückenfedern glänzen in der Sonne. Der nächtliche Regen ist vorbeigezogen. Der dünne Nebel auf dem See ist bloß der Morgendunst. Die Sonne wird ihn bald schon auflösen. Aus dem tiefen Blau am Himmel wird sie die ganze Welt versengen, wenn sie erst richtig hoch steht. Fürs Erste aber genießt Marcus noch den Morgen.

Wenn er wollte, könnte alles gleich vorbei sein. Das ist der Vorteil von Schusswaffen. Ins Auge, in den Mund oder die Schläfe. Kurz und schmerzlos. Das macht ihm nicht mal Angst. Ehe die Schallwellen das Ohr erreichen, ist das Hirn schon rausgeblasen. Und dann ist es auch schon egal, denn wo kein Hirn ist, kann auch nichts den Schall verarbeiten.

Der .38er liegt in dem orangefarbenen Rucksack, mit dem

er vor achtzehn Jahren nach Amerika gekommen ist – damit, und mit seiner Gitarre. Schade, dass er die nicht auch hier hat, doch er hat bewusst darauf verzichtet. Sie würde ihn nur melancholisch machen und ihm womöglich den Mut nehmen, zu tun, was er tun muss. Der Klang des Cs, von dem aus es über ein C / H zu a-Moll weitergeht, ist einfach zu schön, um von einer Waffe unterbrochen zu werden. So beginnt Leonard Cohens *Hallelujah*. Nie brächte er die Kraft auf, von diesem Klang zum Tod überzugehen. Die Kluft wäre viel zu groß.

Gut: Die Bühne ist bereit. Jetzt muss der Star nur noch seine Nummer aufführen. Eine Ein-Mann-Show, ganz ohne Publikum. Worauf wartet er also?

Auf Vollkommenheit. Ein Gefühl für das Ganze. Eine Auflösung. Die Rückkehr zur Tonika. Eine Weise, sein Leben zu beschließen, bevor er es beendet. Das ist es, was ihm noch fehlt. Irgendetwas ist noch nicht erledigt.

Wenn er könnte, würde Marcus über diesen Gedanken lachen. Schon erstaunlich, wie das Bedürfnis nach ästhetischer Balance selbst den Tod auf Distanz halten kann.

Jemand hat ihm mal gesagt, wenn man eine Note eine Oktave höher spiele, sei die Wellenlänge der Note exakt um die Hälfte kürzer. Somit ist Musik eine physikalische Tatsache, nicht bloß erlernter Brauch. Das Hirn bäumt sich gegen Dissonanzen richtiggehend auf; mangelnde Harmonie kann körperlich wehtun. Könnte das auch für Geschichten gelten? Und falls ja: Vielleicht auch für das Leben?

Für das von Jeffrey? Von Lydia? Für seines?

Der Revolver ist schwer. Ein schönes Stück.

Rings um ihn herrschen Harmonie, Ausgewogenheit und Komposition. Deshalb hat es ihm hier immer schon gefallen. Die Erinnerung macht ihn zu einem Teil davon.

Karen rief Lydia an, als er mit ihr in Montreal war. Jeffrey war vier Stunden tot gewesen, ehe sie es fertigbrachte, die Nummer zu wählen.

Lydia würde noch zwei weitere Monate leben.

Während dieser zwei Monate sah er zu – aus dem Abstand, auf dem sie ihn hielt –, wie es mit ihr zu Ende ging.

Es war anders als bei seiner Mutter. Astrid war damals still und verschlossen gewesen. Jede Bewegung, alles, was sie tat, hatte ritualhaft und mechanisch gewirkt. Wie sie Geschirr spülte. Die Wäsche machte. Seine Hausaufgaben korrigierte. Bei Lydia erkannte Marcus, wie sie unter der Last der Ungerechtigkeit und Hoffnungslosigkeit um sie herum erstickte. An etwas, das aus der Geschichte kam, aber sich in ihrer Kehle breitmachte. Das war nicht wie der Tod seiner Mutter. Der war allein ihre Sache gewesen. Trotz Krebs hatte sie die Zügel in der Hand. Sie hatte beschlossen, sich emotional aus dem Leben zu verabschieden. Lydia dagegen wurde das Leben einfach weggerissen.

Sigrid, die kleine Sigrid, hatte damals kaum etwas mitbekommen. Morgens sprang sie ihrer Mutter in die Arme und quengelte, wie kleine Kinder das eben so tun; sie plapperte ununterbrochen, zog in Windeseile wie ein Mannequin ihre Sachen an und aus – das passt, das nicht, wo ist das mit den Blumen? – und sprudelte vor Ideen, die für sich genommen alle federleicht und unbedeutend waren, zusammen aber der Beleg für ein zufriedenes Kind, das wach im Leben stand. Das wuchs. Das lebte.

An sich selbst erinnert Marcus sich anders. Er war älter. Sein Arm war gebrochen, eingegipst und blau verbunden. Heute ist ihm klar, dass er seine Gefühle in eine Metapher projiziert hat. Nur deshalb kam ihm seine Mutter vor wie eine Statue, unbeweglich wie sie war – als wäre der Krebs eine von innen fortschreitende Verkalkung, die ihre Haut zu mondbleichem Stein verhärtete. Hin und wieder erkundigte sie sich nach seinem Arm, doch er sagte nur: «Ist schon okay.» Den Krebs, von dem er im Bad gehört hatte, stellte er sich vor wie Frost, der sich in seiner Mutter ausbreitete, so wie sich am Winteranfang auf stehenden Gewässern Eiskristalle bilden. Vor Kälte waren diese Kristalle beinah schwarz. Er weiß noch, wie er das Eis in ihr klirren hörte. Es wurde hart in ihren Venen und Arterien und sickerte in die Organe, drohte – und versprach schließlich –, ihr das Herz so lange einzuschnüren, bis es stehenblieb.

Lydia konnte Marcus' Haus nie leiden, doch in der Zeit zwischen ihrem ersten Gespräch beim Kaffee nach der Vorlesung und dem Ausflug nach Montreal hatte er versucht, es für sie in Ordnung zu halten. Meistens gingen sie zu ihr – eine Wohnung mit zwei Schlafzimmern im Obergeschoss eines alten viktorianischen Hauses. Ganz selten aber kam sie auch bei ihm vorbei und blieb über Nacht. Als ihre Beziehung sich in jenen ersten Wochen vertiefte, beschlagnahmte sie eine Schublade und besorgte sich ein paar Artikel für die Körperpflege. Marcus seinerseits füllte den Kühlschrank mit dem Besten auf, das er sich leisten konnte – was nicht viel war. Unter diesen Bedingungen schlief sie nun auch regelmäßig bei ihm. Nach der Sache mit Jeffrey war es damit allerdings vorbei.

Als sie aus Kanada zurück waren, ging sie auf Abstand. Sie besuchte ihn nicht mehr, und er ließ das Haus verkommen. Zwar trafen und unterhielten sie sich weiterhin auf dem Campus, doch ihre Verbindung – dieses Gefühl einer sich entwickelnden Liebe – war verschwunden. Noch hatte sie nicht Schluss gemacht, zumindest nicht ausdrücklich. Er versuchte, sie zurückzuholen.

«Lass mich doch für dich da sein», bat er einmal.

Da erklärte sie ihm, was das Haus für sie «repräsentiere». Das war in ihrem Büro, nach Feierabend. Draußen bohnerte der Hausmeister mit einer riesigen Maschine den Flur, die Kopfhörer seines iPods in den Ohren. Das Gebäude war verlassen.

Sie hatte ein kleines Büro in einem Neubau. Ein großes Fenster ging teilweise auf einen grünen Innenhof, wurde aber halb von einem anderen Gebäudeteil verdeckt. Sie saß da, ganz die Dozentin, und wartete, dass er den Mund aufmachte. Er stand hinter dem Stuhl für die Studierenden. Sich setzen und den Studenten spielen wollte er nicht. Er war ihr Liebhaber. Ihm ging es nicht um Noten oder eine Vorlesung, sondern um eine zweite Chance. An der Wand hingen Schwarzweißfotos von afroamerikanischen Gesichtern. Marcus erkannte nur wenige: W.E.B. Du Bois. James Baldwin. Maya Angelou. Richard Wright. Eine hübsche schwarze Astronautin, die er vermutlich hätte kennen sollen. Und ein Dutzend weitere kleine, gerahmte Porträts, gesammelt auf Flohmärkten und in Antiquitätengeschäften. «Was soll ich sagen?», hätte er diese Leute gern gefragt.

Er war zwar nicht für einen Vortrag gekommen, bekam ihn aber. Allerdings keinen, der von Herzen kam, der aus tiefster Seele Lydias Verlust, ihre Trauer und ihre Wut herausschrie. Stattdessen bediente sie sich doppelt so vieler kluger, akademischer Fremdwörter wie sonst, was Marcus unpassend und beengend fand. Je hochtrabender ihr Vokabular wurde, desto zorniger wurde er.

«Wie bitte, Lydia?», blaffte er, nachdem sie angefangen hatte, ihm ungerührt darzulegen, weshalb sie ihn nicht mehr besuchen wollte. «Was genau ‹repräsentiert› meine Wohnung für dich?»

«Jemanden, der nicht mal bewahren konnte, mit was er auf die Welt gekommen ist», gab sie zur Antwort.

«Und das wäre? Wir sind nicht reich. Wir haben nichts zu sagen. Mein Vater ist ein Bauer. Meine Schwester ist bei der Polizei. Ich komme von einem kleinen Hof in Norwegen, der –»

«Deine Haut, Marcus! Deine Haut», platzte es da aus ihr heraus.

Kam hier die Wahrheit ans Licht, oder handelte es sich bloß um das Beleidigendste, was ihr in diesem Moment einfiel? Weil sie so verletzt war und keinen anderen hatte, an dem sie das hätte auslassen können? Sind wir im Zorn besonders aufrichtig oder bloß besonders kreativ darin, anderen Menschen wehzutun?

«Deine Haut ist ein Schutzschild», fuhr sie fort. «Meine ist eine Zielscheibe. Das ist es. Da liegt der Hund begraben. Verstehst du? Es geht hier nicht um eine abstrakte Debatte über Ungleichheit, Geschichte oder Menschenwürde. Es geht darum, von Geburt an in Gefahr zu sein. Schwarz zu sein, ist *gefährlich*. Schwarz *genannt* zu werden, als schwarz *abgestempelt* zu werden. Hervorgehoben, abgegrenzt, kategorisiert, definiert und in eine Schublade gesteckt zu werden. Als schwarz *behandelt* zu werden. Jeffrey hatte, seit er auf die Welt kam, eine Zielscheibe im Gesicht. Und jetzt hat jemand drauf geschossen. Ende.»

«Ich bin kein Symbol, Lydia. Ich bin ein Mensch.»

«Du bist beides.»

«Ich liebe dich.»

«Ich weiß nicht, was ich mir dabei gedacht habe», sagte sie, hörbar, doch eindeutig nur zu sich selbst.

«Das meinst du nicht ernst.»

«Doch.» Reglos saß sie hinter ihrem Schreibtisch.

Marcus wusste nicht weiter. Sollte er sich vielleicht entschuldigen? Aber wofür? Für die Vergangenheit, die Gegenwart, die Zukunft? Er war wütend, schutzlos, fühlte sich ungerecht behandelt. Da er nicht wusste, wie er sich verteidigen sollte, ging er zum Angriff über. An jenem Tag ist sie gestorben. Das war der Auslöser. Genau diesen Moment muss er gedanklich immer wieder durchspielen, um zu einer befriedigenden Deutung zu gelangen, hier an diesem See im Wald, auf dem Boden eines Amerikas, in dem man ihn begraben wird.

«Du gibst also mir die Schuld dafür?», fragte er. «Für Jeffrey? Für ... meine Güte ... für Amerika?»

«Nein», erwiderte sie. «Du bist nur ein Ausländer. Ich spreche dich frei, Marcus. Aber ich kann dich nicht ansehen, ohne daran zu denken. Du erinnerst mich daran. Ich sehe dich an, und ... deine Haut, dein Haar, dein Penis. Ich will das nicht mehr in meiner Nähe haben.»

«Ich war das nicht», brüllte er sie an. «Ich will nicht, dass das Zufälligste an uns das Wichtigste sein soll. Das ist alles so ...» – er sah sie an, blickte zu den Gesichtern an der Wand und sagte dennoch – «... beliebig.»

«Es mag ja beliebig sein, dass meine Hautfarbe lebensgefährlich ist und deine nicht. Aber wenn es erst mal wahr ist, ist es nicht mehr beliebig. Dann wird es ausgesprochen relevant.»

Und da legte er – jämmerlicherweise – den letzten Einspruch ein, der ihm eigentlich schon nicht mehr blieb. Nicht als Liebhaber, nicht als Erwachsener, nicht als Mann. Sondern als Kind, überwältigt vom bevorstehenden Verlust und der Erkenntnis, dass er alles noch einmal geschehen ließ, dass ihm auch dieses Mal die Worte fehlten. Dass er alles hätte retten können, wenn er sich nur richtig ausgedrückt hätte. Schon wieder.

«Meine Mutter», sagte er.

In ihrem Blick lag Mitleid, aber kein Verständnis. Und er wusste augenblicklich, dass sie auch keines aufbringen würde. Sie hatte Jeffrey verloren. Musste eine Schwester trösten. Eine Familie. Eine Gemeinde. Studierende, die ... die damit zum ersten Mal konfrontiert waren. Er war ein Opfer, ja, aber er hatte noch Glück gehabt. Er lief mit seinen Wunden immer noch herum.

Schon der Gedanke daran ist dermaßen beschämend, dass er fast in den See kotzen möchte. Sechsundvierzig Jahre alt, und er sagt «meine Mutter», um eine Beziehung zu retten, die erst ein paar Monate alt war. Sie waren nicht verheiratet. Kein Kind hatte unter der Trennung zu leiden. «Meine Mutter»: Das hat er tatsächlich gesagt. Und zwar, weil all dem eine Musik anhaftete. Ein Ton. Eine tektonische Verschiebung unterhalb der Oberfläche ihrer Unterhaltung, die vielleicht auf einen anderen Grund hindeutete, aus dem sie wollte, dass er ging. Hörte er das wirklich, oder kam es nur aus ihm? War es ein Echo oder ein neuer Klang? War Lydia bloß traurig, oder ging das tiefer? War sie nicht nur mit ihm fertig, sondern mit allem?

Es wäre besser gewesen, wenn sie nur aufgestanden wäre und ihn ohne ein weiteres Wort am Arm genommen und hinaus auf den Flur geführt hätte. Doch so kam es nicht. Stattdessen verschränkte sie die Arme und nahm hin, dass er den Augenblick auf sich zurückgewendet hatte.

«Was ist mit deiner Mutter?», fragte sie.

«Sie hatte Krebs. Ich musste ihr beim Sterben zusehen», sagte er.

«Ich weiß. Und das tut mir leid.»

«Ich wusste, dass sie sterben wird.»

«Das tut mir wirklich leid.»

Nein, so hatte er das nicht gemeint. Er wollte auf etwas Bestimmteres hinaus. Doch er hatte nicht die richtigen Worte gefunden. Schon wieder.

FRÖHLICH tuckert Sheriff Irving Wylies Jeep Wagoneer ins Örtchen Saranac Lake. Dort angekommen, fühlt sich Sigrid, als hätte sie endgültig das Filmset eines Kleinstadtamerikas betreten, wie sie es sich immer vorgestellt hat. Der Wald umgibt Holzhäuser, denen der Wandel der Zeiten nicht das Geringste anhaben kann. Die Hauptstraße ist einfach, einladend und unberührt von den Markennamen, mit denen die Interstate und die angrenzenden Orte übersät sind. Saranac Lake erdrückt einen weder mit Schönheit, noch ist es sich seines Charmes bewusst. Es scheint, als habe der Ort ein harmonisches Verhältnis zu seinem amerikanischen Charakter gefunden. Diese Integrität ist es, die Sigrid an ihm so gut gefällt. Ein echter Bestimmungsort; einer, an dem man eine Lebensweise kennenlernen kann, und eine Einladung, sich an sie zu halten.

Der See selbst heißt gar nicht Saranac.

«Lake Flower», erklärt Irv.

Er, der See, ist – zumindest heute – ein Traumbild der Beschaulichkeit. Sein Blau ist weniger eine Spiegelung des Himmels als eine von ihm inspirierte Melodie. Östlich davon liegen die Berge rings um Lake Placid, wo schon zweimal die Olympischen Winterspiele abgehalten wurden – damals, als sie noch interessant waren.

Sigrid blickt aus dem Seitenfenster. Ein Dutzend Frauen

mittleren Alters und Rentner haben kleine Staffeleien aufgestellt und malen Stadt und Landschaft. Zwei Kinder winken ihr zu, und sie winkt im Vorbeifahren zurück.

«Wirklich hübsch hier», stellt sie fest.

«Das überrascht dich wohl», antwortet Irv beim Abbiegen.

«Bisher hab ich so was noch nicht gesehen.»

«Du hast auch nicht grade unsere Schokoladenseite kennengelernt. Die ganze Gegend hier ist zugleich inspirierend und entspannend. Eine Menge Promis, Künstler und so weiter haben hier Ferienhäuser. Ich hab einige kennenlernen dürfen, mich sogar mit ein paar von ihnen angefreundet. Früher hab ich ihnen Sicherheitsfirmen für ihre Partys vermittelt und geholfen, mit der Presse klarzukommen. Man könnte sagen, ich habe hier berühmte Freunde.»

Irv fährt den Broadway hinab bis zur Kreuzung mit der Main Street.

«Die heißt wirklich Main Street?»

«Ja, wieso?»

«Ich dachte immer, das sei nur eine Metapher», antwortet Sigrid, während ein Radfahrer in Elastan und Helm links an ihnen vorbeizieht.

«Was?»

«Main Street. Ich dachte immer, das bedeutet bloß Hauptstraße.»

«Bedeutet es auch.»

«Aber es ist auch der Name.»

«Yup.»

«So wie ... Watertown.»

«Sigrid, ich hab keinen Dunst, worauf du hinauswillst.» Irv überquert eine Straße namens Route 3, vorbei an einem Mini-Markt zur Rechten, dann bremst er ab, um im Schneckentempo eine Brücke zu überqueren, die an den See zu ihrer Linken, im Osten also, angrenzt. Die Sonne sticht durch die Baumwipfel und brät das Auto.

«Wird heiß heute», brummt Irv.

Sie erreichen einen flachen Backsteinbau, der sich hinter den Bäumen vor der Stadt verbirgt.

Irv parkt im Schatten und betritt sofort die Wache. Sigrid aber bleibt noch draußen, geht das kurze Stück zum Ufer und späht hinüber zum fernen Wald und den Hügeln.

«Marcus», flüstert sie.

Ausgerechnet hier sind wir gelandet.

In Oslo, bei der Arbeit, steht sie oft mit den Rauchern vor dem Haus, um mit geschlossenen Augen – endlich! – die Sonne im Gesicht zu spüren. Die ganze Stadt drückt sich dann an Straßenecken herum oder vor den Geschäften, wo das Licht zwischen den Gebäuden durchscheint, und sonnt sich für ein paar kostbare Augenblicke in unerschütterlicher Andacht wie Stadtblumen.

Ihr Kollege Petter hat sie wegen dieses Bildes immer aufgezogen. «Blumen drehen sich nicht zur Sonne, weil sie die Hitze mögen», erklärte er einmal. «In Wahrheit brennt die Sonne die Feuchtigkeit aus den Zellen auf dieser Seite des Stiels, sodass die Blume auf ihre Peinigerin zukippt.»

«Für mich klingt das wie Liebe», erwiderte sie.

Die New Yorker Sonne ist allerdings beträchtlich heißer als die norwegische. Die Leute hier sprechen von «Upstate», als ob das der «Norden» wäre. Ist es aber nicht. Das ist hier nicht mal der 43. Breitengrad. Vergleicht das mal mit Kristiansand, an der Südspitze Norwegens, würde Sigrid ihnen gerne sagen. Das liegt am 58. Breitengrad.

Sogar Venedig liegt nördlicher als dieser See.

Nein, hier ist Süden. Und so brennt auch die Sonne.

Da werden Sigrids Gedanken von einem schwarzen Lieferwagen mit der Aufschrift SWAT gestört, der neben Irvs Jeep einparkt. Auf einem Anhänger dahinter liegt ein großes, schwarzes Schlauchboot mit riesigem Außenborder.

In aller Ruhe steigen hinten fünf Männer in Helmen und voller Kampfausrüstung aus. Ihren Anführer, der aus der Beifahrertür klettert, kennt Sigrid nicht. Die fünf wirken konzentriert, aber weder aufgeregt noch düster. Gemeinsam mit dem Fahrer machen sie sich daran, das Boot zu Wasser zu lassen.

Sigrid betritt den kühlen Empfangsraum der Polizeiwache. Ein Beamter lächelt ihr zu. Sigrid verzieht das Gesicht selbst zu so etwas wie einem Lächeln, worauf der andere das Lächeln sofort einstellt. Sie geht nach links durch eine Tür, wo Irv mit einem fülligen weißen Polizisten spricht, dessen offizielle POLICE-Baseballkappe zu klein für seinen runden Kopf ist. Irv steht vor dem Schreibtisch des Mannes. Er spricht ganz ruhig, fuchtelt jedoch dramatisch mit den Händen. Der Polizist – Frank Allman, laut dem Messingschildchen an seinem Hemd – lässt Irvs Sermon geduldig über sich ergehen.

«Was ist los?», fragt sie, ohne sich vorzustellen.

Der hiesige Sheriff steht auf und streckt ihr die Hand entgegen. Sie ist ein wenig feucht, und er blickt unschuldig und hilflos drein.

«Sigrid Ødegård», sagt Irv, «das ist Sheriff Frank Allman. Frank ... Sigrid. Die Polizistin aus Oslo, von der ich erzählt hab.»

«In echt sind Sie viel hübscher als auf dem Foto», stellt Frank fest.

«Was ist los?», fragt Sigrid noch einmal.

«Der Commissioner hat angerufen», sagt Irv. «Nicht Howard. Der Commissioner selbst.»

«Was heißt das?»

«Das heißt», antwortet Frank und setzt sich wieder, «dass Entscheidungen über uns hinweg gefällt wurden und die Dinge ins Rollen kamen, wie man so sagt.»

«Draußen steht ein SWAT-Team», sagt Sigrid. «Mit einem Kommandoschlauchboot.»

Irv sinkt tief in den Besuchersessel vor Franks Schreibtisch.

Seine Körpersprache missfällt Sigrid. «Was machen die hier?», drängt sie.

«Der Commissioner», erläutert Frank, «hat vom gestrigen Showdown vor dem Inferno gehört. Er ist vor die Fernsehkameras getreten, um mögliche Sorgen afroamerikanischer Mitbürger zu zerstreuen, der Tod von Dr. Lydia Jones könnte ignoriert oder stiefmütterlich behandelt werden. Er hat feierlich von einer Marmortreppe herab verkündet, dass die Ergreifung des Mörders für seine Behörde allerhöchste Priorität hat.»

Sigrid blickt zu Irv, der auf seine Stiefelspitzen starrt.

«Es gibt keinen Mörder. Die wenigen Indizien, die wir haben, deuten auf Selbstmord hin.»

«Jetzt gibt es einen», erwidert Frank.

«So läuft das nicht mit Indizien. Oder Tatsachen. Oder mit Wahrheit und Realität.»

«Aber mit Politik, in diesen irren Zeiten», sagt Frank.

«Wenn Sie sechs schwerbewaffnete Männer in den Wald schicken, um Marcus zu suchen, dann glauben die auch, man bräuchte sechs schwerbewaffnete Männer, um ihn zu finden.

Entsprechend werden sie vorgehen. Die Chancen, dass Marcus dabei was passiert, sind jenseits aller Proportion – also sie stehen in keinem Verhältnis mehr zur Aufgabe.»

«Da widerspreche ich Ihnen gar nicht, Ma'am, aber es gibt eben eine Befehlskette, und ich stehe nicht ganz oben.»

«Dann ist das jetzt also eine politische Angelegenheit – das wollen Sie doch damit sagen?»

«Die wurden nun mal gewählt», stellt Allman fest.

Sigrid stützt die Hände auf den Schreibtisch und beugt sich dicht vor Allmans rötliches Gesicht.

«Vor einem Monat habe ich eine Fahndung geleitet, die gewaltsam endete. Diesmal wird das anders. Das da draußen ist mein Bruder. Der nie einer Fliege was zuleide getan hat. Ich will, dass Sie mir in die Augen schauen und versprechen, dass diese Sache friedlich ausgeht.»

«Ma'am.» Frank lehnt sich ein Stück zurück, um Abstand zu gewinnen. «Das kann ich nicht versprechen.»

Sigrid tritt vom Tisch zurück. «Hast du dazu noch was zu sagen, Irv?», fragt sie ganz ruhig.

Zum ersten Mal, seit sie ihn kennt, wirkt Irv hilflos. «Nein», sagt er.

«Aha. Dann warte ich mal draußen. Ich muss einen Moment allein sein.»

«Das verstehe ich», antwortet Irv, obwohl er ganz sicher nicht versteht, was jetzt passieren wird.

Die Leute vom SWAT-Team plaudern über einen Film, den ihr Anführer am Vorabend gesehen hat. Er handelte von einem Mann, der sich nur durch Blinzeln verständigen konnte, auf diese Weise jedoch ein ganzes Buch geschrieben hat.

«Eigentlich steh ich ja mehr auf Action und Komödien»,

sagt er. Aber seine Frau, die habe ihn dazu gezwungen, weil sie fand, sie beide sollten nicht immer dasselbe machen. «Demnächst sind wir zehn Jahre verheiratet», fährt er fort. «Das macht sie wahrscheinlich ein bisschen kirre, also hab ich mich drauf eingelassen. Und ohne Witz, der war wirklich wunderschön. Ehrlich.»

Die fünf Männer nicken, dann schluchzt einer herzhaft auf und die anderen prusten los.

«Ihr seid so bescheuert», knurrt der Anführer.

Sie unterhalten sich weiter, während sie hinter dem Lieferwagen ihre Ausrüstung aufstapeln. Sigrid geht indessen schnell und unauffällig zu Irvs Jeep, wo sie ihre Tasche mit dem grausigen Wodka deponiert hat. Weder beim Kauf noch beim Einladen hat sie daran geglaubt, dass die Umstände sie zwingen würden, das Zeug tatsächlich einzusetzen.

Während sie im Kofferraum die Molotowcocktails bastelt, grübelt sie, wie noch gleich der Film hieß, den der Typ gesehen hat. Sie kennt ihn auch. Irgendwas mit Schmetterling. Jedenfalls hat er recht: Er ist wunderschön.

Sigrid reißt ein Motelhandtuch in vier Streifen, stopft sie in die Flaschen, tränkt die Dochte mit Wodka und kramt nach ihrem Feuerzeug.

Laut Abschlussbericht zu ihrem letzten Fall hat Sheldon Horowitz sich ein Zimmer im schicksten Hotel der Stadt erquasselt und einen Polizisten auf dem Land überzeugt, er sei Deutscher. Er hat bei hellem Tageslicht ein Boot gestohlen, ohne dass es dafür Zeugen gab. Er ist in ein Haus am Fjord eingebrochen und hat dort mit dem Jungen übernachtet, aber nichts zurückgelassen als eine Spüle voll Geschirr. Danach hat er einen Traktor geklaut und später, mit zweiundachtzig Jahren, eine Mafiabastion gestürmt. Mit einem defekten Gewehr, nachdem er die Gangster aufgefordert hatte, sich zu ergeben.

Auch bei Sheldon lief nicht immer alles wie geplant, doch Sigrid kam nicht umhin, seinen Mumm zu bewundern.

Sie lässt die Bomben im Jeep zurück und ruft den SWAT-Beamten zu: «Hey!»

Alle sechs drehen sich zu ihr um.

«Frank braucht euch hinten. Ihr sollt da auf ihn warten. Er muss nur noch mal mit dem Commissioner reden, dann kommt er raus.»

Die sechs blicken einander fragend an, suchen nach einer Information, die keiner von ihnen hat. Sigrid hilft ihnen weiter: «Marsch!», ruft sie.

Und sie marschieren.

Allein geht Sigrid zum Schlauchboot am Ufer und nimmt die Steuerung in Augenschein. Lenkrad, Gashebel, ein roter Anlasser und – praktisch – ein steckender Zündschlüssel. Ein Troll mit fuchsienrotem Haar baumelt daran.

Zwei weitere Boote liegen am Anleger. Das erste hat einen Yamaha-Motor mit 75 PS und Starterseil, das zweite einen alten Motor von Honda, ebenfalls mit Seilzug.

Sigrid klappt das Messer ihres Bruders auf, springt ins erste Boot, zieht das Starterseil an seinem Plastikgriff so weit wie möglich heraus und kappt es. Das abgeschnittene Stück wirft sie unter den Anleger.

Rasch und immer wieder zur Wache blickend, falls dem SWAT-Team doch etwas schwant, verfährt sie genauso mit dem zweiten Boot. Jetzt, wo die hiesige Marine quasi versenkt ist, trabt Sigrid zurück zum sonnenüberfluteten Parkplatz, holt die Flaschen aus dem Jeep und steigt ins Schlauchboot. Sie macht die Leinen los und dreht den Trollschlüssel. Sobald der Motor gleichmäßig tuckert, zündet sie drei ihrer Wurfbomben an.

In hohem Bogen landet die erste kurz vor dem SWAT-Truck. Glassplitter und flüssiges Feuer breiten sich über die dort gestapelte Ausrüstung. Schnell steigt dichter, schwarzer Rauch auf. Wenn die Männer nicht sowieso schon auf dem Rückweg waren, werden sie spätestens jetzt angerannt kommen. Sigrid muss sich beeilen.

Sie schiebt den Gashebel nach vorn und legt ab, lenkt den Bug auf den offenen Lake Flower. Der Troll und sie entfernen sich vom Pier, der Polizeiwache und bald mindestens acht wütenden Männern.

Langsam tuckert sie an den beiden unbrauchbaren Booten vorbei und wirft die übrigen Brandsätze hinein.

Jetzt ist ihr Vorsprung sicher. Sigrid gibt Gas und jagt davon. Sie lässt ein Schlachtfeld zurück.

Im Rückspiegel sieht sie Irving Wylie, der mit den Händen in den Hüften zuschaut, wie das SWAT-Team und drei weitere Polizisten die Flammen mit Feuerlöschern aus dem Lieferwagen einsprühen. Mehr erkennt sie nicht, weil Irv und die anderen kurz darauf nur noch zitternde Umrisse und Farbflecken auf dem vibrierenden Spiegel sind, ununterscheidbar vom Rauch und den Flammen.

Das Boot lässt sich gut steuern. Bei hoher Geschwindigkeit ditscht es über den See wie ein von einem bockigen Gott geworfener Stein.

Stabil auf Kurs macht Sigrid sich mit den Armaturen vertraut. Praktischerweise haben die Kommandopolizisten vor der Windschutzscheibe ein GPS eingebaut. Außerdem ist da auch eine Karte der Region in wasserdichtem Plastik. Darauf sieht man, wie Lake Flower sich südwärts ausdehnt und in den Oseetah Lake übergeht. Den Namen kann sie nicht aussprechen; wahrscheinlich indianisch.

Die bewaldeten Ufer verschwimmen neben dem dahinrasenden Boot zu grün-braunen Wänden. Die nächtlichen Gewitterwolken werfen nur noch als vereinzelte Wattebäuschchen Schatten. Dunkle Flecke überziehen das Land wie vergossene Farbe.

Nichts spricht gegen das, was sie hier tut. Nur sie kann Marcus jetzt noch schützen. Und das kann sie am besten, wenn sie als Erste bei ihm ist.

Die Zahlen auf dem GPS nähern sich denen, die Irv von dem Camper erfahren hat. Marcus hat – oder hatte – sein Lager in der Nähe von Pine Pond aufgeschlagen, einem Weiher ein Stück landeinwärts. Sofern Sigrid eine Chance haben will, Marcus vor den anderen zu finden, muss sie also den südlichsten Punkt des Oseetah Lakes erreichen, das Boot verstecken oder versenken und zu Fuß durch den Wald marschieren. Sie schiebt den Gashebel nach vorn, so weit sie sich nur traut.

Das Boot ist atemberaubend schnell. Sigrid ist noch nie auf so einem gewesen. Die Scheibe schützt sie teilweise vor dem Fahrtwind, doch ihr Haar peitscht trotzdem wild umher. Eine Frau hätte das anders gebaut.

Als das Blau des Sees zu Schwarz wird, gibt sie noch mehr Gas. Hätte das Boot Flügel, würde es jetzt fliegen. Jede kleine Welle lässt es abheben und wieder auf die Oberfläche klatschen. Sigrid denkt an Beton. An Lydias Sturz.

Sie nimmt die Hände vom Lenkrad und bindet das Haar zu einem Dutt, damit die Strähnen ihr nicht dauernd in die Augen wehen. Dann setzt sie gegen die grelle Sonne die Pilotenbrille ihres Bruders auf. Augenblicklich ist es besser. Sie blickt auf die Karte.

Wenn die was taugt – und da sie vom SWAT stammt, tut sie das wahrscheinlich –, gibt es in der Nähe von Marcus' letztem bekannten Aufenthaltsort keine Landemöglichkeit für einen Hubschrauber; keine Lichtung, keine Forststraße, keine Wiese, die breit genug für Rotorblätter wäre.

Selbst wenn sie Luftunterstützung anfordern, müssten die sich also zwischen den Bäumen abseilen – viel zu gefährlich für Nichtspezialisten. Und Spezialisten dürften sie in der nächsten Stunde kaum herbeiholen können. Immerhin ist das hier Saranac Lake und nicht Afghanistan.

Nein, wahrscheinlicher ist, dass sich das Team ein neues Boot besorgt, Sigrid folgt und wie sie zu Fuß den Wald durchquert.

Sie blickt auf ihre Schuhe. Elegant und italienisch.

Besser, sie hätte Kampfstiefel angezogen.

EIN wenig verloren sieht Irv mit den Händen in den Hüften zu, wie die anderen Beamten das Feuer löschen. Er lässt den Blick über die beeindruckende Spur der Verwüstung streifen, die eine einzige zornige Norwegerin hinterlassen hat. Einer der sechs Männer in Schwarz liest die Überreste einer Flasche grauenhaften Wodkas mit pseudorussischem Namen auf. Irv hat sich schon oft gefragt, wer so was kauft. Jetzt weiß er es.

Er hätte wohl das Auto abschließen sollen. Mehr wäre nicht nötig gewesen, um das hier zu verhindern.

Frank Allman schlurft an seine Seite und wischt sich etwas Schweiß aus dem Gesicht – mit demselben Taschentuch, mit dem er sich vorhin noch die Nase geputzt hat.

«Heilige Scheiße, Irv.»

«Ich weiß. Das hab ich nicht kommen sehen.»

«Dir ist schon klar, dass man das als Terrorismus auslegen könnte? Oder?»

«Ach, jetzt lass aber mal die Kirche im Dorf.»

«Ich sag's ja nur.»

«Sie will uns doch bloß aufhalten, damit wir ihren Bruder nicht umbringen. Außerdem kommen die vom FBI nie an so wundervolle Orte. Wenn du das denen meldest und die zum See kommen, mitten im schönsten Sommer, wirst du sie nicht mehr los, bis das letzte Herbstblatt vom Baum fällt.

Stell dir nur mal vor, wie schön das wird, wenn die hier mitmischen.»

«Aber du musst zugeben», erwidert Frank, «das ändert die Lage. Ich will jetzt nicht sagen, es ‹verschärft› sie oder ähnlichen Quatsch, aber ändern tut es sie schon.»

«Der Fall liegt immer noch genauso wie vor Sigrids Amoklaufen. Verletzt ist ja wohl niemand, oder?»

«Nein», bestätigt Frank. «Aber zumindest die Staatspolizei sollte ich anrufen. Und die Versicherung. Glaub nicht, dass ich das hier als Unfall verbuchen kann.»

«Ich hab die Zügel schleifen lassen», räumt Irv ein. «Das ist meine Schuld. Diese verfluchten Politiker sollen endlich mal kapieren, dass die Leute, die direkt mit einem Problem zu tun haben, es auch am besten lösen können. Darum bin ich überhaupt erst Republikaner geworden, aber so läuft das heute nicht mehr. Diese Wahl macht die Leute völlig kirre. Jetzt scheißen uns Einheimische von ganz oben auf den Kopf. Demokraten, Republikaner, vollkommen egal. Verdammter Howard.»

«Es ist ein Job, Irv», sagt Frank.

«Stimmt», pflichtet Irv bei. «Du, jetzt lass uns aber besser mal die Kerle mit den Maschinenpistolen beruhigen. Die sollten besser nicht zu sauer werden, weil –»

«... sie bombardiert wurden?»

«Sigrid hat sie ja vorher weggeschickt.»

«Ich weiß, aber wir sind hier nicht in Beirut, Irv. Das ist Lake Flower, zum Kuckuck.»

«In Beirut gibt's keine Seen.»

«Was wissen wir schon über Beirut?», fragt Frank.

«Gar nichts», blafft Irv.

Sie betrachten den Rauch.

Frank zieht ein Stück wintergrünen Kaugummi aus einem weißen Päckchen in seiner Tasche.

«So. Und jetzt?», fragt Irv.

«Na ja ... wie geplant, denke ich mal, bloß langsamer. Wenn wir diese Boote nicht wieder zum Laufen kriegen, müssen wir rüber zum Bootsladen beim Bloomingdale, an der Route 3, und schauen, ob die ein Schlauchboot haben, das wir auf Kredit kaufen können. Mr. Vance ist aber kein Fan von Krediten, was zum Problem werden könnte, weil mein Budget nicht ausreicht. Meine private VisaCard leg ich bestimmt nicht auf den Tisch. Und dann ... werden die Jungs wohl tun, was immer sie sowieso vorhatten.»

«Ich gehe mit», verkündet Irv. «Die Sache überlasse ich sicher nicht diesen Revolverhelden da drüben. Sigrid mag ja einen Vorsprung haben, aber jetzt sind wir angefressen, und das macht vieles wett.»

Frank rückt seinen Waffengürtel zurecht, sodass er bequem unter der Wampe sitzt. Irv hat das immer schon an ihm genervt. «Wie kann ein normaler Mensch nur so was tun?», sinniert Frank mit Blick auf die qualmenden Boote.

«Sie traut uns nicht.»

«Wieso nicht?»

«Ich glaube, es liegt an den Cowboystiefeln.»

Frank blickt sich auf die Füße. «Aber ich trage keine Cowboystiefel. Ich trage Hush Puppies.»

«Hush Puppies kennt sie vielleicht nicht. Sie kommt aus einem fernen Land, jenseits des großen Wassers.»

Kurz bevor sie das andere Ende des Sees erreicht, klingelt Sigrids Handy.

«Hallo?», sagt sie, ohne aufs Display zu blicken.

«Sigrid», meldet sich ihr Vater. «Wie läuft's bei dir und Marcus? Du hast nicht mehr angerufen.»

«Ich hatte viel zu tun.»

«Was ist das für ein Lärm?», fragt Morten.

«Ich bin auf einem Boot. Ist grade schlecht.»

«Seit deinem letzten Anruf hab ich nachgedacht. Ich muss dich was fragen.»

«Geht das auch noch später?»

«Hat Marcus in all den Jahren viel mit dir über den Tod eurer Mutter geredet?»

«Pappa ... das klingt jetzt nicht *sooo* dringend.»

«Du weißt, dass ihn das schwer getroffen hat. Sehr, sehr schwer. Hat er je mit dir darüber gesprochen?»

«Sie war auch meine Mutter, Pappa. Mich hat das auch schwer getroffen. Ich war ja noch ein kleines Mädchen. Du, ich muss jetzt aber wirklich auflegen.»

«Für ihn war es schwerer.»

«Ja, ja», wiegelt sie ab. «Pappa, ich bin nicht nur auf einem Boot, ich fahre es. Außerdem bin ich auf der Flucht vor bewaffneten Männern.»

«Ich glaube, bei einem Boot sagt man ‹steuern›. Du steuerst das Boot. Aber ich schau noch mal nach. Dieser Seefahrtsjargon ist ganz schön vertrackt.»

«Mach's gut, Pappa.»

«Ich frage mich, ob sein letzter Brief eine Anspielung auf eure Mutter war. Ob Lydias Tod irgendwie mit dem eurer Mutter zu tun hat – in seinem Kopf, meine ich. Er meinte doch, alles würde ‹ein zweites Mal› passieren.»

«Das spielt im Moment keine Rolle.»

«Wenn es überhaupt eine spielt, dann immer – und vor allem jetzt. Wenn Marcus sich für Lydias Tod so sehr die

Schuld gibt wie für den eurer Mutter, könnte er in ziemlich heikler Verfassung sein. Das wird schwierig für dich.»

«Vielleicht hast du recht, und ich bin beeindruckt, dass du das alles von Norwegen aus erkennst. Aber ich bin wirklich auf einem Boot und auf der Flucht vor bewaffneten Männern, also muss ich jetzt Schluss machen, ja?»

«Mach sie nicht wütend.»

«Das kommt ein bisschen zu spät.» Sie legt auf.

Das Ufer rast ihr entgegen wie eine grüne Mauer. Der See breitet sich weiter Richtung Westen aus, wo er sich wie Teufelshörner in den Kiwassa Lake im Norden und den Second Pond im Süden spaltet. Sigrid aber steuert das Boot direkt auf den Wald zu, geradeaus über die grünen Algen, die im ruhigen Wasser am Seeufer wachsen und gedeihen. Hoffentlich läuft das Boot nicht zu früh auf Grund, denn ihre Schuhe sind nicht wasserdicht und sie hat noch ein gutes Stück zu gehen.

Kurz vor dem Ufer schlagen Wasserpflanzen gegen die Gummihülle, und kalte Gischt spritzt über den Bug. Fünfzig Meter vom Land entfernt nimmt sie das Gas weg und bremst ab auf fünf Knoten, lässt das Boot sanft in eine dunkle Ecke hinter ein paar Bäumen gleiten. Einen Meter vor dem Ufer stellt sie auf Leerlauf und springt vom Bug auf ein Fleckchen grobes Gras. Ihr Brückenkopf. Sie macht das Boot fest, stellt den Motor ab, und alles wird ruhig.

Hinter ihr liegt klar und blau der See. Ihr Kielwasser verschwimmt bereits mit dem Gekräusel, das die leichte Brise aus dem Osten aufwirft. Ihre Spur durch die Algen wird – vor allem aus der Luft – noch zu erkennen sein, falls die Polizei genau genug hinsieht, doch bislang ist weit und breit niemand zu sehen. Natürlich kennt auch Irv die GPS-Koordinaten, sodass er sie eigentlich gar nicht erst finden muss; er kann direkt zum Treffpunkt fahren. Aber sie hat einen Vorsprung. Vielleicht nur ein paar Minuten, aber womöglich doch genug, um Marcus aufzuspüren und wegzubringen. Falls sie ihn zur Vernunft bringen kann, gibt es womöglich doch noch einen Weg, ihn ohne Zwischenfälle der Polizei zu übergeben; vielleicht in einem Diner in der Stadt oder auf einem Spielplatz. An so einem Ort würde die Polizei kein Drama oder verängstigte Einheimische riskieren.

Wenigstens nicht in einer so weißen Stadt wie dieser.

Das für Saranac Lake zuständige SWAT-Team wird angeführt von Lieutenant Alfonzo Plymouth, der mit Captain Pinkerton von Irvs Eingreiftruppe nichts gemein hat. Irv ist Alfonzo schon einmal bei einer regionalen Polizeitagung begegnet, er hat ihn in guter Erinnerung. Auf dem angekokelten Pier wischt Alfonzo sich die klebrigen Reste der Löschflüssigkeit an die Hose und lässt in ruhigem Ton seine Männer ihre Ausrüstung überprüfen. Sie durchstöbern die verbrannten Taschen, die jetzt fürchterlich stinken.

Der Bootsladen teilt Frank Allman mit, dass er keine geeigneten Schlauchboote vorrätig hat. Frank bedankt sich, steckt das Handy weg und lässt Alfonzo wissen, dass sie die beiden anderen Boote – trotz ihres Zustands – wieder flottkriegen müssen. Vorsichtig steigt Al auf das größere der beiden und springt auf dem dunklen Fleck am Heck ein paarmal prüfend auf und ab.

«Wie sieht's aus?», fragt Irv.

«Sieht okay aus», antwortet Alfonzo. «Ich würd's riskieren. Geschwindigkeitsrekorde werden wir allerdings nicht aufstellen.»

«Dann ... los, oder?»

«Na ja ... nein», sagt Alfonzo mit einem Blick auf den Motor. «Ihre Freundin hat das Starterseil gekappt.»

«Und das vom anderen Boot?»

«Das auch.»

«Kann doch nicht so schwer sein», wendet Irv ein. «Haube ab, Schwungrad raus, neues Seil drum, fertig ist das Gartenhäuschen.»

«Klar.» Alfonzo klingt skeptisch. «Hat einer ein Seil?»

«Geht da nicht auch ein Schnürsenkel oder so?», fragt Irv. «Hab ich mal in nem Zeichentrickfilm gesehen, glaub ich.»

Alfonzo betrachtet seine Schuhe. «Meine sind Kampfstiefel, Klett- und Reißverschluss. Was haben Sie?»

Wortlos kuckt Irv auf seine Cowboystiefel, Alfonzo folgt seinem Blick. Kommentare sparen sie sich beide.

«Frank?», ruft Irv. «Wir brauchen ein Starterseil vom Baumarkt.»

«Alles klar, schon unterwegs.» Frank winkt, öffnet die Tür seines Streifenwagens und quetscht sich auf den Fahrersitz wie ein Cupcake in eine volle Brotdose. Mit grollendem Achtzylinder bricht er auf, um das fehlende Element moderner Verbrechensbekämpfung aufzutreiben.

Alfonzo lässt seine Männer unterdessen irgendeine Zauberpampe auf den Boden des verkohlten Boots sprühen, die idealerweise aushärten und ein Leck verhindern soll. Dann schraubt das Team seine Ausrüstung auf das Allernötigste zurück – einschließlich Schusswaffen und Funkgeräte – und macht sich daran, das kleine Fischerboot in ein kleines Fischerboot mit einem SWAT-Team an Bord zu verwandeln.

Fünfunddreißig Minuten später ist Frank wieder da, mit einer Nylonschnur und Mittagessen.

DIE Messingglocke über der Eingangstür zur Wache klingelt hell und klar – bis sie vom Haar auf Howard Howards hoch aufragendem Haupt erstickt wird. Howard hat Irvs Wache nie zuvor besucht – wenigstens seit Melinda hier arbeitet –, und niemand hat ihn je gesehen. Nur Muppet der Hund erkennt ihn, kaum dass er den Mund aufmacht.

«Ich suche den Sheriff», verkündet Howard, indem er ins Büro gleitet wie ein Gespenst.

Muppet, der gerade dabei war, sich von einem anstrengenden Nickerchen zu erholen, taumelt über das gebohnerte Linoleum, stürmt türwärts und kommt schlitternd vor dem Gottkaiser von einem Mann zum Stehen, der da aus luftiger Höhe zu ihm herabblickt, mit welpenbraunen Augen und Brauen, die genauso ausdruckslos und unmenschlich sind wie die seinen.

«Wer bist du denn?», fragt Howard den Hund.

Melinda sieht Muppet an, dass er die Antwort nicht weiß, weil er ja kein Englisch spricht. Dabei wüsste er sie nur zu gern. Er möchte Howard unbedingt antworten.

«Wuff», macht Muppet.

«Und wo ist der Sheriff?», fragt Howard ins Büro.

Melinda war gerade dabei, einige bis Ende der Woche fällige Vollstreckungsbefehle zu tippen. Als Howard eintrat, hat sie damit aufgehört.

«Ich bin Deputy Melinda Powell, Sir», sagt sie, steht auf und streckt Howard die Hand hin. So dicht vor ihm fühlt sie sich wie eine Zwergin. Irv hat zwar breitere Schultern und ist massiger, doch Howards lincolnhafte Größe, das erhobene Kinn und der gesenkte Blick machen ihn viel imposanter. Als würde man zu einem erbosten Gandalf aufblicken.

«Wo ist der Sheriff, Deputy Powell?»

«In Saranac Lake. Also im Ort, nicht im See. Wir glauben, Marcus Ødegård hält sich in der Gegend auf. Irv ist dort mit Frank Allman und dem örtlichen SWAT-Team.»

«Wie viel Mann sind das?», fragt Howard.

«Etwa ein halbes Dutzend, Sir. Ich weiß nicht genau.»

«Wie viele Leute haben Sie hier?»

«Wir haben kein SWAT, nur eine Eingreiftruppe, geführt von Pinkerton. Mit ihm sind das fünfzehn Mann, Sir.»

«Pinkerton.»

«Ja, Sir.»

«Der Pinkerton, der gestern Abend einen Aufstand verhindert hat?»

«Nein. Das war Reverend Green ...»

«Aber Pinkertons Team war die dünne blaue Linie zwischen Ordnung und Chaos. Richtig?»

«Ich glaube, das ist die falsche Frage.»

«Wie bitte?» Howard macht einen Schritt nach vorn. Die Tür hinter ihm fällt zu und sperrt alle im Zimmer mit ihm ein. Das von seinem Kopf blockierte Glöckchen kommt frei und beendet sein Gebimmel.

Howards Stimme hallt so tief und hohl, als würde man eine Haubitze laden. Melinda blickt sich hilfesuchend um, doch alle, einschließlich Cory, sind hinter ihren Schreibtischen in Deckung gegangen.

«Ich mein ja bloß, dass Reverend Green die Lage entschärft hat», stellt Melinda klar. «Die Eingreiftruppe hat auf Irvs Befehl die Waffen geschultert, nachdem Green das Problem gelöst hatte. Ich mein ... also Probleme gibt's natürlich immer noch, aber er hat Schlimmeres verhindert. Ist noch mal gut gegangen.»

«Dann sollten wir vielleicht diesen Reverend Al Green –»

«Fred Green, Sir.»

«... losschicken, um den flüchtigen Ausländer zu verhaften, der eine Afroamerikanerin aus einem Fenster in den Tod gestürzt hat. Wäre das was?»

«Wir glauben, sie hat vielleicht Selbstmord begangen.»

«Ein paar Blocks vom Haus dieses Norwegers? Weil ihr Neffe gestorben ist? Wo gibt's denn so was? Das war kein Selbstmord. Unser Job ist es, diesen Mann zu verhaften und dem Staatsanwalt zu übergeben. Der soll dann meinetwegen philosophisch werden, mit seinem Doktortitel, der Anwaltskammer und seinem Eid gegenüber dem Staat New York im Rücken. Aber das geht uns nichts an. Oder, Deputy?»

Melinda blickt zu Muppet, Muppet blickt zu Howard. Melinda wirft dem Hund einen bösen Blick zu, doch dem ist das schnuppe.

«Der Commissioner will unsere Eingreiftruppe zur Unterstützung in Saranac haben. Darum bin ich hier. Sieben Leute sind zu wenig. Außerdem sind die nur vom SWAT, weil die dort kein eigenes Team haben.»

«Ja, Sir. Oder nein, Sir. Ich weiß nicht genau.»

«Saranac Lake, das ist ... Greg Allman?»

«Frank Allman, Sir.»

«Holen Sie ihn ans Telefon. Irv ebenfalls. Ich will Ihren ruhmreichen Anführer sprechen.»

Alfonzos magischer Reparaturschleim braucht eine halbe Stunde zum Aushärten. So lange können die Männer getrost einen Happen essen.

Als Franks Handy klingelt, nimmt Irv gerade die letzten Bissen seines Kiwassa-Burgers aus dem Blue Moon Café.

«Hallo?», meldet sich Frank.

Es ist Howard Howard. Er schickt ihnen ein Team, das demnächst eintreffen wird. Wie es läuft, will Howard wissen.

Frank bedeckt das Mikrofon mit der Hand und wendet sich an Irv. «Howard schickt uns deine Eingreiftruppe. Er fragt, wie's hier läuft.»

«Sag ihm, alles prima», antwortet Irv und greift sich eine Serviette.

Frank nimmt Howards Anweisungen entgegen. Dann stellt er das Nicken ein und geht zu Stirnrunzeln über. Irv gefällt das ganz und gar nicht, was er zum Ausdruck bringt, indem er es imitiert.

«Howard will dich sprechen», sagt Frank.

«Sag ihm, ich bin nicht da.»

«Er weiß, dass du da bist.»

«Woher?»

«Er hört, wie ich mit dir spreche.»

Irv nimmt das Handy entgegen. Sein Blick fällt auf Alfonzo, der den reparierten Rumpf gerade mit dem Griff seines Kampfmessers abklopft. Aus der Ferne klingt es wie Glas. Alfonzo zeigt seinem Team den erhobenen Daumen, die futternden Männer erwidern halbherzig die Geste.

«Was gibt's, Howard?», brüllt Irv ins Handy.

«Ich schicke Pinkerton», antwortet Howard.

«Pinkerton ist ein hodenloser Fascho, der dringend was

mit Blei vollpumpen will, weil er kein Sperma produziert. Irgendwo kann man so einen wie ihn womöglich sogar brauchen, aber sicher nicht auf dem Lake Flower. Ich hab hier ein sieben Mann starkes, absolut bombiges Sturmkommando. Ich sehe denen grade bei der Vorbereitung zu. Wie die Harlem Globetrotters mit Maschinenpistolen sieht das aus. Pinkerton wäre da bloß Sand im Getriebe.»

«Ich schicke nicht bloß Pinkerton, sondern das ganze Team. Geben Sie mir die Koordinaten», befiehlt Howard.

«Dazu sind Sie nicht befugt.»

«Der Commissioner sieht das anders.»

«Ich würde Ihnen das gern ausreden», erwidert Irv gefasster.

«Ich lasse nicht zu, dass Ihr Flüchtiger ausbüchst und die Lage hier im Staat noch mehr verkompliziert.»

Irv nennt Howard bei einem Namen, der so nicht auf dessen Taufschein steht, und teilt ihm mit, er brauche einen Augenblick, um die Koordinaten zu finden, die «hier irgendwo sein» müssen.

In der Tasche hat Irv ein kleines Adressbuch – ein altmodisches Büchlein mit alphabetischem Register. Unter W schlägt er die Nummer einer Freundin nach. Zeit, sich an Sigrid ein Beispiel zu nehmen, eine beschissene Situation am Schlafittchen zu packen und sie zu bereinigen.

In einem BWL-Kurs hat Irv einmal gelernt, dass strategisches Handeln aus vier Komponenten besteht: aus dem Ziel, den Mitteln, einer bestimmten Methode und – das Herzstück von allem – einer Theorie darüber, *wieso* der methodische Einsatz der gewählten Mittel zum gewünschten Ziel führt. In diesem Fall beruht Irvs Strategie darauf, mit Howard, dem Commissioner und Pinkerton fertigzuwerden, auf einer in seinen Augen ebenso simplen wie bombensicheren Grundannahme: *Staatsbedienstete sind Arschlöcher und werden einander immer dranhängen, um sich selbst zu retten.* Die Frage ist also: *Welche Mittel stehen mir zur Verfügung, und wie setze ich sie ein, damit all diese Leute in einem Rutsch gefeuert werden?*

Eine schwierige Frage, aber Irv ist ein cleveres Kerlchen und hat bereits eine Idee.

Zusätzlich zur Nummer aus dem Adressbuch sucht er einige Infos in seinem Handy heraus und gibt Howard dann in resigniertem Tonfall die Koordinaten durch. Er legt auf, ohne Howard einen schönen Tag zu wünschen.

Frank steht auf und wischt sich die Hälfte seines Mittagessens von der Wampe.

Auch Irv erhebt sich, rückt die Magnum zurecht und geht mit Alfonzos wohlgenährtem und leicht gelangweiltem Team zum Boot.

Frank macht die Leine los und wirft sie an Bord. Er kommt nicht mit. Die Finger in den Gürtel gehakt, sieht er vom Pier aus zu, wie die anderen sich auf eine gemütliche Schleichfahrt über den See vorbereiten.

«Weißt du, Frank», sagt Irv, während sie ablegen. «Wenn du ein bisschen abspeckst, findest du vielleicht sogar deine Hosentaschen.»

«Ist die Mühe nicht wert», erwidert Frank.

«Dann mal los, Lieutenant», sagt Irv. «Finden wir unseren Mann, bevor die Sache aus dem Ruder läuft.»

Alfonzo zieht einmal kräftig an dem reparierten Starterseil, und der Außenborder erwacht mit sanftem Rasenmähertuckern zum Leben.

«Ist sie das noch nicht? Aus dem Ruder gelaufen, meine ich?», fragt er.

«Wie, wegen dem da?», erwidert Irv mit einem Blick auf die Trümmer hinter ihnen. «Das ist doch gar nichts.»

Eine kleine Drehung am Gashahn, schon ist das Team unterwegs, um Sigrid, das geklaute Boot und Marcus Ødegård zu finden. Irving Wylie wählt unterdessen die Nummer einer gewissen Ms. Weaver.

UNTER Sigrids ruinierten Schuhen ist kein Pfad. Hin und wieder verschwinden ihre Füße ganz im dichten Farn, und die riesigen Blätter schlagen ihr gegen die Beine. Sie hält das Handy mit dem Kompass und den GPS-Koordinaten vor sich wie eine Wünschelrute, folgt ihm über Stock und Stein durch den unberührten Wald. Mückenwolken umschwärmen stumm die gelben Sonnenstrahlen, die hier und da durch die obersten Baumwipfel blitzen. Darunter, auf der Erde, wandert Sigrid zwischen den hellen Lichtklecksen, von denen der Waldboden durchsetzt ist.

Sigrid ist weder Fährtenleserin noch ein Kundschafter wie Sheldon Horowitz. Sie hat keinen Schimmer, ob hier kurz zuvor jemand gewesen ist oder überhaupt noch nie. Ausschau hält sie nach der Sorte Spuren, die sie aus der Stadt kennt: die weggeworfene Packung eines Kvikk-Lunsj-Riegels zum Beispiel, oder ein Hauch Gilette-Aftershave in der Luft. Damit könnte sie schon etwas anfangen.

Diese Ureinwohner, die sich hingehockt haben, um den Boden zu schmecken, hatten doch wohl nicht alle Latten am Zaun. Sie hält das Handy höher und verlässt sich voll und ganz auf die Macht der Satellitenortung.

Ab und zu bleibt ihre Tasche irgendwo hängen, und sie muss sie losreißen. Mit aller Kraft. Vor lauter Wut auf Irv.

Und auf Marcus.

Und ihren Vater.

Auf Männer im Allgemeinen ist sie wütend. Auf alle. Wegen ihrer Dummheit, ihrer Lügen, ihres Egoismus, ihrer leeren Worte, ihrer Aggressivität und ihrer haarigen Rücken. Wegen dem, was sie getan und was sie nicht getan haben, was sie sagen und was sie ungesagt lassen. Wegen des Klangs ihrer Stimmen und der Größe ihrer Schritte, der Lässigkeit, mit der sie Einmachgläser öffnen, und ihrer unerklärlichen Unfähigkeit, auch nur die kleinsten Gegenstände dorthin zurückzulegen, wo sie hingehören. Sie hat die Nase voll davon, in sie zu investieren, ohne je eine Gegenleistung zu erhalten, ihnen zu vertrauen, ohne je dafür belohnt zu werden. Und davon, ihnen in Motels ihr Herz auszuschütten und sich am nächsten Tag erst richtig gut, angenommen und befreit zu fühlen, vollständiger, natürlicher und verbundener mit der Welt, nur um dann, wenn sie Hilfe bräuchte, fallen gelassen zu werden und wieder alles selbst ausbügeln zu müssen.

«Nein», hat er geantwortet, als sie ihn fragte, ob er noch was zu sagen habe. «Nein.» Sonst nichts. Keine Erklärung, keine Entschuldigung, kein Versuch, ihr beizustehen.

Vielleicht ist ein kleiner Teil von ihr auch wütend auf ihre Mutter.

Sigrid kämpft sich durch das niedrige Gestrüpp, folgt ihrem Kompass zu irgendeinem x-beliebigen Ort auf dieser Erde. Wenn sie Marcus findet – falls sie ihn hoffentlich findet –, sollte der sie besser mit offenen Armen und einem Lächeln empfangen. Und sich entschuldigen.

Wie schon auf dem Campus hört sie das Gespräch, dass die beiden sicher niemals führen werden. Aus irgendeinem Grund hockt er in ihrer Vorstellung wie eine Kröte auf einem Baumstamm.

«Sigrid, wie schön, dich zu sehen! Danke, dass du gekommen bist», wird er nicht sagen.

«Das war eine ganz schöne Tortur, Marcus. Ich sollte zu Hause in Hedmark sitzen und einen Schnulzenroman über einen Hotelpagen und eine Herzogin lesen. Stattdessen bin ich hier in ... wo zur Hölle sind wir hier überhaupt?»

«Da drüben» – hier würde er auf eine Stelle zwischen drei Bäumen zeigen – «sagen sich Fuchs und Hase jeden Abend gute Nacht. Das Ende der Welt, nicht bloß von New York oder Amerika. Nur acht Meter von hier.»

«Und du hättest dich nicht dort hinsetzen können? Nur um der Poesie willen?»

«Am Ende der Welt gibt es nichts, auf dem man sitzen kann. Ich glaube, das Universum will nicht, dass man da zu lange bleibt.»

«Ich werde verfolgt», würde sie sagen. «Von Bruder Tuck und seinen tollkühnen Gesellen. Wenn sie kommen, stelle ich mich vor dich, damit sie dich nicht gleich über den Haufen schießen, wegen eines Verbrechens, dass du nicht begangen hast. Okay? Die schießen hier nämlich öfter mal jemanden über den Haufen, wie ich erfahren habe.»

«Pappa glaubt, das Ganze dreht sich um Mamma. Er hat recht. Weißt du nicht mehr? Wusstest du's nicht?»

«Was sollte ich wissen?»

«Erinner dich!»

«Da gibt's nichts zu erinnern. Sie hatte Krebs und ist im Schlaf gestorben. Das war schlimm, aber als Erwachsene wurde mir klar, dass das unter den gegebenen Umständen das Beste war. Es gab keine Heilung. Es gibt noch immer keine. Ich verspüre keine Reue, Marcus, ich bin nur traurig.»

«Da hast du Glück», würde er sagen, so wie immer.

Sigrid brachte das auf die Palme.

Glück?

Sie trampelt durch den Wald. Trampelt *auf* den Wald ein. Schrecklich ist das. Und es ist auch schrecklich, dass sie es schrecklich findet, wo sie es früher doch so toll fand. Richtig geliebt hat sie es. Verstecken spielen im Wald hinter dem Hof. Soweit Marcus und sie wussten, erstreckte dieser Wald sich durch ganz Norwegen und Schweden, bis hin zum Bottnischen Meerbusen, wo – in ihrer kindlichen Fantasie – karibische Piraten lebten und Araber mit Dhaus Gewürze, Laternen und Magie aus den Reichen des Südens in die unerforschten Gefilde des Nordens brachten. Gemeinsam durchstreiften die Kinder die Hügel; sie suchten nach Spuren vergangener Völker und Kulturen, deren Aufeinandertreffen neue Sprachen und Verse hervorgebracht hatte, die Türen in den Bäumen öffneten, durch die man über Wendeltreppen in die Tiefe hinabsteigen und heimlich Wikinger beobachten konnte, die mit glänzenden Schwertern neue Flotten zimmerten, im Licht von über ihren Köpfen umherschwebenden Zauberkugeln, die Monde und Planeten eines fremden Himmelszelts darstellten und Sigrid ebenso wie ihrem Bruder aufzeigten, wie tief und weit und unbekannt und voller Möglichkeiten dieses Universum war.

Im Süden, so lernte es Sigrid in der Schule, in Kenia, im Kongo und in Brasilien, senkt die Äquatorsonne sich wie ein brennender Felsblock auf die Erde nieder, breitet ihr Feuer weit über den Horizont und verbrennt den Tag, ehe sie am Abend nachlässt. Immer, zu jeder Jahreszeit. Alle Tage sind gleich lang. Ein Ritual, das die Zeit verschlingt. Im Norden allerdings, in Norwegen, da gleitet die Sonne langsam durch die Wolken und setzt dann zu einer sachten Landung an, und im Hochsommer streift die blasse, schwache Kugel die Oberfläche nur ganz flüchtig, bevor sie wieder aufsteigt, ganz langsam, fast unmerklich, um ihren Platz über den Menschen einzunehmen, wo sie hingehört.

Sigrid und ihr Bruder durchstreiften den Wald mit einem alten Kompass aus dem Krieg, den sie in einer Kiste auf dem Speicher gefunden hatten. Marcus trug den Proviant in seinem Spiderman-Rucksack. Sie beide hatten grüne Fulton-Taschenlampen, die aussahen wie kleine Periskope. Damit blitzten sie einander Nachrichten durch die Bäume zu, in einem Morsecode, den sie sich selber ausgedacht hatten.

Was ist aus diesem Jungen nur geworden? Wie wurde aus einem so offenen, freien Kind ein derart verschlossener Eigenbrötler? Einer, der sich in einem verwahrlosten Haus neben einer Autobahnausfahrt verkriecht, die alles Tageslicht verschluckt?

Der Tod ihrer Mutter. Sicher. Aber jetzt? Sechsunddreißig Jahre später? Was ist da nur wieder hochgekommen?

Sigrid tritt aus dem Wald und steht vor einem großen Weiher. Ohne Boote, dafür voller Seerosen. Geblendet von der gleißenden Sonne, zwingt sie sich aus dem Schatten des Waldes und merkt jetzt erst, wie sehr sie schwitzt und welchen Durst sie hat. Dennoch folgt sie nicht der Einladung des Weihers, sich in ihm zu waschen, aus ihm zu trinken und sich auszuruhen. Denn dort drüben sitzt – umgeben von dichtem Gehölz und die Füße im Wasser – ihr Bruder Marcus auf einem Stein und schlenkert zwischen den Knien einen Revolver.

S-P-A-S-S, SPAAASS

PINKERTON ist zum ersten Mal hier draußen in den furznoblen Käffern der Adirondacks, wo all die Geldscheißer ihre schicken Ferienhäuser haben. In halsbrecherischem Tempo rast sein Team über die Route 3. Die Sonne scheint, die Hitze ist erdrückend wie in den Kriegsgebieten, in denen er gewesen ist, und er hat grünes Licht – nein, den Befehl sogar! –, mit eiserner Faust einen ausländischen Killer zur Strecke zu bringen, der hier in Amerika jemanden ermordet hat.

Okay, gut, das hier ist nicht Afghanistan, sondern Lake Placid oder so was. Aber Mission ist Mission, auf den Ort kommt es nicht an.

Vorfreudig wippt er hinten auf dem Pick-up auf und ab. Heute hat er einen Platz in dieser Welt, die Chance auf einen großen Auftritt. Blöd nur, dass er keine Zigarre dabei hat, die er zwischen die Zähne klemmen könnte, um das aufgeweichte Ende auszuspucken, bevor er seine große Ansprache vor seinen Männern hält. Aber gut, was soll's. Das Leben ist trotzdem schön, und Sheriff Schlappschwanz grätscht ihm diesmal nicht in die Parade. Der Ort, an den sie fahren, ist jedenfalls ein prima Ausgangspunkt für einen amphibischen Zangenangriff, denkt er, während ein Mercedes C-Klasse in der Gegenrichtung vorbeirauscht.

Das Team ist verteilt auf zwei Ford F-150 mit offener

Ladefläche, die gerade am Lumberjack Inn vorbei über die Main Street brettern. Fünfzehn Mann, noch immer aufgekratzt von der Sache gestern Abend, und in einer Laune wie Soldaten auf dem Weg zur Invasion der Außerirdischen, mit kistenweise taktischen Nuklearwaffen im Gepäck und einem klaren «Feuer frei». Gut, ganz so ist es vielleicht nicht, aber für diesen Hosenscheißerjob, bei dem er noch kein einziges Mal den Abzug betätigen durfte, ist es schon recht nah dran. Er grinst die fünf Männer an, die neben ihm hin und her schaukeln, und die grinsen zurück. Innerhalb einer Stunde ist dieser verfickte Ausländer umzingelt und liegt mit dem Gesicht im Dreck. Und wenn nicht? Wenn er sich wehrt? Dann fängt er sich eine Bleivergiftung, wie sie seit dem Wilden Westen keiner mehr hatte.

Für Pinkerton ist das Jacke wie Hose. Das wird ein Spaziergang und auch noch in einer hübschen Gegend. Hinterher wird er dastehen wie eine Eins mit Sternchen, besonders, nachdem er gestern schon den Schwarzenmob aufgelöst hat. Zwei Gürtelkerben in zwei Tagen und das an einem Ort, wo eigentlich so gut wie nie etwas passiert und sein Team langsam schon schlaff und selbstgefällig wird.

In Afghanistan hat er gelernt, wie sehr ein guter tödlicher Schuss die Moral fördern und ein Team motivieren kann. So was schärft den Sinn für die Realität und schweißt die Männer zu einer tödlichen Waffe zusammen. Früher oder später spricht sich so was rum, und das Gerede klingt fast so wie Berühmtheit. Nein, besser noch: wie Ruhm.

Wenn sie dieses Würstchen einsacken oder kaltmachen, kommt Pinkerton vielleicht sogar hier raus. In eine Großstadt oder zu einem dieser FBI-Teams, wo man wirklich was erlebt. Geiselbefreiungen, das wäre was für ihn. Besonders in diesem terroristengetränkten Arschkeks von Welt nach dem 11. September. Früher war Geiselbefreiung noch ein Quasseljob: jede Menge Blabla, Verhandlungen und Pizzaservice. Aber heute? Wo die Muselmänner unbedingt Tote sehen wollen? Ganz andere Kiste. Heute plant man gleich einen Sturm, tritt die verfickten Wände ein und spielt mit diesen Jihad-Wichsern eine Runde Call of Duty.

Das will Pinkerton sich nicht entgehen lassen.

Und, denkt er, während der Fahrtwind ihm durchs Haar bläst, vielleicht sogar ein bisschen *mano a mano*. Das wär's. Er ist in Topform. Und dieser Typ, hinter dem sie da her sind, der ist ... was? Ein norwegischer Bauernbachelor oder so was? Egal. Pinkerton will dafür bekannt sein, einen mit dem Messer erledigt zu haben. Schusswaffen sind super, aber ein guter Kill mit dem Messer? Das ist die Art Ruf, den man nicht hinter sich herzieht, sondern der einem vorauseilt.

Was für ein Arschloch aber auch! Wer schmeißt denn bitte eine Frau aus dem Fenster? Ein Feigling, sonst niemand. Von so einem muss sein Team wohl keinen großen Widerstand erwarten.

Nur gut, dass man ihn gerufen hat. Dieser Typ von hier ... Alfonzo Soundso ... was ist das überhaupt für ein Vogel? Okay, SWAT, bisschen was drauf hat er vielleicht, aber garantiert hat er hier oben noch nichts Richtiges erlebt.

An einer großen Kreuzung biegt der Ford nach rechts auf die Route 30 Richtung Süden, am Tupper Lake entlang.

Schon dieser Name. Alfonzo. Mit so einem Namen sollte er in einer staubigen Werkstatt am Stadtrand Fiats reparieren.

«Hey, Ricky», ruft Pinkerton seinem Kameraden schräg gegenüber zu. Ricky ist das schwarze Schaf von ihnen und nur durch Zufall in der Eingreiftruppe gelandet. Vorher war er bei den Army Rangers und hat sich da angeblich ganz gut geschlagen. Danach wollte er zur Polizei, aber in die Eingreiftruppe kam er nur, weil zufällig eine Stelle frei war. Angenommen hat er nur wegen der Bezahlung. Seine Frau hat vor vier Monaten ein Kind gekriegt und bringt kein Geld mehr nach Hause, darum hat er sich von seinem Schreibtisch in der Stadt wegversetzen lassen, wo er irgendwelche Richtlinien ausgearbeitet hat oder ähnlichen Quatsch. Pinkerton will den Kerl entweder aus der Reserve locken oder zurück an den Schreibtisch schicken.

«Ricky – wer ist dieser Alfonzo? Und was hat ein Puertorikaner überhaupt so weit im Norden verloren? Hat der sich verlaufen?»

«Seine Mutter ist Italienerin», antwortet Ricky. «Der Vater kommt aus Vermont. Hat da 'ne Apfelplantage und 'nen Antiquitätenhandel, glaub ich. Netter Kerl.» Als Ricky das Grauen auf Pinkertons Gesicht sieht, betrachtet er lieber wieder seine Stiefel.

«Egal», brummt Pinkerton vor sich hin.

Gelangweilt von Ricky und wie immer unbeeindruckt schlägt Pinkerton mit der Hand außen ans Chassis und brüllt dem Fahrer zu, er soll die Sirene anstellen. «Ich will an der Bar sitzen und Storys aus'm Krieg erzählen, bevor die Happy Hour rum ist, kapiert? Sehe keinen Grund, dass wir heute mehr als drei Dollar pro Bier blechen sollten. Wie weit noch? Der kleine Alfonzo soll doch nicht allein die Lorbeeren einheimsen, oder? Auf keinen Fall. Also, wie weit?»

«Noch fünfunddreißig Kilometer, Sir», brüllt der Fahrer zurück.

Pinkerton rechnet. Bei knapp hundert km/h macht das

circa zweiundzwanzig Minuten. Dann eine Viertelstunde Einsatz und mit Blaulicht ab nach Hause. Muss reichen.

«Was wissen wir über den Einsatzort?», fragt er.

«Ein Anwesen im Wald, Sir. Laut Satellitenbildern ein Haus auf einer kleinen Halbinsel.»

Alles klar. Läuft. Ein richtiger Kommandoeinsatz. Eine Hütte im Wald. Wie beim Unabomber oder in *Tanz der Teufel*.

Arschgeil.

Mit wild wehendem Haar ruft Pinkerton diesen Alfonzo an. Nach zweimal Klingeln geht er ran.

«Plymouth? Hier Pinkerton. Sie wissen, dass wir assistieren?»

Eine kurze Pause. Komisch. Das ist ein richtiger Einsatz, eine ernste Sache. Was muss der Typ da lange überlegen? Pinkerton erwartet Ordnung, Aufmerksamkeit, Disziplin und die richtige Einstellung.

«Äh ... yup. Howard hat Irv angerufen. Ich weiß nicht, ob wir echt fünfundzwanzig Leute brauchen, um einen Mann zu verhaften, der allein im Wald rumsitzt, aber ... okay.»

«Wir sind jedenfalls dabei. Eiserne Faust, Baby. Umzingeln und Zugriff. Wann seid ihr da?»

«Na ja, mit dem neuen Boot geht's nicht so schnell voran, ehrlich gesagt. Ich schätze mal fünfundzwanzig Minuten über den See, dann noch mal zwanzig bis dreißig zu Fuß durchs Gestrüpp.»

«Laut meiner Karte», erwidert Pinkerton, ohne eine Karte zu konsultieren, «ist das direkt am Wasser. Wieso der lange Fußmarsch?»

«Also ich finde das gar nicht so lang.»

«Na, wir sind dann wohl vor euch da», sagt Pinkerton. Nicht zu fassen, was für eine Trantüte dieser Spaghettifresser ist. «Aber wahrscheinlich haben Sie recht. Meine Männer dürften reichen. In dem Fall sichern wir zuerst das Zielgebiet. Ich gebe Bescheid.» Damit drückt er die rote Taste auf dem Handy. Wenn die doch bloß eine Rakete starten würde, statt nur den Anruf zu beenden.

Bescheid geben? Arschlecken.

Ricky blendet Pinkertons Laune aus, so gut er kann. Als sein eigenes Handy in der Brusttasche klingelt, nimmt er ab und steckt sich gegen den Fahrtwind einen Finger ins linke Ohr.

«Hallo?»

«Ricky, hier ist Irv.»

«Oh, hi, Sheriff.»

«Ricky, Folgendes: Sie müssen bei dieser Sache dicht bei Pinkerton bleiben. Ich kann Ihnen nicht sagen, wieso, weil Sie das in Schwierigkeiten bringen könnte, aber sagen wir einfach, es soll alles schön ruhig und gesittet ablaufen. Ihr seid keine Soldaten, und das ist kein Kriegsgebiet. Ihr seid Polizeibeamte, die geschworen haben, ihren Mitbürgern zu dienen und sie zu beschützen. Das Recht zu wahren. Freund und Helfer ist die Devise. Denken Sie an Kätzchen auf Bäumen. Kuchenverkäufe. Straßenfeste. Daran, Kindern beizubringen, dass sie Helme tragen und Katzenaugen am Fahrrad haben sollen. Erinnern Sie sich daran noch?»

«Vage, Sir. Aber ... gern.»

«Ich weiß, Ricky. Unter all Ihrem Gerödel steckt ein guter Kerl. Nicht so wie ... Sie wissen schon.»

«Ja, Sir.»

«Behalten Sie Pinkerton im Auge. Erschießen Sie keine Zivilisten. Oder Frauen, denen Sie vielleicht über den Weg laufen. Zum Beispiel welche, die zufälligerweise schon vor

Ort sind. Und die außerdem Zivilisten sein könnten. Und eventuell Freundinnen von mir. Worauf ich hinaus will, Ricky: Wenn's haarig wird, erschießen Sie einfach Pinkerton. Okay?»

«Ja, Sir.»

«Wir holen die Kugeln raus, werfen ihn in den See und zucken unschuldig wie Schulbuben die Schultern, wenn man uns hinterher befragt.»

«Verstanden, Sir.»

Ricky blickt zu Pinkerton, und der blickt zurück.

«Wer war das?», will der Einsatzleiter wissen.

«Der Sheriff. Wünscht uns Glück.»

«Mich hat er nicht angerufen.»

«Ging eher um ... ein paar Tipps für mich, glaub ich.»

«Ah so. Tipps brauch ich eh nicht.»

Die Straße ist gut in Schuss und sanft gewunden. Die Untermenschen in den anderen Fahrzeugen machen Platz für die Alphas in den Pick-ups, ganz wie die Natur es will.

Die ersten Privatstraßen der Banker tauchen auf, und Pinkerton wundert sich, wer dieses Arschloch sein mag, das sie gleich festnehmen werden. Wie kann es sein, dass der sich in so einer Gegend verschanzt? Wahrscheinlich ist er in ein Ferienhaus eingebrochen und hat es sich gemütlich gemacht, nachdem er die Besitzer in einer Badewanne voll Säure und Kalk aufgelöst hat. So oder so, das Team wird da reingehen wie angepisste Ninjas und den Kerl hopsnehmen, genau wie die großen Jungs in der Stadt.

Beim Anblick der Villen, an denen sie vorbeifahren, schwelgt Pinkerton schon mal in Optimismus. Eines Tages will er auch so eine. Vielleicht eine Sicherheitsfirma aufmachen. Das machen doch jetzt alle. Die Big Bosses zu ihren Helis eskortieren, Straßen für Promis absperren, Räume sichern, dicke Kohle machen und fette Trinkgelder kassieren. Da stehen auch die Tussis drauf. Heute könnte der erste Schritt zur Erfüllung seines Traums sein. Erst gestern Abend hat er auf Ebay einen Maserati für unter dreißigtausend gesehen.

Das wird ein S-P-A-S-S, Spaaaß!

Wenn das kein Werktag wäre, denkt Irv, wäre diese gemütliche Bootsfahrt auf dem See wirklich nett. So was hat er seit ... ach, weiß Gott wie lang nicht mehr gemacht. Er hat ganz vergessen, wie schön das ist. Vom Büro aus wäre ihm die Aussicht, ziellos auf einem See herumzuschippern, wohl wie Zeitverschwendung erschienen. Nicht gerade seine Art von Freizeitbeschäftigung. Auch über ein Häuschen am See hätte er nie nachgedacht. Verflucht teuer so was. Seine Ex-Frau allerdings, die hat sich all das von ihm gewünscht. Nicht bloß, dass er es mitmachte, sondern auch, dass er verstand, weshalb man so was wollte. *Sie* wollte, dass *er* es wollte, dass er mit dem Boot über den See gondeln und von einer Veranda mit Ausblick auf irgendein Gewässer tagträumen wollte, wo sie ohne besonderen Anlass Champagner hätten trinken können und vielleicht Erdbeeren ins Glas werfen und zusehen, wie sich an den kleinen Grübchen Blasen bilden.

Die ganze Vorstellung kam ihm damals vor wie kostspieliger Kitsch.

Außerdem waren da noch die Mücken. Die sieht man nie im Fernsehen. Die umwerfende Brünette, die von ihrem Adirondackgartensessel aufspringt, wie bescheuert hin und her rennt und sich wild fuchtelnd die Mücken vom Leib hält. Der Geruch von Autan, der den von Chardonnay und Seezunge überdeckt. Und natürlich den Idioten vom Ufer gegenüber, der zehn Uhr abends für die ideale Zeit hält, um mit der Kettensäge an dem gefällten Baum zu Werk zu gehen.

Solange es wenigstens nur ein Baum ist.

Jetzt aber, während sie so über den See tuckern und er zwei Finger ins kühle Nass hängen lässt wie kleine Wasserskier, fühlt er sich ... gut. Vielleicht hatte seine Ex doch recht. Vielleicht sind die müßigen, friedvollen Momente, die sie sich an einem Ort wie diesem hier ersehnt hat, genau der Grund, aus dem Gott uns gebietet, den Feiertag zu heiligen. Damit wir innehalten. Ruhen. Eine Pause von der Schöpfung einlegen und sie einen von sieben Tagen die Woche einfach nur freudig bewundern. Hätte Irv den Feiertag geheiligt, wäre er womöglich noch verheiratet.

Womöglich. Andererseits war sie eine fürchterliche Nervensäge, und Immobilien am See kosten ein Heidengeld. Also wirklich. Wie viel soll er denn noch arbeiten?

Aber jetzt ist da diese Norwegerin. Eine Verrückte mit Gitarre, die sich als Tor zu einer anderen Welt entpuppte. Vielleicht kann er ja darüber hinwegsehen, wie sie sich durch ihren Brandbombenanschlag auf Upstate New York als Terroristin empfohlen hat. Vielleicht können sie gemeinsam für die ganze Chose eine sanfte Landung bewerkstelligen, so wie Charlies Engel es selbst noch mit den größten Passagiermaschinen schafften, wenn der Pilot verschwunden war. Irgendwie kann er sich diese Plots nie richtig merken.

Alfonzo, der schweigsame Schwachstrom-SWAT-Commander, sitzt Irv gegenüber. Im Gegensatz zu Pinkerton hat Alfonzo keine Tattoos auf den Unterarmen und einen Ehering am Finger. Sein Haar trägt er zwar kurz, aber nicht im Bürstenschnitt. Seinen Männern gegenüber strahlt er Ruhe aus, und die wirken selber recht entspannt – mal abgesehen von der nervtötenden Angewohnheit, so gut wie alles mit einem erhobenen Daumen zu beantworten.

«Wer war das denn am Telefon?», fragt Irv.

«Pinkerton.»

«Ich kann mich nur entschuldigen», antwortet Irv. «Den hab ich zusammen mit meiner Dienstmütze geerbt.»

«Schon okay», beschwichtigt Alfonzo. «Ich weiß ja, wie's läuft. Müssen wir wirklich mit Ärger rechnen?»

«Nein. Und ich will auch nichts hochschaukeln, was momentan noch unter Kontrolle ist, allem Anschein zum Trotz. Ich kenne die Frau, die uns so eingeheizt hat. Sie hat Angst um ihren Bruder, der höchstwahrscheinlich harmlos ist. Ich will als Erster bei ihm sein. Ihr könnt euch ruhig ein bisschen Zeit lassen. Haben Sie ein Funkgerät für mich?»

Alfonzo reicht Irv ein Motorola und stellt die Frequenz ein. Ein kurzer Test, dann klippt Irv das Gerät links an seinen Gürtel, als Gegengewicht zu seiner .357er.

«Ich stelle mir das so vor», fährt er fort, indem er sich die Finger an der Hose trocknet. «Ich gehe in den Wald und halte ein Schwätzchen mit Marcus. Ihr haltet euch im Hintergrund. Sigrid wird vermutlich auch da sein. Sobald ich die Lage halbwegs überblicke, gebe ich per Funk Bescheid. Am besten, Sigrid kommt als Erste raus, damit ihr gleich seht, dass alles okay ist. Dann Marcus – den ihr bitte nicht erschießt –, und zum Schluss ich. Wenn alles glatt läuft, können wir uns die Handschellen vermutlich sparen. Das überlasse ich Ihnen. Die Sache ist nur, Handschellen bedeuten Festnahme, und das würde ich lieber vermeiden, damit es nicht nach Fangen-und-Freilassen aussieht.»

«Geht in Ordnung», antwortet Alfonzo. «Aber was ist mit

Pinkerton und Ihrer Eingreiftruppe? Wenn die zuerst ankommen, liegt das nicht in unserer Hand.»

«Ach, wegen dem machen Sie sich mal keine Sorgen.»

«Das verstehe ich nicht, Sheriff», erwidert Alfonzo. «Er ist doch fast schon da und wir noch so weit weg.»

«Na ja ... Pinkerton ist fast da, richtig. Aber nicht am selben Da, zu dem wir fahren.»

Pinkertons Fahrer biegt auf eine sich durch den Wald schlängelnde Privatstraße. Kurz vor dem Tor bremsen die Pick-ups ab und schalten das Blaulicht aus.

Das Haus sieht aus wie das Set eines James-Bond-Films – eines, das beim großen Finale vollständig zerlegt wird. Gemessen an dem imposanten Grundstück ist das Haus erstaunlich bescheiden. Getreu der Karte befinden sie sich auf einer kleinen Halbinsel. Sofern der Kerl also keinen *Miami-Vice*-Hobel mit 1000 PS hinter dem Haus versteckt, kommt er hier nicht raus.

Das Haus ist eine natürliche Falle.

Wer ist bloß so dämlich, sich an einem Ort ohne Fluchtweg zu verschanzen?

Na, die Sorte Arschloch eben, die Frauen aus dem Fenster schmeißt.

Ein schmales Stahltor hängt zwischen zwei Steinsäulen, neben denen sich eine Hecke erstreckt, die zwar Privatsphäre, aber nicht viel Schutz bietet. Weder gibt es Glasscherben noch Dornen oder Stacheldraht.

Das Tor ist mit einer Kamera und einer Alarmanlage versehen.

«Alle Mann absitzen!», brüllflüstert Pinkerton. Die Männer treten gefechtsklar neben den Autos an.

«Wir reißen mit der Winde das Tor raus und rücken in drei Gruppen vor. Tommy geht mit Gruppe A links ums Haus, Franco mit Team B rechts rum. Ich führe Team Charlie durch die Haustür. Jetzt: Kameras ausschalten und Tor auf. Das Führungsfahrzeug gibt Deckung. Los, los, los!»

Mit seiner schallgedämpften 9-mm-MP schießt Tommy die Kamera am Tor aus; Gary Simkins rollt unterdessen das Seil von der Winde vorn am Pick-up, knotet es am Tor fest und gibt dem Fahrer das Signal zum Zurücksetzen. Ein kurzer Ruck, und das Schloss ist auf. Gary nimmt das Seil wieder ab, und der F-150 rollt voran bis fast zur Haustür, Team A daneben in Deckung.

Genau so will Pinkerton das haben: blitzgeschwind und weltraumleise. Häuserkampf wie aus dem Lehrbuch.

Das Haus ist nobel, aber nicht protzig. Ein dreistöckiger, heimeliger Holzbau ohne Schnickschnack. Vor der Tür steht ein dunkelblauer Ford Mondeo, kein Porsche oder Land Rover. Da hält sich jemand bedeckt, kombiniert Pinkerton. Ein Drogendealer vielleicht? Ein Mafiaboss? Oder ein Terroristensponsor?

«Mir nach», flüstert Pinkerton und schleicht gebückt zur Haustür. Waffe voraus und leicht geduckt dreht er den Knauf. Nicht abgeschlossen. Merkwürdig. Vorsichtig schiebt er die Tür auf, lässt den Knauf los und legt den behandschuhten Finger auf die Lippen.

Keinen Mucks, Jungs.

Als die Tür einen Spalt aufsteht und seine Männer hinter ihm aufgereiht sind, zählt er von fünf abwärts. Bei eins stößt er mit der Schulter die Tür ganz auf und platzt mit erhobener Waffe in den Eingangsbereich. Sieben Männer schwärmen im Raum aus, Waffen hoch, Schultern tief, bereit, notfalls den Teufel mitsamt seinen Heerscharen auszuknipsen.

Geübte Ex-Soldaten, die sie alle sind, rücken sie weiter vor ins Wohnzimmer, ins Esszimmer, in die Küche, durchsuchen den Rest des Erdgeschosses und dann die Schlafzimmer im ersten Stock.

Niemand da.

Als Pinkerton die Treppe herabkommt, nachdem er das Obergeschoss für «sicher» erklärt hat, steht Ricky mit geschultertem Gewehr und den Händen in den Hosentaschen vor einigen gerahmten Fotos an der Wand.

«Was soll das denn werden, verdammt?», mault Pinkerton.

Wie ein Museumsbesucher beugt Ricky sich dichter an ein Foto. «Ich glaube, das ist Ang Lee.»

«Wer ist Ang Lee?»

«Den kennen Sie nicht?» Ricky zählt an den Fingern ab: «*Hulk, Brokeback Mountain, Tiger and Dragon, Sinn und Sinnlichkeit* natürlich ...»

«Haben Sie den Verstand verloren?», fragt Pinkerton.

Bevor Ricky eine Antwort geben kann, tritt eine Frau durch die Haustür. Die Polizisten weichen vor ihrem strengen Blick zurück und lassen sie durch ins Wohnzimmer, das ganz offensichtlich ihr gehört. Sie ist groß, Ende fünfzig, hat umwerfende braune Augen, eine etwas herbe Kieferpartie, dünne Lippen und einen Ausdruck im Gesicht, der keine Widerworte zulässt.

«So, so», sagt sie. «Die Wette hab ich wohl verloren. Haben Sie schon kapiert, wie tief Sie in der Tinte sitzen, oder rattert es noch im Oberstübchen?»

«Auf den Boden, sofort!», brüllt Pinkerton und hebt die Waffe.

Doch statt zu gehorchen, wirft sie sich in Pose wie eine Statue. «Nehmen Sie das Ding weg, Sie Schwachkopf.»

Augenblicklich stellt Ricky sich zwischen sie und Pinkertons Mündung. «Sir», raunt er. «Nehmen Sie die Waffe besser ganz schnell runter.»

«Wieso?», fragt Pinkerton und zielt durch Ricky, der ihr als Schild dient, weiter auf die widerborstige Frau.

«Das ist Sigourney Weaver, Sir.»

«Wer?»

«Sigourney Weaver. *Ghostbusters*, *Aliens*, *Galaxy Quest*, schon mal gehört?» Über die Schulter hinweg fügt er hinzu: «Sie waren phantastisch in *Der Eissturm*, Ma'am. Ich bin auch verheiratet. Ich weiß, wie das sein kann.»

«Danke», antwortet sie. «Und jetzt erklären Sie Ihrem dressierten Affen da, dass ich den Vizegouverneur anrufen werde und ihn feuern lasse. Nehmen Sie ihm besser auch gleich die Waffe ab.»

«Jawohl, Ma'am», sagt Ricky. «Wir sind schon so gut wie weg, und wir, ähm, also: Die Polizei nimmt gern Ihre Rechnung für das Tor und die Kamera entgegen.»

Pinkerton senkt die Waffe, wirkt aber noch immer skeptisch.

Und ein wenig abwesend. Als hätte er sich in eine Traumblase zurückgezogen, die direkt vor Rickys Augen mit ihm darin davonschwebt. Und dann, ganz weit oben in der Atmosphäre, platzt.

«Sir?», fragt Ricky. «Hören Sie mich? Sir?»

«MARCUS», sagt Sigrid. Sie versucht, den Mann vor ihren Augen in einen verständlichen Bezugsrahmen zu rücken.

«Du hättest nicht kommen sollen», sagt er auf Norwegisch.

«Das sagst du jetzt schon zum dritten Mal. Wirf den Revolver ins Wasser.»

«Den brauch ich noch.»

Sigrid tritt hinaus auf die kleine Lichtung am Ufer. «Hast du eine Ahnung, was wir wegen dir durchgemacht haben? Die Polizei ist unterwegs. Die dürfen dich nicht mit einer Waffe sehen.»

Marcus rührt sich nicht.

«Ich bin gekommen, damit du nicht erschossen wirst. Du machst mir das nicht grade leichter.»

«Du sollst wissen, was passiert ist», erklärt er. «Ich hab die Nase voll davon, dass du's nicht weißt. Ich glaube, darum ...»

«Erst der Revolver. Dann reden wir, so viel du willst.»

«Du siehst müde aus, Sigrid. Und verändert. So ist das eben, wenn man jemanden umbringt, was?» Marcus blickt hinaus auf den See. «Ich sehe auch müde aus.»

«Ins Wasser mit dem Revolver.»

Marcus betrachtet seinen .38er. Wiegt ihn in der Hand. Das Gewicht und die Balance sind eine Offenbarung, das Ergebnis jahrhundertelanger Tüftelei.

«Weißt du noch, als ich mir den Arm gebrochen habe? Wir waren noch klein und Mamma noch am Leben.»

Sigrid wirft einen Blick zurück in den Wald. Nichts als Vögel, Mücken, Wind und Schatten. Wahrscheinlich bleiben ihr nur noch ein paar Minuten, bevor sie auf ihn losstürzen und ihm die Waffe entwinden muss, was sie lieber nicht täte. Wenn Marcus sich angegriffen fühlt, neigt er dazu, störrisch zu werden. Unmöglich vorherzusehen, wie er dann mit einer geladenen Waffe umgehen würde. Sie hat keinen Grund anzunehmen, dass er sich damit auskennt.

«Ja, schon. Ich erinnere mich an einen blauen Gips. Wieso?»

«Vielleicht wusstest du das nicht, weil du noch zu klein warst, aber im unteren Bad konnte man Pappa und Mamma durch den Luftschacht über dem Klo im Schlafzimmer reden hören.»

«Wieso erzählst du mir das 2008 in Upstate New York?»

«Weil dein Leben – die ganze Welt, wie du sie kennst – eine Lüge ist.»

«Ich hab keine Ahnung, wovon du redest.»

«Du bist mit den Jahren stark und selbstbewusst geworden. Entschlossen. Erfolgreich. Ich nicht.»

«Du lehrst an einer –»

«Bitte, nein. Nein. Lass es einfach», unterbricht er erregt und wedelt achtlos mit dem Revolver herum. Er ist sich der Waffe eindeutig nicht recht bewusst. Hat keine Ahnung von ihrer Gewalt, davon, wie augenblicklich ihre Wirkung ist. Sie ihm abzunehmen, kommt nicht in Frage. Sie könnte jederzeit losgehen. Und die Kugel könnte alles treffen.

«Ich hatte nie eine richtige Beziehung», fährt er fort. «Verliebt war ich schon, aber immer nur aus der Ferne. Ich hatte nie den Mut, jemand an mich ranzulassen. Bis ich Lydia getroffen habe. Mit Mitte vierzig. Kannst du das fassen? Sie war so anders als ich, dass ich mich nicht bedrängt fühlte. Sie kam aus einem anderen Land, sprach aber dieselbe Sprache wie ich, und aus irgendeinem Grund lachte sie sogar über dieselben Witze. Außerdem hatte sie dieses ... Leuchten an sich. Diese Art, auf die nette Leute es schaffen, dass man sich sofort bei ihnen wohlfühlt. Kennst du das, wenn du jemandem auf der Straße begegnest, und im Gegensatz zu den hundert anderen, an denen du am selben Tag vorbeigegangen bist, schaut dieser eine Mensch dich an, und du spürst eine Verbindung? Als wärt ihr alte Freunde? Aus einem anderen Leben vielleicht? Eine Art ... Wiedererkennen. Das Gefühl beruht nämlich eindeutig auf Gegenseitigkeit. So war Lydia. Und das hat mich beruhigt. Wir konnten im selben Zimmer sitzen, lesen und Wein trinken, ohne ein Wort zu reden, und es fühlte sich gut an. Und der Sex ...»

«Marcus ...»

«Der Sex war irgendwie ... freundschaftlich. Anfangs war er immer freundschaftlich und nett, und erst mittendrin kam das Verlangen, aber das fühlte sich lebensbejahend an, weil es bewies, dass sogar Menschen, die einander gernhaben, manchmal Leidenschaft entwickeln können, statt immer schon damit anfangen zu müssen. Und ich fühlte mich deshalb so erfüllt ... so sicher. Und sie war so wunderschön.»

Sigrid glaubt, etwas im Wald zu hören. Ein schneller Blick zeigt nichts, doch das hat nichts zu bedeuten. Hätte sie die norwegischen *Beredskapstroppen* gehört? Hier hat sie es mit einem amerikanischen SWAT-Team zu tun. Selbst mit Irv im Schlepptau könnten die sie längst umzingelt haben.

«Ich hab Mamma und Pappa reden gehört», fährt er fort.

«Du hast geschlafen. Ich bin runter, weil ich ein Stück Schokolade wollte. Das hatten sie mir verboten, weil ich zuvor schon Eis gegessen hatte, aber ich wollte trotzdem welche. Die Freia *kokesjokolade*, weißt du. Ich glaube, die fehlt mir am meisten von Norwegen. Die und der *brunost.*»

«Marcus. Die sind gleich hier.»

«Mamma hat mir immer nur ein Stück erlaubt, aber diesmal hab ich vier abgebrochen ... einen ganzen Riegel. Ich kam mir vor, als hätte ich die Kronjuwelen erbeutet. So was hatte sich noch nie jemand getraut. Ich wollte sie im Badezimmer essen, damit ich nicht erwischt werde. Und da hab ich gehört, wie sie redeten.»

«Worüber?»

«Mamma hat sich umgebracht, Sigrid. Und Pappa hat geholfen. Oder es zugelassen. Genau weiß ich es nicht.»

«Das bildest du dir ein, Marcus. Das ist fünfunddreißig Jahre her. Du bist nicht du selbst, und damals warst du noch ein kleiner Junge.»

«Mamma war an dem Tag beim Arzt. Hat die Ergebnisse ihrer Biopsie bekommen. Das war Anfang der Siebziger. Chemotherapie gab's da noch nicht. Operieren hätte man nicht können – nicht, ohne noch mehr Schaden anzurichten. Selbst heute liegen die Chancen, im dritten Stadium noch fünf Jahre zu überleben, nur bei vierzig Prozent. Ich weiß nicht mal, wie groß sie damals waren. Der Arzt hat ihr gesagt, sie würde sterben. Nur eine Frage der Zeit. Mamma und Pappa dachten, wenn sie schneller stirbt, müssten wir Kinder nicht mitansehen, wie sie leidet, und würden es besser verkraften. Das war die Realität, Sigrid. Du warst fünf, ich war elf. Und du hast es wirklich besser verkraftet. Das hast du nie erfahren, und du verstehst es noch immer nicht. Sie hat sich für dich geopfert, und es hat funktioniert. Schau dich doch an. Mit vierzig bist du Polizeichefin. Für mich lief es anders. Weil ich das Gespräch mitangehört habe. Die nächsten fünf Monate, bis zu ihrem Tod, saß ich da und wusste genau, was passieren würde, konnte aber nichts dagegen tun. Tag für Tag wachte ich auf und fragte mich, ob sie schon tot ist. Denn es war klar, dass es nachts passieren würde. Ich habe mich gefühlt, als ob ich sterben würde. Aber ich hab nichts gesagt. Ich hatte zu große Angst.

Es war, als hätte ich Gift geschluckt und könnte nur noch warten, bis die Wirkung einsetzt. Jeden Tag sah ich sie an und dachte: heute Nacht. Vielleicht stirbt sie heute Nacht. Und wenn sie am nächsten Tag noch lebte, freute mich das nicht mal. Ich zitterte am ganzen Leib. Ließ sie nicht mehr an mich ran, aß nichts mehr. Überstand nur mit Müh und Not die Schule. Und dann, fünf Monate später, passierte es wirklich. Da begriff ich augenblicklich, dass ich etwas hätte sagen sollen. Dass ich hätte zu ihr laufen sollen, schreien, dass sie das nicht tun darf. Ihr sagen, wie lieb ich sie hatte. Jeden Augenblick mit ihr hätte ich nutzen sollen, um ihr das zu zeigen, und ich hätte ihr übers Gesicht streichen und mir jeden Zug, jede Falte von jedem Gefühl einprägen sollen, um die Augen und die Mundwinkel. Dieses Versäumnis blies mir durch die Seele wie ein Sturm, sobald sie tot war.

Natürlich hab ich Pappa die Schuld gegeben. Er muss ihr das Mittel gegeben oder wenigstens zugelassen haben, dass sie es nahm. Ich gab ihm die Schuld, weil ich sie ihr nicht geben konnte. Meinen Schmerz konnte ich nicht mit Wut vermischen. Ich musste die zwei Gefühle auseinanderhalten. Aber erst später, nachdem ich ausgezogen war, ging mir das Schlimmste an der ganzen Sache auf. In Wahrheit, Sigrid, habe ich sie nämlich dazu gebracht. Nicht Mamma und Pappa waren schuld, sondern ich. Verstehst du? Sie wollte heimlich das Morphium nehmen, um uns Kummer zu ersparen, aber sie konnte sich nicht dazu durchringen. Deshalb hat sie so lang gewartet. Aber ich habe sie gedrängt. Jeden Tag muss sie gespürt haben, wie mein Leid wuchs, und dachte bestimmt, sie sollte es besser gleich tun. Sich beeilen. Um ihrem Sohn noch größeres Leid zu ersparen. In Wahrheit war's natürlich umgekehrt. Ich hätte hören müssen, dass sie es *nicht* tut. Sie hätte mir sagen müssen, dass sie so lang wie möglich bei uns bleiben und bis zum Ende kämpfen würde. Dass sie sich von uns verabschieden würde. Aber sie ahnte ja nicht, dass ich von ihrem Plan wusste. Und sie hat sich nie verabschiedet.

Ich hätte nur sagen müssen, dass ich Bescheid weiß. Das wäre es gewesen. Dann hätten die beiden das nicht durchziehen können. Es wäre zu grausam gewesen, es hätte das Gegenteil bewirkt. Viel Zeit wäre Mamma nicht geblieben, aber zumindest mehr. Doch ich habe geschwiegen. Sie getötet. Und so wurde sie zur ersten Frau, die ich umgebracht habe.»

Sigrid bemerkt erst jetzt, dass Marcus' Füße im See stehen. Das Wasser reicht ihm bis an die Knöchel, doch die Schuhe hat er nicht ausgezogen. Darüber trägt er eine ausgebleichte Jeans und ein blau-weiß gestreiftes Hemd, das ihm entweder zu weit ist oder amerikanisch geschnitten – mit breiterem Rücken für «kräftiger Gebaute», wie es hier beschönigend heißt. Sie hatte seine Arme nicht so dünn in Erinnerung. Er wirkt ausgezehrt, sogar körperlich nicht mehr ganz bei sich. Der Schweiß trieft ihm aus allen Poren.

Sigrid steht im Schatten, wo es kühler ist.

«Selbst wenn du das gehört hast», sagt sie, «selbst wenn die beiden an so was dachten, gibt es keinen Grund zu glauben, dass sie's auch getan haben. Fünf Monate später? Das gibt doch keinen Sinn. Vielleicht war sie nur verzweifelt wegen der Prognose. Das könnte ich mir vorstellen. Zwei Norweger in einem Bauernhaus, die zu viel trinken und über Krebs und Selbstmord reden. Jeder, der mal in Norwegen war, kann sich das bestens vorstellen. Aber so was wirklich tun? Nein. So ist die Welt nicht. Ein kleines Kind allerdings, das sieht sie so.»

«Sie ist gestorben», wiederholt Marcus entschieden, «weil ich zu feige war, den Mund aufzumachen. Aber diesmal, bei Lydia, hab ich versucht zu sprechen. Immer musste ich dran denken, wie ich bei Mamma versagt habe. Also hab ich's versucht. Ich hab gefleht. Argumentiert. Ich habe rationale und emotionale Wörter benutzt, appelliert und Zugeständnisse gemacht. Ich hab sie angebettelt, mich nicht zu verlassen. Diesmal war ich zu aufdringlich und habe zu viel gesagt. So habe ich zum zweiten Mal eine Frau umgebracht.»

«Du hast niemanden umgebracht, Marcus. Lydia hat sich selbst umgebracht.»

«Was? Wie kommst du denn darauf?»

Ein lautes Knacken lässt Sigrid herumfahren. Da kommt Irving durch den Wald, den Blick fest auf den Boden gerichtet, um nicht zu stolpern. Als er aufsieht und sie entdeckt, grinst er und wischt sich den Schweiß von der Stirn.

«Eigentlich sollte ich dich sofort verhaften, für das, was du da angestellt hast. Ich wette, Brandstiftung und Zerstörung von Staatseigentum sind in Norwegen genauso verboten wie in New York. Stimmt's oder hab ich recht?»

«Ja. Irv, hör mal ...»

«Hast du ihn gefun... ah! Da ist er ja! Der Mann der Stunde! Marcus Odegard, Sie haben uns ja ganz schön was eingebro... Waffe weg, sofort!»

IRV drückt sich hinter eine Eiche, knöpft den Kragen auf und atmet durch. Die Sheriffkluft aus Wolle und Polyester ist nicht gerade hilfreich gegen den nervösen Schweißausbruch. Mürrisch und verklebt hat er die letzten zwanzig Minuten seiner Verfolgungsjagd im Kriechtempo davon geträumt, sobald er Marcus gefunden hätte, in den kühlen See zu springen und sich gemütlich in der Sonne zu trocknen, bis Alfonzo und das SWAT-Team einträfen.

Diesen Traum hat Marcus ihm verdorben; er hat die Chance vertan, in aller Ruhe freiwillig mitzukommen und Irvs Leben so simpel und geradlinig zu gestalten, wie dieser es verdient. Irv reißt sich den Sheriffhut vom Kopf, wirft ihn zu Boden und stampft darauf herum. «Du hast gesagt, er hat keine Waffe!», schreit er. «Versprochen hast du's! Nichts als Spinnerei, hast du gesagt. Liegt alles nur an meiner gestörten Amerikanerrübe und du weißt's besser, weil du aus diesem perfekten kleinen Wunderland kommst, und jetzt steh ich hier, kurze Hose, Holzgewehr, hinter einem scheiß Baum.»

«Irv, bitte beruhige dich», beschwichtigt Sigrid, doch Irv beruhigt sich nicht, weil er nicht nur wütend ist, sondern obendrein glühend und rechtschaffen beleidigt. Sie könnte natürlich lauter werden, kann ihm aber nicht recht übelnehmen, dass er sich so fühlt. Das einzig Gute ist, dass er während seiner Tirade höchstwahrscheinlich nicht auf Marcus schießen wird. Amerikaner haben Reden und Gewalt schon immer gern getrennt; offenbar läuft das hierzulande schön der Reihe nach.

Endlich fasst Irv sich einigermaßen. Die Ruhe ist aber nicht unbedingt beruhigend. Selbst, wenn er Marcus nicht erschießen will, wird er kaum sein Leben riskieren, um das zu verhindern. Seine nächsten Worte glaubt Sigrid ihm sofort.

«Marcus», ruft er hinter dem Baum hervor. «Ich lasse Sie dieses Ding nicht auf mich richten. Ich schwöre bei Gott, wenn Sie das tun, dann ziehe ich. Als ich Sheriff wurde, hab ich vorm Spiegel stundenlang Schnellziehen geübt. Zwei Punkte also: Erstens ziehe ich schneller als mein Schatten. Zweitens ziele ich miserabel, weil ich noch nie abgedrückt habe. Falls Sie also glauben, ich schieße Ihnen den Revolver aus der Hand oder verpasse Ihnen einen Schuss ins Knie, liegen Sie falsch. Wenn Sie das Ding auf mich richten, ziele ich einfach auf die Mitte und kann für nichts garantieren. Und selbst, falls ich Sie verfehle, kommen nach mir noch sechs andere Jungs, die Sie mit Blei spicken, bis Sie tot umfallen. Die machen den ganzen Tag nichts anderes, die treffen ganz bestimmt. Haben Sie das verstanden?»

Vom Ufer aus kann Sigrid sowohl den Sheriff als auch ihren Bruder auf dem Felsen gut sehen. Marcus hat die Füße immer noch im Wasser und lässt den Revolver zwischen den Beinen herabhängen wie ein Sandwich, das ihm nicht mehr schmeckt, für das er aber auch kein besseres Plätzchen weiß.

«Ich habe verstanden, ja», antwortet er ruhig.

«Dann werfen Sie jetzt die Waffe ins Wasser, so weit, dass ich sie fliegen und in den See platschen sehe. Wenn Sie gaaanz viel Glück haben und seeehr überzeugend sind, tue ich vielleicht – vielleicht! –, als hätte ich sie nie gesehen.»

«Nein», erwidert Marcus. «Das möchte ich lieber nicht.»

Irv tritt kurz hinter dem Baum hervor, um etwas zu werfen. Während der Gegenstand auf Marcus zufliegt, ruft er: «Ich hab Ihnen sogar einen scheiß Muffin mitgebracht!»

Der Wurf straft Irvs Behauptung Lügen, er könne nicht gut zielen, denn der Muffin trifft Marcus mitten auf die Wange. Von dort prallt er ab, plumpst ins Wasser und wird umgehend von einer Schar schnatternder, flatternder Enten verschlungen. Marcus verzieht keine Miene.

Irv nimmt das Funkgerät vom Gürtel und ruft Alfonzo. Er erklärt ihm, es gebe eine «Lage», und weist ihn an, sich mit seinen Männern mit etwas Abstand, aber guter Schussposition zu verteilen, falls die Sache in die Wicken geht.

Hinter dem Baum versteckt, kann Irv Marcus nicht sehen. Sigrid sieht er aber. Er beäugt ihre Miene wie ein Kleinkind, das seine Eltern beobachtet, um herauszufinden, was es empfinden soll. Was er da sieht, ist eine Frau, die keine Ahnung hat, was sie tun soll. Obwohl er sie nicht mal seit einer Woche kennt, ist ihm klar, dass ihr Gesicht diese Miene nicht gewohnt ist. Die Augen – ja der ganze Körper – wirken planlos. Völlig demontiert steht sie da vor ihm.

Die Sonne schiebt sich durch das Blätterdach, während die drei darauf warten, dass sich irgendetwas tut. Der Wind bläst ihnen heiß gegen den Hals, verdrängt die Atemluft.

Irv blickt aufs Wasser, so kalt und sauber wie ein Gletscherbach.

Hutlos und genervt davon, dass ihm kein neuer Einfall kommt, versucht er es noch einmal mit dem ersten: «Jetzt werfen Sie schon die Waffe ins Wasser, Marcus. Und sei's nur, damit ich endlich was trinken kann», ruft er. «Was glauben Sie denn, wie das hier endet?»

«Ich glaube, wir wissen alle, wie es endet», antwortet Marcus.

«Was soll das heißen?», fragt Sigrid auf Norwegisch.

«Du weißt genau, was passieren muss», sagt er.

«Worüber redet ihr da?», ruft Irv.

«Er will, dass du ihn erschießt», sagt Sigrid.

«Dann lass dir besser schnell was einfallen, Sigrid. Auch wenn ich ihn nicht erschießen will, kann's gut sein, dass ich damit allein dastehe, und ich fühl mich verdammt einsam.»

Melinda parkt ihren Streifenwagen an einer Laterne vor der First Baptist Church und sucht sich einen Weg zwischen den Pfützen auf dem Parkplatz, die miefend in der Mittagssonne dampfen wie Gezeitentümpel.

Ein paar Meter entfernt tritt Reverend Green aus dem Dunkel der Kirchenpforte. Er kommt auf sie zu und gibt ihr die Hand. Zu seinem freundlichen Lächeln trägt er offenbar ein Amber-Duftwasser.

«Wieso das neuerliche Treffen, Deputy?», fragt er.

«Sir, Sheriff Wylie wollte, dass ich Ihnen noch ein paar Fragen bezüglich Ihres Treffens gestern Abend stelle. Außerdem meinte er, Sie könnten vielleicht mit mir zum Tatort fahren, damit wir dort darüber reden, was passiert ist. Er hofft, dass die Fakten uns helfen, die Probleme zu überwinden, mit denen wir alle zu tun haben.»

«Was meinen Sie mit ‹was passiert ist›?», fragt er trocken.

«Na mit Dr. Jones, Sir.»

«Und Sie glauben also, die Fakten helfen uns, die Probleme zu überwinden, hm?»

«Ich weiß nicht, Sir.»

«Sicher», brummt er.

Ohne Blaulicht und mit offenen Fenstern fahren sie von der Kirche zur 86 Brookmeyer Road, der Reverend auf dem Beifahrersitz. Die Fahrt dauert fast fünfzehn Minuten. Fred Green blickt aus dem Fenster und macht keine Anstalten, etwas zu sagen. Melinda wird die Stille bald zu viel.

«Verfolgen Sie die Wahl, Reverend?»

«Natürlich», sagt er, ohne sie anzusehen.

«Die meisten Cops wählen ja die Republikaner, und Irv ist sogar selber einer, also behalten wir das vielleicht besser für uns, aber ich will für Obama stimmen.»

«So, so», sagt cr.

«Was denken die Leute in Ihrer Gemeinde darüber?»

«Sie meinen, wie die es finden, dass erstmals einer der Ihren zum Präsidenten gewählt wird? In einem Land, in dem Leute wie er früher Sklaven waren?»

«Wie's aussieht, macht Amerika vielleicht einen großen Schritt nach vorn, oder?»

«Kann sein.»

«Glauben Sie, dass er gewinnt?»

Greens Antwort hört Melinda nicht. Wenn er etwas sagte, war es nicht lauter als der Wind, der durch die offenen Fenster bläst und den Kragen seines Blazers flattern lässt.

Irgendwann, ein gutes Stück später, hört sie, wie er, möglicherweise gar nicht zu ihr, sagt: «Vielleicht.»

«Wahrscheinlich geht mich das nichts an», erwidert Melinda, «aber Sie klingen nicht grade begeistert.»

«Ja», antwortet Green. «Denn falls er wirklich zum Präsidenten gewählt wird, wird ihn jemand erschießen.»

Melinda parkt im Halteverbot vor dem Haus Nummer 86. Die beiden steigen aus und blicken am Gebäude hoch.

Eine unfertige Konstruktion aus Stahl und Glas, an der niemand mehr arbeitet. Hoch ragt es an einer Ecke eines ebenso deprimierten wie deprimierenden Viertels auf, in dem die Grundstückspreise stetig sinken; die Sorte Bauwerk, die dauerhaft in Rechtsstreitigkeiten, Konkurserklärungen und Finanzierungskämpfen feststeckt, sodass seine Substanz der Abnutzung durch Mensch und Natur anheimfällt.

Welche Hoffnungen auf Arbeitsplätze und Stadtentwicklung es auch einst genährt haben mag, heute ist das Gebäude der Schauplatz eines Traums, den keiner mehr träumen will. Und doch steht es noch da, all seiner Bedeutungslosigkeit zum Trotz: so strahlend, leer und selbstgefällig wie die Menschen, die es geplant haben.

Zwölf Stockwerke hoch ragt es auf, ohne eine einzige organische Linie. Wie aus einem billigen Baukasten, findet Melinda. Wenigstens ihr ungeübtes Auge findet keinen Unterschied zu all den anderen derartigen Häusern, die sie kennt. Irv hat ihr einmal erzählt, die Bevölkerungsexplosion, die Ölkrise der Siebziger und eine Geschmacksverirrung wären gemeinsam schuld an Amerikas abstoßender «Aufwärtsexpansion», wie er es nannte. Leider, so klagte er damals, hätte Amerika sich nach der Eroberung des Westens nicht entschlossen, in die Tiefe zu bauen statt in die Höhe. «Wäre sinnvoller gewesen», sagte er. «Unterirdische Gebäude speichern Wärme besser und haben bessere Chancen, eine Sowjetrakete zu überleben. Und oben hätten wir Parks anlegen können!»

«Waren Sie denn schon mal hier?», fragt Melinda den Reverend, kaum dass sie ausgestiegen sind. Ihr Blick ist auf die

Stelle gerichtet, an der Lydia gestorben ist. Die Absperrung ist inzwischen weg. Die Stelle ist kein Tatort mehr, was dort passierte, ist unsichtbar geworden. Melindas Blick hält der Ort jedoch gebannt, als wäre er lebendig. Am liebsten würde sie mit dem Fuß darüber streichen, um herauszufinden, ob im Boden eine Delle ist. Verrückt, dass ein Mensch einfach so verschwinden kann, ohne die kleinste Spur zu hinterlassen.

«Nein», antwortet Fred Green. «Mir ist auch nicht ganz klar, was wir hier wollen, Deputy.»

«Irv meinte, wir sollen reden, und er fand, das sei ein guter Ort dafür.»

«Waren Sie denn selbst schon mal hier?»

«Ich bin mal vorbeigefahren, als noch abgesperrt war. Irv hat mich erst später mit dem Fall beauftragt.»

«Wohin gehen wir?»

«Rauf. Zum Tatort. Aber ... ähm ... jetzt, wo Sie's sagen ... einen Moment, bitte, ich muss Irv was fragen.»

Fred Green zieht ein grün-weißes Päckchen Newport Kings aus der Tasche und steckt sich eine an. Melinda lässt ihn mit der Zigarette allein und wartet, dass der Sheriff abnimmt.

Irv drückt sich an die Eiche und versucht sich einzureden, dass er sich ja genau genommen nicht versteckt, sondern eine kluge Verteidigungsposition einnimmt – zumindest für jemand mit den Instinkten und der Kampfausbildung eines Theologiestudenten.

Als er sich gerade zum Bodysurfen nach Maui wünscht, klingelt das Telefon. Er nimmt ab, ohne dabei Sigrid aus den Augen zu lassen, stellvertretend für Marcus, der offenbar nirgendwo anders hinwill außer in den Himmel.

«Hallo?»

«Sheriff? Melinda hier. Wie läuft's?»

«Ach, reden wir von was anderem. Was gibt's?»

«Aus welchem Stock ist sie gestürzt?»

«Hm?»

«Aus welcher Etage? Ich bin mit Mr. Green bei dem Gebäude. Laut Akte war es mindestens der zweite, wegen der Verletzungen, aber eine genaue Zahl hab ich nicht gefunden.»

«Ja, wir haben nach Hinweisen gesucht, aber nichts gefunden.»

«Also waren wir technisch gesehen noch gar nicht am Tatort», stellt Melinda klar.

«Wir waren auf sämtlichen Etagen. Technisch gesehen waren wir also schon am Tatort, bloß wussten wir's nicht. Warte mal.» Irv hält das Telefon zur Seite und ruft Marcus zu: «In welchem Stockwerk war das, wo Sie Lydia umgebracht haben?»

«Im fünften», antwortet Marcus.

«Danke.»

Sigrid protestiert, doch Irv steckt sich den Finger ins Ohr, um sie schlechter und Melinda besser zu hören.

«Im fünften», wiederholt Irv für Melinda.

«Woher wissen Sie das auf einmal?», will sie wissen.

«Ich hab Marcus gefragt.»

«Ist er verhaftet?»

«Er ist ... bei mir. Sonst noch was, Melinda?»

«Ich weiß, ich soll Mr. Green fragen, wie er zu Lydia stand und was er von der Theorie hält, dass sie sich um –»

«*Diskret*, Melinda.»

«... aber gibt es noch was anderes?»

«Ja, gibt es. Falls Marcus es wirklich getan hat, ist alles in

Butter. Aber wenn nicht, wenn es Selbstmord war, müsst ihr – Green und du – euch was einfallen lassen, damit sie und ihre Eltern nicht ewig in der Hölle schmoren.» Irv nimmt das Handy ans andere Ohr und blickt zu Sigrid, die unglückselig auf dem Boden sitzt. «Roy Carman. Die Geschworenen. Jeffrey. Lydia. Die Eltern. Die Rassenprobleme. Das ist alles echt, Melinda. Und alles, was ich weiß, ist: Mir ist das zu hoch. Ihr zwei müsst euch was ausdenken, damit der Himmel uns nicht auf den Kopf fällt. Unglückliche Wortwahl, okay, aber du weißt, was ich meine.»

«Dieser Job verlangt einem ganz schön was ab, Sheriff.»

«Mach hin, ja? Ich hab hier meine eigenen Probleme.»

Melinda sieht zu, wie der Reverend seine Kippe zu Boden fallen lässt und mit der Schuhspitze ausdrückt. Dann führt sie ihn unter dem Aluminiumgerüst durch die Überreste einer grünen Plane, die einst als Tür gedient haben, in das Skelett einer Empfangshalle. Über eine von Staub, Sägespänen, Holzresten und Müll bedeckte Stahltreppe geht es nach oben.

Der Reverend ist nicht mal annähernd fit genug für fünf Treppen auf einmal, also machen sie im dritten Stock eine Pause. Melinda wartet ein paar Stufen weiter oben.

Der fünfte Stock ist teilweise bereits verglast, teilweise den Elementen überlassen. Der Tag brütet träge vor sich hin, und die offene Etage kommt Melinda vor wie eine verlassene Bühne. Durch Plastikfolien und über freiliegende Leitungen, die nirgends herkommen und nirgendwo hinführen, geht sie zu dem Punkt über der Stelle, an der Dr. Lydia Jones verdreht und zerschmettert aufgefunden wurde.

Melinda hat keine Höhenangst, aber der Abgrund übt eine beängstigende Anziehungskraft auf sie aus. Irgendwie dachte sie immer, Lydia sei aus einem Fenster gestürzt, doch in Wahrheit gibt es hier kein Fenster, denn es gibt auch keine Wand. Falls Lydia gesprungen ist, wäre das hier nicht schwer gewesen. Genauso leicht hätte man sie jedoch auch schubsen können. Um vor Reverend Green nicht wie ein Angsthase zu wirken, geht Melinda dichter an den Rand. In Wahrheit ist es aber nicht die Furcht, sich zu blamieren, die sie dazu bringt. Der Abgrund zieht immer kräftiger an ihr, und einen Augenblick glaubt sie zu spüren, was Lydia empfunden haben muss. Die Kante vor Augen. Am liebsten darauf stehen wollen. Da unten, die Straße, die hat sie getötet. Aber das hier oben, das war der Anfang. Der Ort, an dem es hätte *nicht* passieren können. Nur noch einen Meter vom Rand entfernt beschleunigt sich Melindas Atmung. Zurück kann sie nicht, noch nicht, doch sie muss sich festhalten. Dafür muss sie noch ein Stückchen vorwärts, um sich gegen die Stahlstrebe zu stützen, ihren Halt.

Sie dreht sich um zu Reverend Green. Reglos steht er da, und wie sie ihn so ansieht – seine Größe, sein Gewicht, die langen Arme und Lackschuhe, die dunkle Haut und die weißen Augen, das frisch gebügelte, weiße, am Kragen gelb verschwitzte Hemd –, bekommt sie es mit der Angst zu tun. Wenn er wollte, müsste er lediglich die Hand ausstrecken, um sie über den Rand zu stoßen.

«Alles in Ordnung?», fragt er.

«Entschuldigung?»

«Sie sind aschfahl.»

«Hier oben zu sein, macht mir Angst», gesteht sie.

«Was tun wir hier, Deputy?», fragt er.

Melinda kommt nicht mehr darauf, was Irv gesagt hat. Das ganze Ausmaß der Probleme hat in ihrem Kopf gerade keinen Platz. Sie kann nur noch an Lydia denken. Sich vorstellen, Lydia zu sein. Und hier zu stehen.

«War Lydia bei Ihnen?»

«Wieso fragen Sie?»

«Hat sie sich das Leben genommen? Ist sie ...» Melinda hat den Abgrund im Rücken. Den Abgrund, der sie ziehen könnte.

«Ich weiß es nicht», antwortet er.

«Aber Sie vermuten. Irgendwas vermuten Sie.»

Reverend Green tritt näher zu Melinda. Er bleibt vor ihr stehen und blickt auf ihre Füße. Ringsherum sind Fußspuren. Sie wirft einen kurzen Blick darauf, dann fixiert sie wieder sein Gesicht. Er wirkt passiv, ruhig, doch das flößt ihr nur noch mehr Angst ein.

«Was sagt Ihnen all das hier?», fragt er, indem er behutsam die Verpackung eines Cheeseburgers ein paar Zentimeter nach links schiebt.

«Nichts», sagt sie.

Diese Vorhölle, der Raum zwischen Green und der Kante, ist zu labil. Wenn sie nichts unternimmt, wird ihr nichts übrig bleiben, als sich auf den Boden zu werfen und davonzukriechen. Doch das will sie nicht. Also holt sie tief Luft, macht noch einen Schritt zurück und greift nach dem Tragbalken, der sie von zwanzig Meter freiem Fall trennt. Und als ihre Hand den kalten Stahl berührt, wird sie zu Lydia. Kann durch ihre Augen sehen. Wie in einem dieser klaren Träume kurz vor dem Aufwachen. Sie ist fünfzehn Jahre älter, schwarz und erfolgreich. Sie ist elegant gekleidet und trägt Stöckelschuhe, nicht die Stiefel und beigefarbene Uniform eines Deputys. Sie ist leichter, wird nicht vom Gewicht einer Waffe behindert.

Sieht die Welt nun anders aus, oder blickt sie nur anders in die Welt? Das ist nicht dasselbe, doch worin besteht der Unterschied?

Sie kann den Träger nicht loslassen. Ist gefangen. Um sich zu beruhigen, blickt sie auf. Sie blickt weg vom Boden, hinaus über die Stadt, als ob es hier doch ein Fenster gäbe; etwas, das sie vor der Welt beschützt, statt sie ihr auszuliefern.

«Hat da drüben nicht Jeffrey gewohnt?», fragt sie.

«Wo?», fragt Green.

«Da», sagt sie und klammert sich dichter an den Stahlträger. Sie lehnt sich nicht hinaus, deutet aber mit dem letzten bisschen Mut zu einem weißen Kirchturm mit einem kaputten Kreuz auf der Spitze. Darunter ist ein Dach von derselben Farbe wie das Haus, das sie besucht haben.

«Ja», bestätigt der Reverend. «Da hat er gewohnt.»

«Glauben Sie, das hat was zu bedeuten?», fragt sie.

«Ich wüsste nicht, was», antwortet er.

Melinda hört, wie Fred Green vorsichtig näher kommt. Sie blickt über die Schulter, sieht, wie er die Hand, die geöffnete Hand nach ihr ausstreckt. «Sie stehen zu dicht am Rand, Deputy. Bitte, nehmen Sie meine Hand. Kommen Sie zurück. Das ist gefährlich.»

VERGANGENEN Monat, in dem Städtchen Glåmlia nahe der schwedischen Grenze, umzingelten Sigrids *Beredskapstroppen* in ganz ähnlicher Formation ihr Ziel. Sie hatte das Kommando und befahl den Angriff. Die Männer, die jetzt im Halbkreis um sie stehen, könnten Marcus' Leben mit einem Fingerzucken auslöschen. Sie wird ihn sterben sehen, noch ehe er es hört. Irgendwo dahinten sind sie. Ganz bestimmt. Sigrid kann sie förmlich spüren.

Sie macht einen Schritt auf Marcus zu.

«Zurück!», ruft er. Die Waffe hebt er nicht, nur seine Stimme. Doch es wirkt: Sie bleibt stehen. Noch bevor sie etwas sagen kann, setzt Irv, der sprechende Baum, die Situation glasklar auseinander:

«Möglichkeit eins, Marcus: Sie heben diese Waffe, und wir töten Sie. Möglichkeit zwei: Sie werfen das Ding weit raus ins Wasser, und wir nehmen Sie nur wegen Waffenbesitz fest und schauen dann erst, was wir von der Sache mit Lydia Jones halten. Sie bedrohen nämlich gerade das Leben von Polizeibeamten, und damit habe ich Anlass, Sie zu verhaften. Eigentlich habe ich Anlass zu tun, was immer ich will. Möglichkeit drei: Sie bleiben da zu lange sitzen, wir kriegen alle Hummeln im Hintern, denken nicht mehr klar, und die ganze Geschichte regelt sich von selbst, was garantiert nicht schön wird. Was soll's also sein?»

Marcus hält seine Hand ins Wasser und benetzt sich Gesicht und Hals. «Möglichkeit drei.»

«Sie sind ein Idiot.»

«Yup», antwortet er.

«Wie wär's», schlägt Sigrid vor, indem sie sich auf den trockenen Waldboden setzt, «wenn du uns von Lydia erzählst. Was ist passiert?»

«Ich bin schuld. Ich war's.»

«Das hab ich schon gehört», winkt Sigrid ab. «Ich will die Einzelheiten. Was habt ihr in diesem Gebäude gemacht? Was ist das überhaupt?»

«Ein unfertiges Bürogebäude, ein paar Blocks von meinem Haus. Eigentlich sollte es verbarrikadiert sein, aber die Kids aus dem Viertel sind schon vor Jahren eingebrochen.»

«Und was hat es mit dir oder mit Lydia zu tun?»

«Gar nichts.»

«Was wolltet ihr dort?»

«Sie wollte mir was erklären.»

«Was wollte sie dir erklären?»

«Irgendwas über Perspektiven», sagt er. «Keine Ahnung.»

«Erzähl uns davon.»

«Ich hab dir gesagt, dass Mamma sich umgebracht hat, und du willst trotzdem *darüber* sprechen?»

«Ich glaube nicht, dass Mamma sich umgebracht hat. Ich glaube, die Männer mit den Maschinenpistolen sind da, und die interessieren sich nicht für unsere Familiengeschichte. Lass uns beim Thema bleiben.»

Sigrid streicht sich ein paar Schweißtropfen aus dem Gesicht. Irv sieht aus, als setzte ihm die Hitze zu. Seine Uniform ist bestimmt nicht aus Baumwolle. Derlei Unannehmlichkeiten können leicht die Urteilskraft beeinflussen.

Irv wünscht, er hätte seinen Hut nicht schon kaputtgemacht. Es wäre toll gewesen, sich damit Luft zuzufächeln oder Marcus zu ohrfeigen. «Hey Al!», ruft er. «Ich bin am Verdursten. Gib mal Wasser.»

Aus einer Wolke, einem Schatten oder einem Wurmloch zwischen hier und Maine kommt eine Flasche Wasser angeflogen, springt einmal zwischen Irvs Füßen auf, macht eine halbe Drehung und kommt aufrecht zum Stehen.

«Danke.»

Er leert die Flasche in einem Zug.

«Marcus», sagt er dann, wischt sich übers Gesicht und schüttelt sich den Schweiß vom Kopf. «Das ist jetzt die Stelle, wo Sie uns erzählen, was passiert ist. Ich sag Ihnen auch, wieso. Nicht, weil der Bösewicht immer seine Sünden beichten muss. Auch nicht, weil wir irgendein tiefes Bedürfnis nach Aufklärung haben – ich persönlich komme bestens klar, wenn ich die Antwort nie erfahre und mich meinen Dutzenden anderen Fällen widmen kann. Und auch nicht mal, weil Sie es Lydia schulden, obwohl ich glaube, dass Sie das tun. Wollen Sie den wahren Grund hören, Marcus?»

«Nein.»

«Weil es guttut, darüber zu reden. Reden ist der *American Way*. Durch Reden wird man wiedergeboren. Sind Sie bereit, wiedergeboren zu werden, Marcus? Sind Sie bereit für Ihre spirituelle Erneuerung?»

«Nein.»

«Klar sind Sie das, wer wär das nicht. Sigrid wurde letzte Nacht auch wiedergeboren, stimmt's Sigrid?»

«Wer, ich?»

«Ja, du. Sigrid war gestern bei mir ...»

«Nein. Wir waren –»

«... und wir haben uns unterhalten, über unsere Gefühle gesprochen, Storys aus dem Krieg erzählt, zu Songs von Bob Seger geheult und uns gefragt, wo die Jahre geblieben sind. Sie hat mir erzählt, wie sie zwei Kugeln aus einer halbautomatischen Pistole in einen halb unschuldigen Kerl gejagt hat und wie sie jetzt findet, sie hätte was Falsches getan, etwas Schmerzvolles, Unnötiges, vielleicht sogar eine Sünde begangen, obwohl ihre Vorgesetzten und die Institutionen, an die sie glaubt, sagen, es sei nicht falsch gewesen. Deshalb fühlt sie sich aber nicht besser, sondern schlechter, weil die Herzen und Köpfe dieser Welt nicht im gleichen Takt schlagen. Ihre arme Schwester fühlte sich, als würde sie von Pferden entzweigerissen wie der arme Heilige Hippolyt. Erinnern Sie sich an die Geschichte?»

«Nein.»

«Macht nichts. Aber während wir so redeten, wurde ihr eine große Last genommen. Sagen Sie mir, Marcus, haben Sie Jesus Christus als Ihren Erlöser in Ihr Herz gelassen?»

«Nein.»

«Auch das macht nichts, denn eins hab ich im Theologiestudium gelernt: Wir haben dort gar nicht Gott studiert. Wir haben studiert, wie Gott studiert wird. Und laut der University of Loyola bin ich darin jetzt ein Meister. Obwohl ich also noch immer nichts über Gott selber weiß, weiß ich doch ein bisschen was über die Menschen, die ihn vor mir zu verstehen versucht haben. Wollen Sie hören, was ich gelernt habe, Marcus?»

«Nein.»

«Ich habe gelernt, dass wir im Angesicht des Schöpfers des Universums, im Angesicht des Begründers der Moral, im Angesicht einer Macht, die noch die wildeste menschliche

Phantasie übersteigt, jene Phantasie, die doch selbst nur ein Flüstern in der kosmischen Sinfonie ist, dass wir da, Marcus, auf ganz fundamentale Weise überfordert sind. Wir kümmerlichen, zaghaften, verschwitzten Zweibeiner sind absolut unfähig, den Geist unseres Schöpfers zu begreifen. Ich, Sheriff Irving Wylie, bin ein kluger Mann. Ich bin sogar klüger als Ihre Schwester, und die ist verdammt klug –»

«Sind Sie nicht.»

«Doch, das bin ich, und ich bin zu folgendem Schluss gekommen: Wenn nicht mal Augustinus und Thomas von Aquin die eine oder andere dieser göttlichen Komödien knacken konnten, über die Dante sich auf seinem Hochstuhl so beömmelt hat, kann ich das von meinem Posten hier in Upstate New York aus schon dreimal nicht. War das alles also bloß eine orgasmische Zeitverschwendung? Nein. Denn was ich von den Jesuiten gelernt habe – nicht, dass die mir das beibringen wollten –, ist eine einzige, fette, ironische Pointe. Wollen Sie wissen, welche?»

Marcus sagt nichts.

«Die Pointe ist, Marcus, dass wir rein gar nichts über Gott, aber eine ganze Menge über uns gelernt haben, was genau das ist, was Gott immer schon von uns gewollt hat. Wir waren nur zu abgelenkt vom Boten, um seine Botschaft noch zu hören. Aufeinander achten, Marcus. Wir müssen gut zueinander sein. Sie müssen gut zu Lydia Jones sein. Sie müssen gut zu Ihrer Schwester sein. Und Sie sollen niemand mit diesem .38er erschießen. Also erzählen Sie uns Ihre Geschichte, Marcus, und werden Sie wiedergeboren, so wie Gott es hauptsächlich gemeint hat – nicht, indem Sie zu Jesus finden, sondern indem Sie Ihren Geist und Ihren Platz unter uns zurückgewinnen; nicht oben im Himmel, sondern hier unten im Staub von Upstate New York, wo alles, das einst kreuchte oder fleuchte, schließlich seine Ruhe findet. Sprechen Sie, Marcus. Sagen Sie, was Sie zu sagen haben, und dann taufen Sie diesen Revolver im See, damit wir alle verdammt noch mal nach Hause können.»

LYDIA stand plötzlich vor seiner Haustür. Zum letzten Mal war sie vor dem Ausflug nach Montreal da gewesen. Miteinander geschlafen hatten sie seither nicht. Seit dem Gespräch in ihrem Büro hatten sie kaum noch ein Wort gewechselt. Und doch war sie nun da. Ihre Miene war versteinert.

Er bat sie herein. Sie trat ins Wohnzimmer und sah vor sich, wie elend Marcus und sein Haus in den vergangenen zwei Monaten verlottert waren. Es war widerlich.

Die Geschworenen hatten keine Anklage gegen Roy Carman erhoben und befunden, es gebe keinen Anlass zu weiterer Verhandlung. Er habe nichts falsch gemacht, sagten sie, da gebe es nichts zu diskutieren. Traurig, wirklich traurig, dass der Junge tot war. Aber der Richter hatte ihnen aufgetragen, nur die spezifischen Details des vorliegenden Falles zu berücksichtigen: Die Sachlage war klar, und Gesetz nun mal Gesetz. Jeffrey war tatsächlich ziemlich groß für sein Alter, und die Spielzeugpistole sah echt aus. Die weißen Kinder wirkten, als hätten sie Angst vor ihm, und Schwarze verüben nun mal häufiger Verbrechen. Was hätte ein vernünftiger Polizeibeamter schon anderes tun sollen? Genau genommen war es ausgesprochen mutig von Roy Carman gewesen, einem bewaffneten Gangster so entgegenzutreten.

Die Stadt entschuldigte sich bei Roy für die Unannehmlichkeiten, die der Prozess ihm und seiner Familie bereitet hatte, und schickte Lydias Schwester zum Abschluss eine Rechnung über 420 Dollar für den Krankenwagen, in dem ihr totes Kind zum Krankenhaus gebracht worden war.

Nach Jeffreys Tod traf Marcus Lydia nur selten, aber er traf sie. Ein Café in der Nähe des Campus. Das Mäuerchen um einen Brunnen, mit einem Sandwich von Subway. Meistens saßen sie nebeneinander. Sie war nicht stark genug, um gleichzeitig zu trauern und mit ihm Schluss zu machen. Das war vor dem Urteil der Geschworenen.

Diese Frau – diese Lydia, die einen Neffen verloren hatte – war ein Mensch, dem die Liebe und die Welt eines Menschen genommen worden waren, den sie gekannt hatte. Nach dem Urteil wurde daraus etwas völlig anderes. Nun litt sie nicht mehr nur unter einem Gefühl, sondern unter einer Einsicht. Was vorher Theorie, Worte und Schlussfolgerungen gewesen waren, verwandelte sich nun in Wahrheit. Zum ersten Mal hatte sie am eigenen Leib erfahren, wie brutal das Leben für jemanden wie sie tatsächlich sein konnte.

Lydia Jones war klug, hatte konzentriert studiert, ihre Abschlüsse gemacht und schließlich ausreichend publiziert – hatte ausreichend Glück gehabt, war ausreichend zielstrebig gewesen –, um sich in einer Zeit und einem Fachgebiet, wo harter Konkurrenzkampf tobte, eine feste Stelle an einer Uni zu erarbeiten. Sie hatte das Thema Rasse studiert, erlebt und gelehrt. Aber bis zu diesem Augenblick war sie davon nicht vollkommen aufgesogen worden.

In Marcus' Haus, inzwischen die reinste Müllhalde, war sie nun, um ihre Sachen abzuholen und sich selbst zu beweisen, dass es endgültig vorbei war. Wie ein Zylinderkolben stopfte sie alles tief in einen knallbunten Matchbeutel. T-Shirts, Nachthemden, drei Kleider, Unterwäsche und eine Jeans. Zwei Paar Schuhe. Dann ging sie ins Bad. Marcus hörte, wie Parfümfläschchen und Kosmetikartikel in der Tasche landeten.

Sie hätte sich kaum einen schöneren Tag für ihren Auszug aussuchen können. Die Sonne glänzte auf den Fenstern der Autos auf der Freewayausfahrt, wobei jedes Mal das ganze Schlafzimmer in Technicolor erstrahlte. Das Grün, Gelb und Rot der Tagesdecke – Farben, die ihm im Geschäft gefallen hatten, aber später in der erdrückenden Dunkelheit des Hauses untergegangen waren – leuchteten mit jedem vorbeifahrenden Wagen kräftig auf.

Die Fenster eines Busses blitzten wie ein Stroboskop. Lydia tauchte darin auf und verschwand wieder: da ... und fort. Da. Und fort. Da. Und fort.

Marcus erzählt Irv und Sigrid von dem Gespräch, das er mit Lydia führte, während sie packte. Davon, was er oben an der Treppe sagte. Wie er sich seiner eigenen Hautfarbe bewusst wurde – nicht seines Aussehens, sondern dessen, was es hieß, dass er «weiß» und sie «schwarz» war. Wie mit einem Mal sein Weißsein alles überdeckte, was ihn persönlich ausmachte, und wie er genau darin, derart ausgetilgt zu werden, endlich anfangen konnte, sich vorzustellen, wie Lydia sich jeden Tag fühlen musste. Wie sie sich in diesem Augenblick fühlen musste. Zunichte gemacht, nicht nur von einem Menschen, den sie liebte, sondern von ihrem gesamten Land. Und mit diesem neuen Wissen, dieser Erkenntnis, war klar, dass er nicht das Geringste tun konnte.

Als sie fertig gepackt hatte, schwang Lydia sich den Matchbeutel anmutig wie eine Tänzerin über die Schulter und ging die Treppe hinab in Richtung große weite Welt.

Marcus sah ihr zu.

Er hätte etwas schreien können, doch sein Protestantismus saß zu tief. All seine Ecken und Kanten waren abgefeilt, und noch die letzten Reste waren mürbe von einer Kultur, die nicht sündigen und hinterher bereuen konnte, weshalb sie alles unterdrückte und hoffte, Gott würde nichts merken.

Die Tür fiel zu.

Er war allein.

Draußen, ein Stück die Straße runter, schleppte Lydia ihren Beutel, zornig wie eine Soldatin, die gerade erfahren hatte, worum der Krieg sich tatsächlich gedreht hatte.

Marcus ging vor die Tür seines jämmerlichen Hauses und sah über seinen jämmerlichen Garten hinweg zu, wie Lydia mit jedem vergeblichen Schritt ihres Abgangs ein wenig kleiner wurde – vergeblich, weil sie dem, wovor sie floh, niemals entrinnen konnte.

Allerdings ging es bei ihrer Flucht auch nicht um Abstand, sondern einzig und allein um Energieverbrauch. Sie musste Dampf ablassen, musste durch Bewegung ihre Existenz behaupten und sich von allem um sie lösen, das statisch, unveränderlich und unausweichlich war. Das Ergebnis spielte keine Rolle. Es kam nur darauf an, dass sie es weiterhin versuchte.

Marcus war unsicher, ob er ihr folgen sollte.

Am liebsten wollte er schreien. Hirnverbrannt wäre das gewesen. Was hätte er denn schreien sollen? «Halt»? «Warte»?

Er handelte spontan. Er folgte ihr ohne Absicht oder Plan. Einfach weil er fand, ihre Verbindung dürfe nicht zerbrechen. Nicht so. Sie ging in Richtung der Gegend, die lachhafterweise Bankenviertel hieß. Außer Bauruinen gab es dort bloß noch einen Taxistand, an dem ausländische Taxifahrer auf ihre Smartphones starrten und Fernsehsendungen in ihrer Heimatsprache schauten, wobei die winzigen Lautsprecher die Stimmen, die ihnen so fehlten, nur noch weiter weg erscheinen ließen.

Sie stapfte die Fourth Avenue entlang, als kämpfte sie gegen den Strom eines Flusses, und Marcus blieb ihr auf den Fersen. Blass, zerrissen und besessen ging er schnell genug, um sie zu überholen, rannte jedoch nicht; rennen wäre falsch gewesen, das hätte ihn zu einem Verfolger gemacht – es war zu direkt, zu aggressiv. Er musste sie nur einholen, sie umstimmen, mit Worten, die ihm zwar noch fehlten, aber – anders als bei seiner Mutter – hoffentlich wie durch Zauberhand erscheinen würden.

Vor einer Bauruine an der Ecke zur Brookmeyer Road holte er sie ein.

«Bitte, geh nicht so weg», sagte er.

«Lass mich zufrieden, Marcus.» Sie sprach leise, ohne eine Spur von Zwiespalt in der Stimme.

Kaum ein Auto fuhr vorbei. Der Glasturm reckte sich in den stählernen Himmel und verschmolz mit ihm.

«Ich habe Angst, dass du nie mehr zurückkommst, wenn du jetzt gehst.»

«Werde ich auch nicht.»

«Das ist wegen des Urteils. Ich weiß, ich versteh dich. Aber wir können doch nicht alles wegwerfen –»

«Alles?», fragte sie, nahm die Tasche von der Schulter

und zeigte zwischen den beiden hin und her. «Du meinst uns beide? Das ist für dich ‹alles›?»

«Ich habe Angst davor, mit dir zu sprechen. Ich habe Angst vor deiner Wut. Die ist größer als wir, aber sie kommt nicht aus uns, sondern von außen. Und ich finde keinen Ort hier drin bei uns, um mit dir zu reden.»

«Ist mir egal», entgegnete sie. «Das schulde ich dir nicht. Du bekommst keinen *Safe Space.* Du hast schon ein ganzes Land. Geh nach Hause, Marcus. Dahin, wo du hingehörst. Sei froh, dass du ein anderes Zuhause hast als dieses hier.»

Das war der Moment, in dem er alles auf eine Karte setzte. Statt Lydia in Ruhe mit den erdbebenhaften Folgen des Geschworenenurteils fertigwerden zu lassen, wollte er, dass sie einander an der Hand nahmen und – ihrer Beziehung zuliebe – der Ungerechtigkeit den Krieg erklärten.

«Wir können dagegen kämpfen!», rief er.

Das hat er wirklich gesagt: *Wir können dagegen kämpfen.*

Was er damals meinte, war, dass sie aus eigener Entscheidung zusammenbleiben könnten, egal wie ungerecht der Rest der Welt war. Sie wären gewiss nicht das erste Paar seit Romeo und Julia gewesen, das so etwas versucht hätte, und sie hätten gute Chancen gehabt, sich besser zu schlagen als diese beiden. Im Jahr 2008 die Rassengrenzen zu überschreiten war nicht so aussichtslos, wie 1597 seiner großen Liebe nachzujagen.

Doch Lydia wollte nicht ihre Beziehung retten, sondern einen Teil ihrer selbst.

Jetzt, wo Marcus all das auf seinem Stein an dem Weiher seiner Schwester und diesem Sheriff erzählt, ist ihm längst klar geworden, dass sein Ruf zu den Waffen bei Lydia völlig anders ankam, als er gewollt hatte. Sie hörte ihn mit anderen

Ohren. Für sie klang er wie eine Kriegserklärung an die Zeit, die Geschichte und die Schwerkraft.

Wir können gegen den Wind und die Meere kämpfen, hätte er ebenso gut sagen können. *Gegen die Ausdehnung der Kontinente und die Anziehung des Mondes. Lass uns gegen die Elemente kämpfen, gegen eines nach dem anderen, bis wir jedes einzelne bezwungen haben, und dann errichten wir ein Reich der Freiheit, Toleranz, Rechtschaffenheit und Güte, dem wir einen Namen geben, der noch von nichts anderem beschmutzt ist. Wir berichten von unserem Triumph in einer Sprache, die nicht von Macht geformt ist, und singen füreinander Lieder, die nicht befleckt sind vom gegenseitigen Diebstahl der Kulturen. Zusammen. Du und ich. So werden wir die alte Welt in einer großen Sintflut reinwaschen und neu gestalten. Wie Adam und Eva, nackt auf der Arche. Eine Kabine für zwei – die einzigen Tiere, in göttlichem Auftrag.*

«Ich will dir was zeigen», erwiderte sie auf seine Emanzipationserklärung.

Wenn sie einfach gegangen wäre, wenn sie nur ungläubig den Kopf geschüttelt und ihn nicht als jemanden angesehen hätte, der Aufklärung brauchte – kurz: wenn sie ihn einfach nur zum Teufel gejagt hätte, dann wäre sie jetzt noch am Leben.

Doch das tat sie nicht.

Sie legte ihre Tasche ab, betrat die Bauruine und erklomm die Treppen, immer zwei Stufen auf einmal nehmend wie ein Highschoolsportler auf der Stadiontribüne.

Marcus dachte kurz darüber nach, die Tasche mitzunehmen, doch dann hätte er niemals mit ihr Schritt gehalten. Hier passierte etwas anderes, etwas Wichtiges.

Was wollte sie da drin? Zuvor war ihm das Haus nicht

einmal wie ein Ort erschienen – nur als ein nichtssagendes Etwas in der Landschaft, an dem er auf dem Weg nach anderswo vorbeikam.

Marcus war größer und stärker als Lydia und hatte eine breite Brust. Er wog sechsundachtzig Kilo und war über eins achtzig groß. Sportlich war er nicht unbedingt, aber er lebte gesund und ging aus Abneigung gegen öffentliche Verkehrsmittel meistens zu Fuß. Im fünften Stock hatte er Lydia eingeholt. Das war bereits höher als die meisten Gebäude rings umher.

«Wir haben hier nichts verloren», sagte er.

«Weil die Polizei was dagegen hat?»

«Das ist Privatbesitz.»

Auch das hat er wirklich gesagt! *Privatbesitz!* Wenige Augenblicke nachdem er vorgeschlagen hatte, die ganze Welt aus den Angeln zu heben.

Lydia machte auf dem Absatz kehrt und trat durch eine Plastikfolie, die verhinderte, dass der Staub auf der einen Seite sich mit dem auf der anderen vermischte, in das, was einmal der fünfte Stock hatte werden sollen; ein Ort ohne Sinn, Zweck oder Zukunft.

«Lydia, bitte komm zurück», flehte Marcus.

Er erinnert sich noch an den Wind, der ihnen ein paar herumliegende Taubenfedern um die Füße wirbelte. Sie trug braune Schuhe mit kurzem Absatz. Größe 39, von Nine West.

Der Wind kündigte ein Gewitter an, doch noch war davon nichts zu riechen; nur Abgase, der kalte Schweiß verschwundener Arbeiter und der süßliche Duft von verfaulendem Holz und Sägespänen.

Außerdem spürte man die Höhe. Wo Wände oder Fenster hätten sein sollen, war nichts. Keiner der beiden litt unter

Höhenangst. Sie waren gemeinsam auf den Gipfel von Mount Marcy gewandert und hatten in Cascade Lakes sogar einen Kletterkurs auf Routen im Schwierigkeitsbereich II und III gemacht. Marcus hatte seinem Vater davon in einem Brief erzählt. Dennoch überkam ihn hier die Angst. Er wollte Lydia nicht näher zu der fehlenden Wand folgen, doch anders konnte er nicht mit ihr reden. Er musste sie überzeugen. Von irgendetwas. Irgendwie.

Selbst da wusste er noch nicht, wovon. Doch Lydia hatte einen Plan. Lydia, die ihn hier heraufgebracht hatte.

«Bitte, zwinge mich nicht, weiterzuerzählen», wendet Marcus sich an Sigrid. Er blickt auf, reckt den Hals und lässt die Schultern hängen. Die Waffe baumelt ihm schwer von den langen Fingern – seine «Pianistenfinger», wie seine Mutter immer gesagt hat. «Du kannst eine ganze Oktave greifen», sagte sie, als er neun Jahre alt war. «Das sind nicht die Hände deines Vaters. Nicht die eines Bauernjungen. Du wirst eines Tages Rätsel und Probleme lösen. Mein kleiner Junge mit den langen Fingern.»

Sigrid sitzt noch immer mit überkreuzten Beinen auf dem Boden. Ihr ist heiß und sie ist todmüde, von der langen Nacht, dem Kater, dem ganzen Tag, dem Jetlag, den Erinnerungen und all der Zeit, die sie hinter sich gebracht hat.

«Irv hat recht», sagt sie. «Du musst es aussprechen. Wiedergeburt hin oder her, du musst es für dich tun. Du bist ihr also nachgegangen.»

«Ich dachte, du wolltest mich beschützen», jammert er.

«Will ich auch. Und ich bin mir inzwischen ziemlich sicher, dass das nur geht, wenn ich dir helfe, dir selbst zu helfen. Wenn du das nicht tust, wenn du diesen Augenblick verstreichen lässt, ohne was zu sagen wie beim letzten Mal, dann wirst du in ganz wörtlichem Sinne deines Lebens nicht mehr froh. Du bist Lydia also gefolgt. Und dann?»

Lydia trat auf die Stelle zu, wo die Wand hätte sein sollen. Dort, hoch oben über der Stadt, war sie der Luft, dem Licht und der zersiedelten Landschaft rings um sie ausgesetzt. Marcus sah, wie sie die Augen vor dem grellen Licht des über ihnen glühenden Smogs zusammenkniff. Ihre Hände zuckten, als wollten sie nach etwas greifen. Wie die Hände eines schlafenden Kinds, das nach der Hand der Eltern sucht.

«Lydia, komm zurück. Ich liebe dich.»

Sie warf den Kopf zurück, als hätte sie etwas Beißendes gerochen.

«Schau, Marcus», sagte sie, so sanft sie nur konnte. «Schau dir an, gegen was du kämpfen willst. Komm her. Von hier sieht man es gut. Wir sind nicht bloß wir. Wir sind Teil von etwas anderem.»

Marcus ging durch den Raum, der keiner war, zu dem Fenster, das keines war, um auf die Stadt hinauszublicken, in der er lebte und die ihm mit jeder Sekunde fremder wurde.

Lydia gestikulierte und zeigte. Die Stadt war immer noch nach Rassen aufgeteilt, die Menschen *«separate but un-equal»*, getrennt, aber nicht gleich. Lydia zeigte Wahlkreisgrenzen auf und nannte Straßennamen.

Ja. Das wusste er doch alles ... Und?

Wollte sie ihm demonstrieren, dass Amerika wirtschaftlich gespalten und rassistisch war? Das bestritt ja keiner. Die Frage war doch, wieso sich das nicht änderte. Und darauf ließ die Antwort sich kaum finden, indem man Hausdächer betrachtete.

Hätten sie auf einem Hügel in Alabama gestanden, hätten sie da nicht auch arme und reiche Weiße gesehen? Villen und Wohnwagenghettos? In Amerika herrscht wirtschaftliche Ungleichheit, weil Amerika es nun mal so haben will. So hat er als Norweger das stets gesehen. Wie sollen die Sieger ihren Sieg beweisen, wenn sie nicht mehr besitzen dürfen als die Verlierer? Das ist ein amerikanisches Problem, wollte er sagen. Man hat den Leuten hierzulande eingeredet, einen Feiertag durchzuarbeiten sei nicht etwa idiotisch und selbstzerstörerisch, sondern bewundernswert. Und überhaupt, was hatte all das mit dem Urteil über Roy Carman zu tun? Ein Schwarzer würde vielleicht bald Präsident der USA sein. Reichte das nicht als Beweis für den Fortschritt und das Potenzial des Landes?

«Lydia», brachte er schließlich hervor, indem er sich aus der Verstrickung in diese Gedanken löste. «Du darfst uns nicht aufgeben. Du darfst mich nicht allein lassen. Bitte, Lydia. Ich will nicht mehr allein sein. Ich kann nicht mehr allein sein. Ich brauche dich. Ich liebe dich. Ich liebe dich so sehr. Zusammen schaffen wir das. Bitte.» Er streckte beide Arme aus, um sie an sich zu ziehen. «Bitte, komm zu mir.»

Marcus war nicht klar gewesen, wie dicht am Rand Lydia stand. Hinter ihr war nichts, um den Abstand einzuschätzen. Es sah aus, als wäre dort endlos Platz. Auch Lydia hatte es nicht gewusst. Sie blickte nicht nach draußen, sondern sah Marcus an, sah seine Bedürfnisse, sah ihn auf sie zutreten. Hätte sie es gewusst, hätte sie nicht beide Arme ausgestreckt, um ihn mit aller Kraft ihres zierlichen Körpers von sich zu schieben, eines Körpers, der so viel leichter war als seiner, der so viel weniger fest auf dem Boden stand. Doch sie wollte ihn so unbedingt weghaben, war so wild entschlossen, sich nicht von all dem bedrängen, überwältigen und ignorieren zu lassen, was er war und was sie in diesem Augenblick in ihm sah, dass sie ausrutschte.

Mit aller Kraft hatte sie sich gegen Marcus gestemmt, doch der war schwerer; statt ihn wegzuschieben, schob sie sich nur selbst näher zum Rand. Sägemehl und Müll nahmen ihrem Fuß den Halt, sie verlor das Gleichgewicht, rutschte und fiel.

Marcus hatte sie umarmen, Lydia hatte ihn auf Abstand halten wollen. In dem Moment, als sie das Gleichgewicht verlor und ihre Augen groß und hellwach wurden, griff sie nach ihm, um sich festzuhalten.

Ihre langen, dünnen Finger kratzten ihm noch über den Arm, doch bevor er zufassen konnte, war sie schon fort.

Marcus erstarrte. Und hörte Lydia auf dem Bürgersteig aufschlagen.

«Ich rannte die Treppe runter», sagt er. «Bin raus und hab sie hochgehoben. Sie war ... zerstört. Ihr Kopf ...»

«Ich verstehe schon», sagt Sigrid.

«Ihre Augen waren offen. Wie in dem Moment, als sie gefallen ist.»

«Sie sind fertig, Marcus.»

«Auf dem Weg nach unten hat sie nicht geschrien. Ich kann den Sturz richtig spüren. Den Wind.»

«Sie sind fertig, Marcus.»

«Irving», sagt Sigrid. «Nicht schießen.»

«Ich treffe hier keine Entscheidungen, solange dieser Revolver im Spiel ist.»

Sigrid steht auf, wischt sich den Schmutz von der Hose und geht zu ihrem Bruder. Sie legt ihm eine Hand auf den

Kopf. Mit der anderen nimmt sie ihm die Waffe ab, wirft die Trommel aus und entnimmt die Patronen. Den Revolver wirft sie in den See, so weit sie kann, damit Irv ihn fliegen sieht und platschen hört.

Dann geht sie zu Irv hinter den Baum und gibt ihm die Patronen.

SIGRID nimmt ihren großen Bruder bei der Hand und führt ihn durch den Wald zum Schlauchboot, das sie am Ufer des Lake Flower festgemacht hat. Auch das SWAT-Team taucht aus dem Gehölz auf, schultert die Waffen und folgt ihnen. Irv ist unschlüssig, ob er Marcus in Handschellen legen soll, da er noch nicht recht weiß, ob er ihn verhaften will. Doch das hat noch Zeit. Zum Glück muss keiner mehr fürchten, erschossen zu werden, und niemand muss Marcus aus dem Wald tragen.

Sigrid setzt sich im Boot neben ihren abgekämpften Bruder. Der lässt resigniert den Kopf hängen. Sigrid nimmt seine Hand, und die beiden schweigen gemeinsam. Statt Marcus anzusprechen, blickt sie hinaus auf die fernen Berge über dem schimmernden Wasser.

Der Wind im Haar steht ihr gut. Die Sonne hat ihr etwas Farbe ins Gesicht gezaubert.

«Du brauchst Urlaub», ruft Irv ihr über den lärmenden Außenborder hinweg zu. Zum ersten Mal hört er sie lachen.

In Saranac Lake wartet bereits Sheriff Allman. Er steht exakt auf dieselbe Weise an exakt demselben Ort wie bei Irvs Abfahrt – Hände im Gürtel, hängende Schultern, zutiefst frustriert von all diesen Ereignissen, die er nicht kontrollieren kann. Alfonzo wirft ihm die Leine zu. Er greift daneben, hebt sie auf und macht das Schlauchboot fest.

«Willkommen zurück», begrüßt er Sigrid, als die an Land klettert. Sie klopft ihm auf die Schulter. Ein schwerer Tag für ihn.

Irv und Frank ziehen sich in die Wache zurück, wo nun bestimmt telefoniert und Politisches entschieden wird. Sigrid setzt sich neben Marcus auf eine Bank in der Nähe des Lieferwagens, den sie in Brand gesetzt hat.

«Warst du das?», fragt Marcus seine Schwester.

«Ja.»

«Wir sind hier wohl die Master of Disaster.»

«Kann man so sagen.»

Zehn Minuten später kommt Irv aus der Wache und klatscht in die Hände wie ein Fußballtrainer. «Auf geht's», ruft er. «Wir fahren zurück. Marcus kommt mit.»

«Er kann gehen?», fragt Sigrid.

«Er kann *mit uns* gehen. Und da können wir uns alle glücklich schätzen.»

Im Jeep überqueren sie unsichtbare Linien, die aus einem Ort den nächsten machen, zurück in Irvs County. Im Kulturradio läuft *All Things Considered*, aber Irv hat keine Lust, alles noch mal zu «considern» und schaltet auf einen Jazzsender, der zum fünfzigsten Jahrestag der Veröffentlichung von *Moanin'* ein Art-Blakey-Special bringt.

Über eine halbe Stunde hören sie still zu, dann bricht Sigrid das Schweigen mit einer Frage.

«Was bedeutet eigentlich ‹One-Percenter›?», will sie wissen. «Bei den Bikern, meine ich.»

«Das bezieht sich auf den Mythos, dass neunundneunzig Prozent der Biker brave Bürger sind, ein Prozent aber Gesetzlose. Alle, die sich als One-Percenter bezeichnen, denken, sie stehen über dem Gesetz, und sind ausnahmslos Arschlöcher. Du hättest ein Taxi rufen sollen.»

Zurück in der Stadt sperrt Irv Marcus über Nacht in eine Zelle. Eine bessere Alternative gibt es nicht, und Sigrid erhebt keine Einwände. Sie hat genug Zeit dort verbracht, um zu wissen, dass Marcus lange nicht an einem so sauberen, sicheren Ort war. Nicht mal den Schreibtisch nebenan bauen sie ab.

«Ich hätte ja gewettet, du bestehst darauf, dass er bei dir bleibt», sagt Irv auf dem Weg zurück zum Jeep.

«Ich habe schon was anderes vor», erwidert sie.

«Wann hattest du denn Zeit für Freizeitplanung?»

«Du hast das heute ziemlich gut gemacht», sagt Sigrid.

«Ich?»

«Ja.»

«Vermutlich ist das ein schlechter Zeitpunkt, dir zu sagen, dass ich von Anfang an recht hatte und alles genauso gelaufen wäre, wenn wir gleich zusammengearbeitet hätten – bloß ohne SWAT, Feuerwerk, Papierkram und Tränen.»

«Das hängt ganz davon ab», entgegnet Sigrid, «was *du* heute Abend noch so vorhast.»

«Bin schon still», sagt er und startet den Jeep.

Obwohl es sieben Uhr abends ist, geht Deputy Melinda Powell noch nicht gleich nach Hause, sondern setzt sich zu Marcus, um ein paar letzte Dinge zu erledigen. So lange, wie es dauerte, ihn aufzuspüren, käme es ihr komisch vor, ihn jetzt hier einfach sitzen zu lassen.

Irv hat ihr nur näherungsweise geschildert, was am See

passiert ist – mit etwas Glück erzählt Marcus ihr ja noch den Rest. Allerdings, je länger sie hier an Irvs Schreibtisch in der Zelle nebenan sitzt, desto weniger rechnet sie damit, dass Sigrids Bruder auch nur ein einziges Wort spricht.

«Mögen Sie Thailändisch?», fragt sie ihn.

Marcus blickt auf.

«Thailändisches Essen. Mögen Sie das?»

«Ja, schon.»

«Sie könnten bestimmt 'ne warme Mahlzeit vertragen, nach über einer Woche im Wald. Was haben Sie da überhaupt gegessen?»

«Thailändisch gab's jedenfalls nicht.»

«Ja, also ... dann haben Sie Glück. Die liefern nämlich. Die Thais. Sind allerdings Iren, glaub ich.»

Melinda bestellt ein paar Vorspeisen und drei Hauptgerichte. Das ist viel mehr als nötig, aber sie kann es über die Wache abrechnen und die Reste im Kühlschrank bunkern, der mittlerweile wieder funktioniert.

Als das Essen eintrifft, macht sie Marcus einen Teller zurecht und reicht ihm Stäbchen durchs Gitter.

«Irv sagt, in Thailand isst man gar nicht mit Stäbchen, sondern mit dem Löffel. Manchmal nehmen sie auch eine Gabel, um Essen auf den Löffel zu schieben.»

Marcus nickt und isst mit den Stäbchen.

«Aber nicht, dass Sie sich damit umbringen oder einen Ausbruchsversuch starten oder so, okay?»

Sein Schweigen versteht sie als Zustimmung.

Marcus isst, Melinda quasselt. «Ich glaub nicht, dass viele Leute das hinkriegen würden, sich mit Stäbchen umzubringen», sinniert sie. «Nicht mal, wenn sie's voll drauf anlegen. Die brechen nämlich ziemlich leicht. Wahrscheinlich müsste man mehrere anspitzen, zusammenbündeln, die Spitzen zwischen die Rippen setzen und sich voll drauffallen lassen. Pflock ins Herz quasi. Das müsste klappen.»

Marcus hört auf zu kauen und sieht sie an.

«Aber von mir haben Sie das nicht, klar? Eigentlich ... also, am besten, Sie geben sie mir hinterher wieder, okay?»

Da bemerkt Melinda in Marcus' bislang völlig ausdruckslosem Gesicht so etwas wie ein Grinsen.

«Was ist denn jetzt so lustig?», fragt sie.

«Ihr Sheriff hatte recht. Ihr Amerikaner redet wirklich pausenlos. Ist mir vorher nie aufgefallen.»

«Wahrscheinlich haben Sie sich bloß an uns gewöhnt.»

Sheriff Irving Wylie hat sein hübsches altes Haus bei der Scheidung drangegeben, unter der Bedingung, dass er bei einem Verkauf die Hälfte vom Erlös erhält. Auszuziehen machte ihm nichts aus, und ihm gefiel die Vorstellung, dass seine Tochter das Zuhause behalten konnte, in dem sie wohnte, seit die Familie fünfzehn Jahre vorher eingezogen war.

Er kaufte ein Apartment im dritten Stock eines modernen Gebäudes mit Aufzug. Vom Balkon hat er einen hübschen Ausblick auf die fernen Hügel. Die Wohnung ist geschmackvoll eingerichtet. Im Wohnzimmer: ein großer blauer Teppich, ein moderner, indigofarbener Samtstuhl, ein dunkles Ledersofa und ein grün gemusterter Ohrensessel. Der Couchtisch ist aus Glas. An den Wänden stehen Regale voller Romane und Sachbücher. *Ein Soldat aus dem Großen Krieg*, von Mark Helprin. Ein Band mit Schriften über Recht, Moral und Politik von Thomas von Aquin. *Holidays on Ice* von David Sedaris.

Sigrid greift nach dem Sedaris, hält jedoch inne, als ihr Blick auf diverse Fotos von Irvs Ex-Frau und seiner Tochter fällt. Eine Akustikgitarre von Yamaha steht schief in einem Stahlständer.

Sie zieht die Schuhe aus, schnappt sich die Gitarre und macht es sich damit auf dem Sofa gemütlich. Irv schenkt zwei Gläser Rotwein ein. Sie schlägt ein E an. «Willst du den ganzen Abend die Pistole tragen?», fragt sie.

«Das ist definitiv die sexyste Frage, die mir je irgendwer gestellt hat.»

Irv kommt herüber, reicht ihr ein Glas und stellt seines auf den Couchtisch. Dann zieht er Schuhe, Waffengürtel und Oberhemd aus. Das weiße T-Shirt hat schon bessere Zeiten gesehen. Er setzt sich auf den Samtstuhl und schlägt ein Bein über das andere.

«Auf die getane Arbeit», sage er und erhebt das Glas.

«Deine ist noch nicht getan», erwidert sie.

«Was soll das heißen?»

«Du hast doch Melinda und Reverend Green aufgetragen, sich was einfallen zu lassen. Melinda meint, das hätten sie auch getan.»

«Ach so?»

«Du musst in diese Kirche gehen und den Leuten sagen, was wirklich passiert ist. Und zwar bescheiden, respektvoll und glaubhaft.»

«Die Kirche von den Schwarzen, meinst du?»

«Die von deinen Wählern. Reverend Green sagt, die müssen das von dir hören. Sie leiden, und er glaubt, da hilft nur die Wahrheit. Du musst ihnen erzählen, was Marcus dir erzählt hat.»

«Na prima.»

«Kannst du spielen?», fragt Sigrid und tätschelt die Gitarre.

«*Handle with Care* von den Traveling Wilburys kriege ich halbwegs zusammen. Kennst du das?»

«Nein. Erhebst du Anklage gegen Marcus?»

«Nein.»

«Glaubst du ihm?»

«Wie sich herausstellt, spielt das keine Rolle. Du hast Melinda ja offenbar aufgetragen, rauszufinden, was unser einziger Augenzeuge Chuck an dieser Straßenecke getrieben hat. Tja, zufälligerweise hat er dort Crack verkauft.»

«Woher weißt du das?»

«Melinda hat ihn gefragt. Ich soll dir übrigens von ihr ausrichten, investigative Fragen und Verhörfragen seien manchmal doch dasselbe. Sagt dir das was?»

«Ja, dass sie dazulernt», antwortet Sigrid lächelnd. Sie reicht Irv die Gitarre, zieht ihre Füße aufs Sofa und trinkt einen Schluck Wein.

«Laut Staatsanwalt können wir Chucks Aussage nicht verwenden. Und Melinda hat in dem Gebäude in der Brookmeyer nichts gefunden außer einem Haufen Fußspuren. Ein paar könnten wir vermutlich Marcus und Lydia zuordnen, aber Marcus leugnet ja gar nicht, dass er dort war. Dass er sie gestoßen hat, können wir nicht beweisen, und solange hier niemand Fräulein Smillas Gespür für Staub entwickelt, helfen uns die Fußspuren auch nicht weiter.» Irv schlägt sanft die ersten Akkorde des Songs an. «Außerdem ist Melinda wahrscheinlich auf einigen davon herumgelatscht. Dem Staatsanwalt ist die Beweislage jedenfalls zu dünn.»

«Bei Jeffrey war das anders.»

«Das ist mir bewusst», sagt er und versucht, das knifflige B7 zu greifen.

«Morgen reise ich ab», sagt Sigrid.

«Ich weiß.»

«Ich springe mal kurz unter die Dusche. Wie wär's, wenn du mit der Gitarre mitkommst und mir den Song vorspielst?»

«Du wirst es nicht bereuen», antwortet Irv.

AM nächsten Morgen in der Wache schüttelt Sigrid diversen Beamten und Beamtinnen zum Abschied die Hand, während Melinda sie zu den Zellen führt, die vom Pad Thai noch nach Erdnuss riechen. Melinda merkt an, wie viel Sigrids Mentoring ihr bedeutete, wie gründlich es ihre Sicht auf Ermittlungstaktik, ihre eigene Karriere, Frauen bei der Polizei und das Verfolgen von Verdächtigen auf Toiletten verändert hat. Wenn sie mal «alt» ist, sagt sie, will sie so sein wie Sigrid, und sie hofft, sie können in Kontakt bleiben.

In der Zelle sitzt Marcus mit angezogenen Beinen und verschränkten Armen auf seiner Matratze. Auch als die Tür aufgesperrt wird, rührt er sich nicht.

«Sie können gehen. Der Sheriff sagt, wir können Ihnen nichts nachweisen und Sie sollen verschwinden. Für immer.»

Marcus blickt Sigrid an, die ihm bestätigt, dass sie bereits zwei Tickets nach Norwegen haben und gehen sollten. Am besten gleich, weil sie drei Flugzeuge erwischen müssen.

«Du trägst die Gitarre», befiehlt sie.

«Hier ist doch alles noch genau so, wie während ich weg war. Nichts hat sich geändert. Wenn die mich jetzt wieder laufen lassen, gibt es sicher Unruhen.»

«Der Sheriff und Mr. Green haben einen Plan.»

«Was für einen Plan?»

«Einen guten.»

«Woher weißt du das?»

«Weil der Sheriff ausnahmsweise mal den Mund gehalten und wirklich zugehört hat.»

Irv wartet auf dem Parkplatz auf Reverend Fred Green. Heute Morgen erst haben sie beschlossen, lieber in Freds Auto zu fahren. Ein praktischer, hellblauer Toyota Camry hält neben Irv, der zwar Uniform trägt, aber keine Waffe. Möglicherweise ist das gegen die Vorschriften, während er im Dienst ist. Zum Glück ist ihm das gleich.

Irv öffnet die Tür und rutscht auf den Beifahrersitz. Im Auto riecht es nach Mentholzigaretten und Aftershave.

«Ist das ein 2005er?», fragt Irv.

«Nein, 2004», antwortet Fred. «Sieht von vorn aber genau gleich aus.»

«*Toy*-o-ta», murmelt Irv in Richtung der vorbeiziehenden Bäume.

Auf der Fahrt knistert weder Polizeifunk noch läuft das Radio. Als sie einmal an einer roten Ampel warten, verscheucht Irv die Stille, indem er auf die CD zeigt, die wie eine silberne Zunge aus dem Player ragt.

«Was füttern Sie dem Ding?», fragt er.

«Bill Withers.»

«Ah», sagt Irv. «Wussten Sie, dass *Ain't No Sunshine* nur knapp über zwei Minuten lang ist? Halb so lang wie der durchschnittliche Popsong.»

«Da sieht man mal, was man in zwei Minuten alles erreichen kann, wenn man sich Mühe gibt», erwidert Green.

«Ich wollte nur Smalltalk machen, Fred.»

«Sie sollten lieber überlegen, was Sie sagen wollen.»

«Das fällt mir schon ein, wenn's so weit ist.»

«Das ist kein Spaß, Sheriff.»

«Ich weiß genau, was ich sagen will, Reverend. Bloß noch nicht wie. Aber das fällt mir schon ein. Tut es immer.»

Die Sonntagsgottesdienste in der First Baptist finden um 9.30 Uhr morgens statt, gefolgt von einem Bibelkreis um elf. Wenn es keinen besonderen Anlass gibt, kommen so früh normalerweise um die fünfzig Leute. Heute – nachdem Fred ein paar einflussreiche Gemeindemitglieder angerufen hat – sind es mehr als dreimal so viele.

Jeffrey Simmons und Lydia Jones wurden beide hier getauft und zur letzten Ruhe begleitet; sie liegen nun nebeneinander auf dem Friedhof fünf Kilometer nordöstlich. Lydias Eltern hatten schon vor Jahren Gräber für sich gekauft, um Geld zu sparen. Jetzt liegen ihre Tochter und ihr Enkelsohn darin.

Fred und Irv quetschen sich in die für den Reverend reservierte Parklücke vor der Pforte. Sie sind vierzig Minuten zu früh, aber der Parkplatz ist bereits zu einem Drittel voll. Aus dem Auto sieht Irv zu, wie die ausnahmslos schwarze Gemeinde in die Kirche strömt, vorbei an einem halben Dutzend smart gekleideter Männer, die wie Schuljungen neben dem Mülleimer stehen und rauchen. Was sie sagen, kann er durch die dicke Scheibe nicht verstehen.

«'ne Menge Kinder», brummt er, mehr zu sich selbst als zu Fred Green.

«Das ist ja auch eine Kirche», erwidert der.

«Ja, ich weiß – ich hatte nur irgendwie einen Saal voller streng blickender Erwachsener erwartet, die drauf warten, endlich Tacheles über Politik zu reden.»

«Vielleicht müssen Sie Ihre Erwartungen korrigieren.»

Irv pfeift durch die Zähne. «Wow. Haben Sie und meine Ex den gleichen Kurs belegt oder so? Also echt … verdammt, Fred.»

«Wissen Sie, was diese Kinder betrifft: Sie sind ihr Sheriff. Gehen Sie und lernen Sie sie kennen.»

Irv blickt sich um, sieht, wie die Kinder über den Kies auf dem Parkplatz schlittern, wie ihnen die Hemden aus den Hosen rutschen und wie ihre Mütter versuchen, sie ihnen im Gehen wieder reinzustopfen.

«Die sind so klein», sagt er.

Fred Green führt Irv hinein, wo die beiden in seinem Büro warten, bis die Gemeinde Platz nimmt und zur Ruhe kommt. Dann beginnt der Reverend den Gottesdienst, und Irv setzt sich in den Altarraum wie ein Chorknabe. Während er darauf wartet, dass er an die Reihe kommt, wird ihm ganz plötzlich klar, dass Fred womöglich recht hatte. Vielleicht hätte er sich doch besser vorbereiten sollen.

Viele Leute tun das, darüber hat er schon gelesen. Gut organisierte Leute. Leute, die hinterher nach Hause gehen und zufrieden sind mit dem, was sie gesagt haben, statt darüber nachzugrübeln, was sie hätten sagen können, und zu verdrängen, was sie tatsächlich sagten. Wie mag es sich wohl anfühlen, so ein Mensch zu sein?

Dann schiebt Irv den Gedanken schnell beiseite, denn das wird ohnehin niemals passieren.

Reverend Green bedeutet Irv mit einem Winken, dass er nun ans Pult treten soll. Irv nimmt den Hut ab und lässt ihn auf seinem Stuhl zurück.

Er gibt Fred die Hand, und der flüstert ihm zu: «Johannes 8,32, Sheriff. ‹Und ihr werdet die Wahrheit erkennen, und die Wahrheit wird euch frei machen.›»

«Ja, daran hab ich auch schon gedacht», erwidert Irv.

Dann blickt er die Menge an, ohne ein Wort zu sagen. Auch die Gemeinde schweigt. Wartet ab. Er legt die Hände auf das Stehpult, streift darüber, hin und her, genau da, wo der Reverend noch kurz zuvor dasselbe getan hat. Die Ränder sind noch warm von seinen Händen. In der vierten Reihe rechts sitzt die Familie Jones. Daneben die Familie Simmons.

Und da weiß Irv, wie er beginnen muss.

«Falls Sie je Gelegenheit haben», sagt er zu den hundertfünfzig dicht gedrängten Gesichtern, «Ihre Hände auf dieses Podium hier zu legen, werden Sie merken, dass die Ränder schon ein wenig abgegriffen sind. Von Ihren Plätzen aus können Sie das nicht sehen. Nicht mal von hier sieht man es gut. Man muss es spüren. Sie sind glattgerieben von unzähligen Rednern, die hier vorn standen und sich den Kopf darüber zerbrachen, was sie sagen sollen. Das Holz ist abgenutzt von den Gefühlen der Menschen, die hier versucht haben, etwas Sinnvolles zu formulieren. Das ist mir eben erst aufgefallen. Und zwar, weil ... na ja, weil ich noch nie zuvor hier stand. Was mich – ein bisschen umständlich – zum eigentlichen Punkt bringt: Obwohl ich Ihr Sheriff bin, war ich noch nie hier und habe versucht, etwas Sinnvolles zu sagen, so wie all die anderen, die dieses Ding abgenutzt haben. Und jetzt, wo ich hier stehe, frage ich mich: Wieso? Wieso war ich nicht schon früher da?»

Irv hält inne. Die Kinder zappeln. Alte Frauen fächern sich Luft zu. Die Klimaanlage läuft, kommt jedoch gegen die hoch stehende Sommersonne, die Kammwolle und den vollen Saal nicht an.

«Ich dachte immer», fährt Irv fort, «weil Jeffrey jenseits der unsichtbaren Grenze getötet wurde, die ein County vom anderen trennt, sei ich für ihn nicht zuständig. Bei all dem Gefühlschaos, das an der Sache hing, ließ ich lieber die Finger davon und war froh, dass meine Leute nichts damit zu tun hatten. Zwei Monate später ist Lydia gestorben. Auf meiner Seite der Grenze. Aber irgendwie ließ ich auch das nicht an mich ran. Ich habe es als Rätsel betrachtet, das ich lösen muss, blieb jedoch auf Abstand. Das war das zweite Mal, dass ich nicht hergekommen bin. So schwer es mir fällt, das zuzugeben: Ich glaube, der Grund war, dass ich Angst davor hatte. Ich meine ... ich dachte nicht, dass irgendwas Schlimmes passieren würde oder so, aber ich hatte Angst vor all den Gefühlen. Vor der Wut. Der Trauer. Vor den gemeinen Sachen, die Menschen in solchen Situationen manchmal sagen, vor den Vorwürfen. Da ist es manchmal besser, gar nicht zu reden, um nicht alles noch schlimmer zu machen. Ich kenne das aus meiner Ehe. Andererseits ist meine Ehe auch gescheitert, also hab ich da eindeutig was falsch gemacht.

Ich glaube nicht, dass meine Angst vor all diesen Gefühlen mich zu einem schlechten Menschen macht. Sie macht mich allerdings zu einem Feigling. Ich hatte Angst davor, hierherzukommen und behandelt zu werden wie der Bösewicht einer Geschichte, die ich nicht geschrieben habe. Mein Fehler, mein Versagen als Ihr Sheriff, als Mann und als Christ lag darin, dass ich dachte, ich hätte eine Wahl. Dass sich alles irgendwie von selbst regeln und im allgemeinen Getöse untergehen würde. Was diese Feigheit mir beweist, ist, dass es mir an Glaube fehlte. An Glaube an Gott und an Sie alle hier. Denn aus meiner gescheiterten Ehe habe ich außerdem gelernt, dass wütende Menschen, Menschen die einen anschreien, beschuldigen und beleidigen, das oftmals tun, weil sie einen ändern wollen. Was bedeutet, dass sie das grundsätzlich für möglich halten. Was bedeutet, dass sie an einen glauben. Was bedeutet, dass sie sich das Neue Jerusalem vorstellen können. Und dem aus dem Weg zu gehen, bedeutet, sich vom Reich Gottes abzuwenden.

Ich komme nicht umhin, mich zu fragen, ob es Lydia vielleicht etwas bedeutet hätte, nur ein bisschen, wenn ich nach Jeffreys Tod hierhergekommen wäre. Oder vielleicht auch nach dem Urteil der Geschworenen. Ich frage mich, ob es ihr ein wenig Hoffnung gegeben hätte, mich hier bei dem Versuch zu sehen, dieser Gemeinde besser zu dienen, indem ich an ihrem Leben teilnehme. Ich weiß es nicht. Aber was ich weiß, muss ich Ihnen jetzt wahrheitsgemäß berichten.

Lydia Bethany Jones, Ph.D., ist nicht ermordet worden. Auch Selbstmord hat sie nicht verübt, falls irgendwer das meinen sollte. Auf Grundlage der verfügbaren Beweise bin ich zu dem Schluss gekommen, dass sie ohne jede Absicht vom fünften Stock eines unfertigen Gebäudes gestürzt ist. Dort war sie, um einem Freund zu helfen, besser zu verstehen, in welcher Welt Jeffrey gelebt hat und was das Urteil für sie selbst bedeutete. Damals konnte dieser Freund das nicht mal annähernd begreifen. Beim Versuch, ihm diese Welt quasi aus der Vogelperspektive zu erklären, verlor Lydia den Halt und stürzte ab. Der Freund wollte sie retten, doch es gelang ihm nicht. Heute ist sein Leben ihm keinen Pfifferling mehr wert, weil er sie geliebt hat, auch wenn er sie nicht verstand – was meiner Erfahrung nach vielen von uns oft genug genauso geht.

Jetzt, wo ich Ihnen all das erzähle, fällt mir auf, dass Professor Jones gestorben ist, wie sie gelebt hat: als Lehrerin.

In ihrer letzten Veröffentlichung – die ich gelesen habe –, spricht sie darüber, den Glauben an die Zukunft dieses Landes verloren zu haben. In ihren Gedanken war sie skeptisch, ob wir uns wirklich ändern können. Aber in ihren Taten – und für mich heißt das auch: mit dem Herzen – setzte sie ihr Leben aufs Spiel, um Gnade und Verständnis in die Welt zu bringen, indem sie alles daransetzte, einen einzigen Menschen aufzuklären. Und das klingt nicht nach jemand, der seinen Glauben verloren hat. Es ist der Inbegriff des Glaubens selbst.

Es tut mir leid, dass ich nicht früher hier war. Mir bleibt nur zu sagen, dass Lydia Jones offenbar eine bemerkenswerte Frau war. Ich wünschte, ich hätte sie gekannt.»

EIN MISSVERSTÄNDNIS

ÜBER dreißig Jahre ist es her, dass Morten Ødegårds Kinder das letzte Mal zusammen in seinem Auto saßen. Die Freude darüber kann Morten unmöglich unterdrücken.

Sigrid sitzt vorne bei ihm, Marcus auf der Rückbank, genau umgekehrt wie früher. Vor ihrer Abreise aus Amerika hat Sigrid ihm eine lange Mail geschrieben – und angerufen, um sicherzugehen, dass er sie auch bekommen hat. Darin schilderte sie die Lage und bereitete ihn auf die Last vor, die sie nun als Familie zu tragen haben würden. Seine Rolle als Vater wäre wohl gewesen, sie mit ernster Miene am Flughafen abzuholen und zu ihrem Elternhaus zu fahren, damit sie dort gemeinsam über alles nachdenken und sich versöhnen können. Aber Morten Ødegård ist ein alleinerziehender Vater, der seine Kinder gesund und munter bei sich im Auto hat, und er kann sich nicht erinnern, wann er das letzte Mal so rundum glücklich war.

Mit gemächlichen 85 km/h schnurren sie über die E6. Einmal legt Morten seiner Tochter tatsächlich eine Hand auf den Schenkel und lächelt sie an.

Sigrid blickt auf die Hand und in das lächelnde Gesicht, um sich zu vergewissern, dass er nicht etwa einen Schlaganfall hat oder anderweitig Hilfe braucht. Ohne zu einer befriedigenden Antwort zu gelangen, ringt sie sich ebenfalls ein Lächeln ab und tätschelt die Hand ein paarmal, in der

Hoffnung, dass er sie dann wegzieht, doch er strahlt davon nur umso mehr.

Morten blickt Marcus im Rückspiegel an.

«Wie fühlst du dich?», fragt er.

«Als wäre ich wieder ein Kind», antwortet Marcus.

«Du warst mal ein sehr glückliches Kind.»

«Daran kann ich mich nicht erinnern.»

«Ich schon.»

Morten stellt das Radio auf NRK Klassisk und füllt das Auto mit Ravel.

«Seit du weg bist, hat sich hier einiges verändert», erklärt Morten mit einem Blick in die Hügel.

«Denk ich mir», sagt Marcus.

«Die Trolle haben sich rasant vermehrt. Der Staat gibt sogar schon Jagdscheine aus.»

«Pappa», mahnt Sigrid. «Er ist nicht in der Stimmung.»

Die Stimmen aus dem Radio bringen Marcus zurück nach Norwegen. Die Moderatoren klingen genauso unbeschwert wie ihre amerikanischen Pendants, aber die Produktion ist nicht so glatt, durchgetimt und aggressiv kommerziell. Das tut gut. Respekt vor der Musik haben die hier allerdings nicht. Während der langen Fahrt kommen zweimal Nachrichten, und jedes Mal unterbrechen sie exakt zur vollen Stunde die Musik, egal, was läuft. Einmal spielte eine gewisse Rachel Podger gerade Bachs Sonate Nr. 1 in h-Moll. Vermittelt durch Podgers Geige machte Bachs Musik die Welt lebendig und denkwürdig, facettenreicher und realistischer, als sie Marcus nur wenige Augenblicke zuvor erschienen war, entführte ihn zugleich aus den Hügeln Norwegens und verwurzelte ihn fester im Hier und Jetzt. Und das zerhacken die hier ungeniert wie ein Fischhändler mit seinem Beil.

Dann die Nachrichten. Auf NRK klingen sie verbindlich und beruhigend. Ganz Norwegen lauscht derselben Stimme, so wie die Amerikaner in den Fünfzigern. Die Stimme eint und täuscht sie gleichermaßen, doch die Täuschung ist köstlich und die Einheit höchst willkommen.

Die anderen Autos machen beim Spurwechsel bereitwillig Platz.

Alle halten sich ans Tempolimit, ohne sich dabei etwas zu denken.

Im Ort, kurz vor dem Hof, winkt ihnen fast jeder auf der Straße zu. Man kennt Morten und sein Auto.

Sie wedeln allerdings nicht etwa mit den Armen, als wollten sie einen Ehepartner herbeirufen oder einen Hubschrauber zur Landung auffordern, sondern grüßen kurz und knackig. Ein Nicken oder ein erhobenes Kinn, dazu eine offene Hand. Marcus kehrt zurück ins Land seiner Geburt. Diese Menschen haben die letzten fünf Generationen seiner Familie begraben. Er hatte ganz vergessen, dass es sie gibt. Sie allerdings scheinen sich gut an ihn zu erinnern.

Die Auffahrt zum Hof ist noch immer aus Schotter, die Steinchen knacken unter den Reifen des Subarus. Der Himmel ist tagtraumblau. Das Haus ist rot und das Gras ringsum noch immer grün, was Marcus überrascht, zumal er sicher war, die Zeit hätte die Farben ausgebleicht.

«Ich hab gestern den Kühlschrank vollgemacht», lässt Morten seine Kinder wissen, während er ihre Koffer in der Diele abstellt. «Ich weiß ja nicht, was ihr inzwischen so esst, hab aber einfach mal ein bisschen was besorgt. Zuerst die vier norwegischen Grundnahrungsmittel Braunkäse, Waffeln, Würstchen und Bier. Dazu ein paar Tiefkühlpizzen, die esst ihr doch gern. Und ein bisschen Obst und Gemüse, Lachs, Nudeln, Saft und ein Huhn, das wir braten könnten, falls ihr mittlerweile einen besseren Geschmack entwickelt habt. Marcus, dein Zimmer ist noch so wie früher. Agatha hat es gestern für dich abgestaubt.»

In Amerika hatte Marcus kein Foto von seiner Mutter. Allerdings konnte er sich noch genau an sie erinnern und erkannte ihr Gesicht in seinem wieder. Ihr Haar war blond wie seines. Ihre Augen dunkelblau wie seine. Ihr Hals war jedoch lang und anmutig wie Sigrids, und sie hatte eine ausgezeichnete Körperhaltung.

Und Pianistenfinger.

Auch hier gibt es nirgendwo ein Bild von ihr. Gab es noch nie. Sein Vater hielt nie viel von Familienfotos an der Wand. Er mochte immer lieber Landschaftsbilder; hier und da ein Schwarzweißfoto von einem Wald oder einem Fjord in der Art von Ansel Adams, eine ländliche Idylle, weitergegebene Flohmarktkunst. Alles hängt immer noch genau am selben Ort wie früher. Der ganze Hof wirkt, als hätte man ihn eingeweckt. Entweder sein Vater wollte nach Astrids Tod nichts verändern, oder er wusste nicht wie.

Aber was hätte er auch daraus machen sollen?

Trotz all der Philosophie und Schwafelei, all dem Selbständigwerden und dem Schmerz, steht Marcus nun im Flur vor der Küche und begreift, dass er nie wirklich aus diesen Räumen hier herausgereift ist.

Er öffnet die Tür zum unteren Bad und sieht den Luftschacht über der Toilette.

Aus diesem Schacht hat er eine Geschichte gehört. Seine Mutter und sein Vater sprachen. Er spitzt die Ohren. Nur die Luft flüstert ganz leise.

Schnell schließt er die Tür wieder – zu schnell, sodass die Weingläser im Schrank klirren, als der Luftzug durch das gesamte Haus weht.

An diesem ersten Abend isst die Familie gemeinsam zu Hause. Sie sprechen über den Hof. Marcus erkundigt sich nach den Finanzen, der Hof bringe so viel ein wie nötig, erklärt Morten. Die Kosten sind gering, und er hat ja noch seine Rente, damit verdient er genug für einen sicheren Ruhestand. Wahrscheinlich könnte er sofort aufhören, aber ... wozu?

Sigrid sitzt am Tisch wie eine Erwachsene – nicht wie das große Kind, als das Marcus sich fühlt. Sie ist all die Jahre hier gewesen, in ihren Platz hineingewachsen. Ihren Lachs und die Kartoffeln isst sie wie eine Vierzigjährige. Marcus dagegen ist immer noch elf.

Nach dem Essen liegt Marcus in der frisch gewaschenen Bettwäsche, in der er schon als Kind geschlafen hat. Sigrids Zimmer nebenan schmückten früher Rock- und Popstars. Heute nicht mehr. Ihres ist mit ihr gewachsen, seins ist unverändert geblieben. Der einzige Wandschmuck ist ein Poster der Blue Angels, der Kunstflugstaffel der U.S. Navy. Auf dem Bild stehen die Piloten baumgerade auf dem Rollfeld neben ihren F11-Tiger-Düsenjägern. Es ist von 1967. Ihre Uniformen sind gelb und blau. Nach dem Tod seiner Mutter betrachtete er oft lang das Poster. Er stellte sich seine Hände am Steuerknüppel vor, die Augen auf den Instrumenten, während die anderen in perfekter Formation neben ihm durch den kobaltblauen Himmel jagten. Hoch über der Erde, in perfekter Harmonie. Gesprochen wurde nur das Nötigste. Vor jeder Kurve zählten sie gemeinsam rückwärts, malten eine Lilie an den Himmel, hinterließen weiße Rauchsäulen, während sie immer höher stiegen. 1973, in Astrids Todesjahr, stießen zwei Blue Angels in der Luft zusammen, wobei die Piloten und ein Teamleiter ums Leben kamen. Davon wusste Marcus aber nichts. In seinen Augen war jeder auf diesem Poster unsterblich.

Vielleicht ist es langsam an der Zeit, es abzunehmen.

Nur für Einkäufe verlassen die drei den Bauernhof. Sie schlafen mehr, als Marcus erwartet hat, was er zumindest teilweise dem Jetlag zuschreibt. Ihre Gespräche vermeiden jedes heikle Thema. Alle drei lesen lieber, als Filme oder Fernsehsendungen zu schauen. Wenn es dunkel wird, trinken sie was und gehen dann früh zu Bett. Sie müssen einander nicht «auf den neuesten Stand bringen», wie die Amerikaner. Sie sind einfach wieder beisammen.

Der Markt ist weit genug entfernt, dass man ein Auto braucht. Meistens erledigt Sigrid die Einkäufe und lässt die Männer so lange allein. Marcus ist sich nicht sicher, wie viel Sigrid ihrem Vater von dem erzählt hat, was in Amerika passiert ist, und bislang stellt Morten keine Fragen. Aber vermutlich weiß er schon das meiste, Sigrid hat ihn bestimmt vorgewarnt. Genau dank dieser Unsicherheit kommen sie jedoch diesmal miteinander aus.

Die Tage sind hell und lang, aber nicht warm. Nicht so warm wie in New York jedenfalls. Dort ziehen die Tage alle Feuchtigkeit aus den Bäumen und dem Boden. Die Luft ist derart vollgesogen, dass man fast daran erstickt, und die einzige Rettung besteht darin, in einen See zu springen und sich den Schweiß mit dem Gletscherwasser aus den Catskills abzuwaschen. Marcus tauchte dort gern, bis seine Lungen nicht mehr konnten; dann stieg er langsam auf und sog die kühle Luft knapp über der Oberfläche ein. Er verschlang sie förmlich, blau und wohltuend.

Einmal waren Lydia und er am Wochenende campen. Marcus entstieg dem Lower Saranac Lake und fühlte sich wie ein römischer Gott. Er schlüpfte in einen dicken Frotteebademantel, und sie lag da, lächelte ihn an und roch nach Kokosnuss.

Heute, in Hedmark, ist es trocken und klar. Die Sommer sind hierzulande kurz, verheißen jedoch eine Art perfekter Ausgewogenheit, wie man sie nirgends sonst findet. Skandinavische Sommertage sind wahre Wunder, trocken und unendlich. Erfüllt von Waldesduft und Zuversicht. Keine Fliege, keine Mücke. Und unter alledem liegt, wie eine Melodie, eine zarte Traurigkeit, weil jeder weiß, dass es nicht lang so bleibt. Also atmet man es ein, kostet es aus und hält in dem Wissen daran fest, dass es vergeht.

Als sie noch klein waren, liefen Sigrid und er jeden Tag durch wilde, unbewohnte Wälder, die niemandem gehörten, zum Fluss und streckten die Zehen ins Wasser. Sie forderten einander heraus, sich weiter hineinzuwagen.

Wenn Marcus dann hineinsprang, zogen sich vom kalten Wasser alle Muskeln zusammen und schnürten ihm den Atem ab. Man konnte an der frischen Luft ertrinken, so kalt war der Fluss.

Jedes norwegische Kind kennt dieses Gefühl. Und jedes Kind weiß auch, dass es vorbeigeht.

«Ist's schon warm genug?», rief er immer. Denn Sigrid war stets als Erste im Wasser.

Unten in der Küche macht Sigrid sich einen Snack aus Schwarzbrot, Hering und saurer Sahne zurecht. Sobald sie sich damit an den Tisch gesetzt hat, tapst Marcus in die Küche und durchstöbert die Schublade neben der Spüle.

Er spürt ihren Blick.

«Hast du schon mit deinem Freund gesprochen, seit du wieder hier bist?», fragt er, den Rücken zu Sigrid.

«Wie kommst du drauf, dass Irv mein Freund ist?»

«Ich hab gesehen, wie du dich am Flughafen von ihm verabschiedet hast.»

«Hm.»

«Wie soll das funktionieren?»

«Muss es ja gar nicht», entgegnet sie und isst einen Happen.

Schraubenzieher. Klebeband. Briefmarken. Schwedische Münzen, die keiner braucht. Ein Taschenrechner aus den Achtzigern. Klebstoff. Ein roter Luftballon. Schichtenweise Krempel. Scharrend schiebt er ihn hin und her.

«Dann ist das also vorbei?», hakt er nach. «Was immer es auch war?»

«Kann sein, dass Irv was über Urlaub gesagt hat, der ihm noch zusteht. Und über Bonusmeilen. Du suchst Batterien, oder? Für die alten Taschenlampen, stimmt's?»

«Woher weißt du das?»

«Ich hab dich mit einer herumhantieren sehen.»

«Ich will sie ankriegen. Weiß auch nicht, wieso.»

«Mit denen haben wir früher die Gegend erkundet.»

«Ja», sagt er.

«Du bist also bereit.»

«Bereit wofür?»

«Zum Erkunden.»

«Ich will nur die Taschenlampen flottkriegen.»

«Ich komme mit, wenn's dunkel genug ist.»

«Wohin?»

«Wir gehen spazieren», antwortet sie. «Mal sehen, ob wir unseren Geheimcode noch können. Erinnerst du dich?»

«Daran hab ich nicht mehr gedacht, seit ich 1977 hier zu Besuch war.»

«Ich auch nicht», sagt Sigrid.

Um zehn, als sie beide müde sind und normalerweise schon im Bett lägen, gehen Sigrid und Marcus hinaus in den Wald. Marcus drückt zum Test den kleinen Signalknopf an der Taschenlampe. Sigrid blinkt aus zwanzig Metern Entfernung durch die Bäume zurück, und sie schreiten auf getrennten Wegen voran. Der Mond steht am Himmel, aber dunkel ist es nicht. Selbst jetzt noch ist der Horizont pastellfarben. Sie gehen leise, um sich voreinander zu verstecken – vor feindlichen Truppen, vor den Aliens, vor den Nazis –, und tauchen ein in die Erinnerung.

Marcus durchbricht den Augenblick mit einer verschlüsselten Nachricht aus seinem Versteck in einem Busch. Sigrid liest die Lichtsignale:

Steck den Hund in den Eimer und verrat's dem Affen nicht.

Irgendwer erinnert sich hier offensichtlich nicht mehr richtig an den Code.

Sigrid schlägt eine Richtung ein, die Marcus nichts mehr sagt.

Er verlässt seinen Widerstandskämpferposten und schließt zu seiner Schwester auf, die ihn durch ein Dickicht führt, an das er sich vage erinnert. Am Ende des Wegs steht eine schlichte weiße Kirche. Marcus begreift augenblicklich, wohin Sigrid ihn gebracht hat. Zu seiner Überraschung wartet dort jedoch, neben dem Grabstein seiner Mutter, sein Vater, die Hände in den Taschen und die Pfeife im Mundwinkel.

«Ein Hinterhalt», knurrt Marcus, schaltet die Taschenlampe aus und klemmt sie an den Gürtel.

«Sigrid hat mir alles erzählt», sagt Morten.

«Was denn?», fragt Marcus.

«Was du gehört hast, als du elf warst. Wegen dem du vom Klo gestürzt bis, auf das du geklettert warst, um uns zu belauschen. Was du nicht hättest tun sollen.»

«Jetzt erzählst du mir sicher gleich, ich hätte alles falsch verstanden.»

«Nein. Das hast du nicht.»

Der Mond steht als dünne weiße Sichel über dem Kirchturm. Aus Marcus' Perspektive wirkt er wie ein Ersatz für das fehlende Kreuz.

«Du hast richtig gehört, und es tut mir leid. Aber du verstehst noch immer nicht. Sie hat das gesagt, ja. Und wir haben darüber gesprochen. Darüber nachgedacht. Aber sie hat es nicht getan. Sie ist im Schlaf gestorben, Monate später. Du bist nicht schuld an ihrem Tod. Andersrum wird ein Schuh draus. Deine stumme Angst hat sie nicht dazu gebracht, sich umzubringen: Nein, du hast sie gerettet. Wir haben ein einziges Mal darüber gesprochen, dann nie wieder. Wegen dir. Wegen dir und deinem gebrochenen Ärmchen. Du brauchtest uns, beide, so lange es ging. Das wurde uns schlagartig bewusst. Sie konnte dich nicht allein lassen. Jeder Tag, den sie danach noch lebte, war ein Segen, den du uns beschert hast. Allerdings hast du – wenn ich Sigrid recht verstehe – dafür die ganze Zeit auf etwas gewartet, das eben deshalb nicht passierte, weil du es verhindert hattest. Falls es überhaupt je passiert wäre. In düsteren Zimmern sagen Menschen düstere Dinge. Reden hilft eben manchmal. Aber ich kann dir versichern, das war nie wieder Thema. Ich kann dir nicht sagen, wie leid mir tut, was du durchlitten hast. Aber ich hatte keine Ahnung.»

«Ich glaub dir kein Wort.»

Morten legt die Hand auf den Grabstein seiner Frau. «Es ist aber wahr.»

«Ich soll also mein ganzes Leben als Lüge begreifen. Als Fehler. Die ganze Zeit über soll ich hinter dem Schleier eines Irrtums gelebt haben?»

«Eines Missverständnisses.»

«Ich glaube dir kein Wort.»

«Doch, das tust du. Du musst nur Platz in deinem Herzen dafür schaffen, wie sehr deine Mutter und ich dich geliebt haben. Du warst wütend auf sie, weil sie starb, und wütend auf mich, weil ich es zugelassen habe. Aber die Schuld hast du dir selbst gegeben. Dein Brief wegen Lydia beweist es. Ich glaube, deine Schuldgefühle haben dich daran gehindert zu trauern. Und vielleicht auch daran, richtig zu leben. Wenn du annehmen kannst, was ich dir sage, kannst du vielleicht wieder nach Hause kommen. Ich hätte gern, dass du wieder nach Hause kommst. Du fehlst mir.»

Marcus' Blick fällt auf den Namen und die Lebensdaten seiner Mutter auf dem Grabstein.

«Allein kann ich hier nicht bleiben», sagt er zu Sigrid.

«Ich bleibe auch ein bisschen», sagt sie. Und an ihren Vater gewandt: «Vielleicht kündige ich bei der Polizei.»

«Du willst das Verbrechen nicht mehr bekämpfen?»

«Ach, Strafverfolgung dreht sich immer nur darum, die Rätsel der Vergangenheit zu lösen, wenn das Malheur schon angerichtet ist», erklärt sie mit Blick zu Marcus. «Nach allem, was ich in Amerika gesehen habe, möchte ich dem Ärger lieber zuvorkommen, als ihm hinterherzulaufen. Mich ins Getümmel stürzen. Alles mal aus anderen Blickwinkeln betrachten. Die Welt ein bisschen besser machen.»

Morten lächelt. «So gefällst du mir.»

DANKSAGUNG

Besonderer Dank gilt Lauren Wein und Pilar Garcia-Brown von Houghton Mifflin Harcourt für ihre redaktionelle Hilfe, ihre Ideen und ihre gute Laune. Danke auch an Alison Kerr Miller und das ganze Team von HMH, einschließlich der leider verstorbenen Carla Gray, die an meine Arbeit glaubte. Danke an Bill Scott-Kerr und die Transworld-Leute bei Penguin Random House, die dieses Buch mit offenen Armen und Herzen aufgenommen haben. Wie immer danke ich auch meiner britischen Agentin Rebecca Carter für ihr knallhartes Urteil und ihre professionelle Anleitung sowie meinem amerikanischen Agenten PJ Mark für seine Unterstützung und seinen großartigen (oder vielleicht auch nur meinem ähnlichen) Sinn für Humor. Danke auch an das ganze Team von Janklow und Nesbit.

Ich danke Dr. Lesley Inker und Dr. Howard Stevens, die mir mit Astrids Krebserkrankung halfen. Alle Fehler gehen auf meine Kappe. Manche sind sogar Absicht.

Wie immer danke ich auch meiner Frau Camilla, meinem Sohn Julian und meiner Tochter Clara. Einen Schriftsteller zum Ehemann oder Vater zu haben, ist nicht immer leicht. Aber ein bisschen cool ist es schon auch, oder?

Irv sang *Somebody's Knocking* von Terry Gibbs (1980).

Das Zitat aus *Dr. House* stammt aus Staffel 2, Episode 2. Die Folge lief 2005, nicht 2008, als Melinda sie geschaut hat. Als Autor nehme ich mir gegenüber der Wirklichkeit manchmal ein paar Freiheiten heraus. Das ist nur fair, finde ich, zumal die Wirklichkeit es mit mir genauso gemacht hat.

Ich habe ein wenig mit der Geographie von Upstate New York herumgepfuscht, aber hoffentlich nicht mit dem Charakter der Region. Manchmal muss man einen Schritt zurücktreten, um die Dinge klarer zu sehen.

Mortens Ente ist nach Ferdinand aus *Ein Schweinchen namens Babe* und *Schweinchen Babe in der großen Stadt* benannt. Ein lustiges Kerlchen, diese Ente.

Die SWAT-Beamten sprachen über den Film *Schmetterling und Taucherglocke* von Julian Schnabel (2007).

Laut Statistikabteilung des amerikanischen Justizministeriums waren 2007 nur sieben Prozent der vollbeschäftigten, vereidigten Polizisten in mittelgroßen Sheriffdienststellen weiblich; in den kleineren waren es nur vier Prozent (www.bjs.gov/content/pub/pdf/wle8708.pdf). In Norwegen liegt der Frauenanteil in der Polizei bei circa dreißig Prozent, und die Zahl der weiblichen Führungskräfte steigt. Ich danke der hochrangigen norwegischen Polizistin Cecilie Lilaas-Skari, dass sie mir wichtige Fragen beantwortet hat. Sämtliche diesbezüglichen Fehler sind eindeutig ihre Schuld, und Sie sollten sich deshalb am besten direkt an sie wenden.

2014 hat Jefferson County, New York, als erstes County des Staates eine Frau zum Sheriff gewählt.

Das Motto der New Yorker Staatspolizei lautet tatsächlich *«Excellence Through Knowledge»*, und zwar schon seit 1917. Das könnte man ruhig landesweit übernehmen, als leuchtendes Beispiel.

Und schließlich: Ich hoffe, Sigourney Weaver kann mir verzeihen.

Weitere Titel von Derek B. Miller

Ein seltsamer Ort zum Sterben

Sigrid Ødegårds Reise nach Amerika

MIX
Papier aus verantwortungsvollen Quellen
FSC® C083411

Das für dieses Buch verwendete Papier ist FSC®-zertifiziert.